U0947002

澳大利亚文学经典

Australian Classics

True History of the Kelly Gang

Peter Carey

凯利帮真史

（澳）彼得·凯里 / 著

李尧 / 译

青岛出版社
QINGDAO PUBLISHING HOUSE

编委会

鸣 谢

WESTERN SYDNEY
UNIVERSITY

Foundation for Australian
Studies in China

本译文集荣获北京外国语大学、内蒙古师范大学、西悉尼大学、在华澳大利亚研究基金会的大力支持，特此感谢！

General Preface

I am pleased to introduce this important collection of Australian literature translated by Li Yao.

The 40th anniversary of Li Yao's career as a translator is a timely occasion to revisit some of Australia's great literary works.

Thanks to Li Yao's unwavering commitment to translating Australian literature into Chinese, works by Alexis Wright, Patrick White, Thomas Keneally, and Colleen McCullough, among others, will continue to delight readers in China.

We can see in this collection the uniqueness of Indigenous stories and writing that reflects Australia as a contemporary, diverse society.
The breadth of this collection and the interest in China in Li Yao's translation of Australian works reflect both the richness of Australian literature and the depth of the ties between Australia and China.

The publication coincides with the 45th anniversary of the establishment of diplomatic relations between Australia and China in December 1972, providing an opportunity to celebrate what has already been achieved and to consider how we can further enrich each other's societies, including through literary exchange.

The many partnerships between authors, translators, editors, publishers and readers that have made this collection a reality form an important part of the great fabric of the Australia-China relationship,

I congratulate the Editorial Board, in particular Professors Sun Youzhong, Zhang Haifeng and Li Jianjun; Beijing Foreign Studies University, Inner Mongolia Normal University, Western Sydney University and the Foundation for Australian Studies in China, as well as the publisher of the collection, Qingdao Publishing Group.

I am sure these stories will continue to inspire interest in Australia and in Australian literature in China.

Jan Adams Ao PSM
November, 2017

总序 ❶

General Preface

我很高兴在此向大家介绍李尧翻译的这套重要的澳大利亚文学作品选集。

在李尧翻译生涯进入第四十个年头的时候，重温澳大利亚一些伟大的文学作品可谓正逢其时。

正是由于李尧对澳大利亚文学作品中译的不懈努力，亚力克西斯·赖特、帕特里克·怀特、托马斯·肯尼利和考琳·麦卡洛等人的作品将继续给中国读者带来愉悦。

从这部译文集里，我们既能看到澳大利亚独特的原住民故事，也能读到反映澳大利亚现代、多元社会的作品。

译文集的跨度以及李尧译作中的中国兴趣既反映了澳大利亚文学的丰富性，也体现了中澳两国关系的深度。

中澳两国 1972 年 12 月建立外交关系，译文集的出版正值建交四十五周年。这也为我们提供了一个契机，庆祝所取得的成就，并思考如何通过文学交流等方式丰富彼此的社会。

作者、译者、出版社和读者之间的诸多伙伴关系促成了这部译文集的完成，这也是构成中澳关系丰富肌理的一个重要部分。

我祝贺编委会，特别是孙有中教授、张海峰教授和李建军先生，也要祝贺北京外国语大学、内蒙古师范大学、西悉尼大学、在华澳大利亚研究基金会以及这部译文集的出版方——青岛出版集团。

我相信译文集中的故事将继续在中国唤起人们对澳大利亚及其文学的兴趣。

澳大利亚驻华大使 安思捷

2017 年 11 月

总序 ❷

General Preface

德国文学、法国文学、英国文学、俄罗斯文学、美国文学和日本文学介绍到我国已经有了很长一段历史，从十九世纪末到二十世纪初期出现了大量各国文学译本。特别是日本文学，据查，在明代已经有李言恭、郑杰编纂的日本短歌39首被译为中文。澳大利亚文学进入中国则是比较近期的事。1953年上海出版公司出版了詹姆斯·阿尔德里奇(James Aldridge)的小说《外交官》(*The Diplomat*)的中文译本，这是我国出版的第一部澳大利亚小说。1954年出版了弗兰克·哈代(Frank Hardy)的《幸福的明天》（*Journey into the Future*）和《不光荣的权力》（*Power Without Glory*），此后又陆续出版了一些长篇和短篇小说以及一些诗集和剧本，包括凯瑟琳·苏珊娜·普里查德(Katharine Susannah Prichard)的《沸腾的九十年代》（*The Roaring Nineties*），朱达·沃顿(Judah Waten)的《不屈的人们》（*The Unbending*）等。[①]但是，总的来说，在二十世纪五十至七十年

①陈弘：《20世纪我国的澳大利亚文学研究述评》，《华东师范大学学报（哲学社会科学版）》2012年第6期。

代，我国的澳洲文学翻译不仅数量很少，而且，由于当时的时代背景，翻译的选题范围狭窄，作品内容单一。

这一局面的改变得益于1978年我国开始实行的改革开放政策。在这一年，发生了一些对澳洲文学翻译具有深远意义的事情。安徽大学成立了大洋洲文学研究所，推出《大洋洲文学》期刊，翻译出版了澳大利亚、新西兰的一些文学作品。人民文学出版社出版了刘寿康翻译的《劳森短篇小说集》。这一年年底，教育部将全国选拔出的9位中年教师集中于北京，准备派往悉尼大学。这就是日后人们戏称“九人帮”的一批学者。在悉尼大学，他们虽然分属英文系和语言学系攻读硕士学位，但多数都选学了澳大利亚文学课程。这一批学者在学成归国后，在推动澳大利亚研究方面发挥了重要的作用。也就是在这一年，李尧先生开始了他漫长的文学翻译之旅。

二十世纪八十和九十年代是一个热气腾腾的时代。澳大利亚文学翻译呈现出勃勃生机。在这一时期出版的澳大利亚文学作品包括艾伦·马歇尔(Alan Marshall)的《我能跳过水洼》(*I Can Jump Puddles*)，罗尔夫·博尔德沃德(Rolf Boldrewood)的《空谷蹄踪》(*Robbery Under Arms*)，帕特里克·怀特(Patrick White)的《风暴眼》(*The Eye of the Storm*)、《人树》(*The Tree of Man*)、《探险家沃斯》(*Voss*)、《树叶裙》(*A Fringe of Leaves*)和《镜中瑕疵》(*Flaws in the Glass*)，迈尔斯·弗兰克林(Miles Franklin)的《我的光辉生涯》(*My Brilliant Career*)，兰道夫·斯托(Randolph Stow)的《归宿》(*To the Island*)，托马斯·肯尼利(Thomas Keneally)的《辛德勒的名单》(*Schindler's List*)和《内海的女人》(*Woman of the Inner Sea*)，彼得·凯里(Peter Carey)的《奥斯卡和露辛达》(*Oscar and Lucinda*)以及一批短篇小说集和诗集。

杰克·希伯德(Jack Hibberd)的剧本《想入非非》(*A Stretch of the Imagination*)不仅翻译出版，而且在京沪两地公演。综前所述，可以看出我国译者不断拓展澳大利亚文学翻译的范围，将不同背景、不同流派的作家纳入自己的视野，使得澳洲文学翻译在我国不仅数量激增，而且内容也发生了实质性的变化。

致力于翻译和介绍澳大利亚文学的中国学者是一个群体，既包括早期的马祖毅、刘寿康等，也包括八十年代初从澳大利亚归来的留学学者黄源深、胡文仲等，他们一直处在澳大利亚文学翻译、教学和研究的第一线。译者中还包括朱炯强、叶胜年、曲卫国、欧阳昱、李尧等。这一大批译者在介绍和推广澳大利亚文学方面成绩显赫。其中李尧的贡献尤为突出。除了文学翻译，还应该特别提到黄源深教授撰写的《澳大利亚文学史》以及王国富教授主编翻译的《麦夸里英汉双解词典》，这两部巨著对于澳大利亚文学研究和翻译都起了重要的作用。

李尧先生致力于文学翻译四十年，主要从事澳大利亚文学翻译，也翻译出版了部分英美文学作品，总计52部，字数逾千万，在我国翻译界如此多产的译者实属少见。李尧翻译的作品涵盖澳大利亚作家老中青三代，既包括老一代作家帕特里克·怀特，托马斯·肯尼利，亚历克斯·米勒等，也包括中年作家彼得·凯里，尼古拉斯·周思等，还包括一些年轻的儿童文学作家。从文学流派看，现实主义、现代主义和魔幻现实主义都囊括其中。此次出版的《李尧译文集》只占他翻译的澳大利亚文学作品的约三分之一。收入集子的作品大部分获得过文学大奖，在澳洲文学中具有一定的代表性，有些则是考虑到作家在中国的影响或者题材与中国有关。这一译文集集中反映了李尧在澳大利亚文学翻译方面的成就。

李尧先生1966年毕业于内蒙古师范大学外语系，从事记者工作和文学创作二十余年，发表过报告文学、散文、小说等近百万字，1986年成为中国作家协会会员。正是由于李尧的作家背景，他翻译的文学作品具有一个突出特点：文字优美，行文流畅。阅读他翻译的作品，给人以欢畅淋漓的感觉。李尧回忆说："我翻译小说的时候，常常是从一个写小说的人的角度出发，像我自己写小说一样，体会、捕捉作者的思路，创作的技巧，注意人物性格化语言的翻译。不是只从字面上去对应。我看懂原文，就用自己的语言而不是字典上的意思去翻译。这样译出来的东西就比较鲜活，可读性强。"翻译亚历克西斯·赖特(Alexis Wright)的《卡彭塔利亚湾》(*Carpentaria*)难度很大。作者是澳大利亚当代最有成就的原住民作家。小说涉及澳大利亚原住民的宗教信仰、部族矛盾、生产生活方式、风土人情、历史渊源等，而且写作方法也比较独特。李尧在翻译这部小说前，大量阅读了有关澳大利亚原住民历史文化的著作，同时不断和作者联系，取得她的帮助。悉尼大学在授予李尧荣誉文学博士学位时指出："《卡彭塔利亚湾》是李尧毕生从事文学翻译和四十余年来中澳文化交流的巅峰之作。"有评论指出："《卡彭塔利亚湾》是纯文学性文本，李尧先生翻译策略的选择，让译文洋溢着一种梦幻般的抒情色彩，充满文学情调，让读者感受到澳大利亚古老土地的荒芜。"①

翻译从来都不是简单地把一种语言变成另一种语言的过程。王佐良先生对于翻译，特别是文学翻译，曾经发表过许多重要的论述。他指出："因为有翻译，哪怕是不免出错的翻译，文化交流才成为可能。

①张华：《纽马克文本翻译理论与李尧文学文本翻译策略》，《安徽工业大学学报（社会科学版）》，2016年第5期。

语言学家、文体学家、文化史家、社会思想家、比较文学家都不能忽视翻译。这不仅是因为通过翻译者的辛勤劳动才使得一国的文化遗产能为全世界的人所用，还因为译者做的文化比较远比一般人要细致、深入。他处理的是个别的词，他面对的则是两大片文化。”①李尧正是通过他的文学翻译将独特的澳洲大陆文化介绍给了拥有悠久历史文化传统的中国人民。

李尧先生几十年来耕耘在澳大利亚文学翻译这片土地上，他的勤奋努力非常人所可比拟，他经常夜以继日地工作，节假日也很少休息。他在澳大利亚文学翻译方面的成就获得了广泛的认可，于1996、2008、2012年三次获得澳中理事会颁发的澳大利亚文学翻译奖。2014年被悉尼大学授予荣誉文学博士学位。表彰词指出，李尧“在中国，在文学翻译和澳大利亚研究方面作出了杰出的贡献。他把许多澳大利亚作家介绍给中国读者，包括帕特里克·怀特，托马斯·肯尼利，亚历克西斯·赖特，为中国读者更好地了解澳大利亚和澳大利亚人民提供了丰富的资源”。

澳大利亚文学翻译在中国的成功首先是由于译者的努力和奉献，但与澳大利亚作家们对中国的友好感情也紧密相关。许多译者都与澳大利亚作家有过密切而友好的交流，从他们那里得到了无私的帮助。澳中理事会在推动澳大利亚文学翻译和澳大利亚学术研究方面也起了至关重要的作用。最后，还应该提到中国出版界对于澳大利亚文学翻译的兴趣和关注。没有他们一以贯之的支持就不可能有今天澳大利亚文学翻译在中国的丰收。

①王佐良：《翻译中的文化比较》，《王佐良全集》第8卷252页，外语教学与研究出版社，2016年。

2018年适逢中国澳大利亚学会成立三十周年，也恰是李尧先生从事文学翻译四十周年。北京外国语大学、内蒙古师范大学、西悉尼大学和在华澳大利亚研究基金会共同发起出版的十卷本《李尧译文集》既是对于李尧几十年来从事澳大利亚文学翻译的充分肯定，更是繁茂的中澳文化交流之见证。我们相信，澳大利亚文学翻译事业今后在我国必将取得更长足的进步，在促进中澳文化交流方面也必将起到更大的作用。

胡文仲

2017年8月27日

General Preface

It is my great honour to have been asked to write a General Preface for this important series of award-winning translations of Australian literature by Professor Li Yao, to be published by Qingdao Publishing House. The series is in celebration of Professor Li Yao's 40th Anniversary as a translator of Australian literature, which coincides with the 45th Anniversary of the establishment of diplomatic relations between our two countries. As I will explain, these two anniversaries are closely connected.

The Australian Labor Party, led by Gough Whitlam, had recognised the Peoples' Republic of China as early as 1955, but it was another seventeen years before it was elected into government, on 2 December 1972. Less than three weeks later, on 21 December 1972, Prime Minister Gough Whitlam signed the joint communique establishing diplomatic relations between Australia and The Peoples' Republic of China. Under the terms of the Communique, the two Governments agreed to "develop … diplomatic relations, friendship and co-operation between the two countries on the basis of the principles of mutual respect … equality and mutual benefit, and peaceful coexistence".

The Australian Embassy in Beijing was opened on 12 January 1973, and later that year Gough Whitlam became the first Australian Prime Minister to visit China, holding historic meetings with Zhou Enlai and Mao Zedong. Whitlam's establishment of diplomatic relations between Australia and China has been described as the single most important event in relations between our two countries in the twentieth century, and remains the foundation of the relationship today.

In addition to trade and tourism, cultural and educational exchanges have been of increasing importance to the relationship between our two countries. Since the 1970s, these links have included the study of Australian literature. The first five Chinese students to study in Australian universities after the establishment of diplomatic relations arrived in 1975, and the number increased rapidly from the late 1980s. Professor Li Yao's career in translating Australian literature for generations of Chinese readers has been central to this story of cultural exchange.

After graduating from Inner Mongolian Normal University in 1966, Li Yao worked as a writer and editor for journals in Inner Mongolia until his appointment as Professor of English at the Training Centre of the Ministry of Commerce in Beijing in 1992. He became a member of the Chinese Writers' Association in 1986, specialising in literary translation. At that time, he started collaborating with Professor Hu Wenzhong at Beijing Foreign

Studies University on the translation of Australian literature. Professor Hu is a graduate of the University of Sydney, a member of the so-called "Gang of Nine", who were among the first students from China to undertake graduate study in Australia after the Cultural Revolution of 1966 to 1976. In 1979, the "Gang of Nine" studied under my predecessor as Professor of Australian Literature at the University of Sydney, Professor Dame Leonie Kramer. I was then a young tutor in the English Department researching my own PhD thesis, and I well remember the presence of our Chinese visitors in the Department. The "Gang of Nine" proved influential in developing Australian Studies in China after their return. Since that time, over 30 Australian Studies Centres have been set up across China. A number of these centres have courses on Australian literature, and have people working on translating and introducing Australian literature to Chinese readers. They include Peking University and Beijing Foreign Studies University, where Professor Li Yao teaches advanced translation studies, as well as, Shanghai's East China Normal University, Renmin University, Anhui University, Suzhou University, Inner Mongolia University and Inner Mongolia Normal University.

It was Professor Hu Wenzhong who first encouraged Li Yao to make his career in the study and translation of Australian literature. When they met in Beijing in the mid 1980s, Professor Hu explained that Australian literature was still an untouched field in China, and he encouraged Li Yao to devote himself to this area and make a contribution to it as a translator. Before the Cultural Revolution, Chinese readers had some familiarity with American, British, Russian, French, German and other European literatures, but they knew little about Australian literature. At that time, only Henry Lawson, Frank

Hardy and a few other "social realist" writers were known through translation. Collaborating together, Professor Hu and Li Yao translated Patrick White's The Tree of Man, which was published by Shanghai Translation Publishing House in 1991. Patrick White was Australia's most famous writer, having won the Nobel Prize in 1973. Unlike the earlier realist writers, he was significant because his novels mediated Australian experience and the Australian landscape through the stylistic innovations of international modernism.

After collaborating with Professor Hu, Li Yao continued to translate Australian literature, carrying on the tradition that he had initiated. Li Yao today has translated a staggering total of 35 titles. The list of his translations includes novels by Brian Castro, Richard Flanagan, Anita Heiss, Colleen McCulloch, David Malouf, Alex Miller, and Kim Scott, as well as important works of history and non-fiction. Most of Li Yao's translations were generously supported by funding from the Australia-China Council, the Literature Board of the Australia Council and FASIC, the Foundation for Australian Studies in China. The works selected for re-printing in the 45th Anniversary series include many of the novels that have gone on to achieve fame both in Australia and internationally through their winning of prizes such as the Miles Franklin Literary Award, the Commonwealth Writers Prize, and the Man Booker Literary Award. His translations include Patrick White's novels, The Tree of Man and A Fringe of Leaves, and his autobiography, Flaws in the Glass; two of the earliest novels about Australian-Chinese relationships, Brian Castro's Birds of Passage, and Alex Miller's The Ancestor Game; and Avenue of Eternal Peace, by academic and former cultural officer in Beijing, Nicholas Jose. The list also includes titles by the three Australian authors who have won the prestigious Man Booker Literary Prize: Peter Carey's True History of the Kelly Gang, Tom Keneally's Woman of the Inner Sea and Richard Flanagan's Gould's Book of Fish. In addition to The Ancestor Game, which won both the Miles Franklin Literary Award and the Commonwealth Writers Prize, there are two other novels by Alex Miller, Landscape of Farewell and Coal Creek. In addition to works of fiction, Li Yao's translations of important works of non-fiction include David Walker's memoir Not Dark Yet, and Mara Moustafine's Secrets and Spies: The Harbin Files, both of which in different ways touch on people-to-people Chinese-Australia links.

In more recent years, Li Yao has continued to provide leadership and innovation by keeping up with the latest developments in Australian literature, and continuing to introduce new works by Australian writers to Chinese readers. He has recently shown a particular interest in the areas of Australian children's literature, and writing by Australia's Indigenous authors, and there are examples of these works also included in the Anniversary series. Sponsored by the Australia-China Council, from 2010 Li Yao worked to select and translate 10 Australian children's books, including such well-known and loved classics as Ethel Pedley'sDot and the Kangaroo, May Gibbs' Tales of Snugglepot and Cuddlpie, Ethel Turner's Seven Little Australians, Dorothy Wall's Blinky Bill, Ruth Park's The Muddle-Headed Wombat, and Colin Thiele's Storm Boy. These books were published by People's Literature Publishing House and have become very popular in China. New editions of Dot and the Kangaroo and Seven little Australians are to be published by China Youth Publishing House. Li Yao has reaffirmed his commitment to promoting Australian children's books in China, and will introduce more titles into this series, which is to be called his Koala Books series.

Since 2006, with the help of his great friend, the novelist, academic, and former cultural counsellor, Professor Nicholas Jose, Li Yao has been researching and translating Australian Aboriginal Literature. His translations include Kim Scott's Benang: From the Heart, Alexis Wright's Carpentaria, and Anita Heiss' Who Am I. He is currently working on a translation of Alexis Wright's The Swan Book. He hopes that these books will expand Chinese understanding of Australia, aware that Australian Aboriginal literature has not been introduced to China systematically so far, and so to most Chinese readers this is still an unfamiliar field.

In addition to his translation and teaching at PKU, Li Yao has served as a council member of the Chinese Association for Australian Studies since it began in 1988. He won the Australia-China Council's inaugural Translation Prize in 1996 for his translation of Alex Miller's The Ancestor Game, in 2008 for Nicholas Jose's The Red Thread, and again in 2012 for his translation of Alexis Wright's Carpentaria. He was awarded the Council's gold medal in 2008 for his distinguished contribution in the field of Australian literary translation in China.

Perhaps because of White's own fame as Australia's only Nobel Prize winning writer, Li Yao is known especially in Australia as a champion of Patrick White in China. His translation of The Tree of Man has been reprinted three times in the past twenty five years, selling over 20,000 copies. White's autobiography, Flaws in the Glass, has also been reprinted three times, seeling more than 12,000 copies. His translations of The Tree of Man, Flaws in the Glass, The

Ancestor Game, True History of the Kelly Gang, and Carpentaria have been well reviewed and well received in China, and many students have gone on to write their Masters and PhD dissertations on these world-class Australian novels, having been first introduced to them by Li Yao.

Li Yao's translation of Carpentaria perhaps deserves special comment as the culmination of a lifetime's work, and some forty years' cultural exchange between the two countries. The novel imagines Australian life from an Aboriginal perspective; it is written from within the Aboriginal life world, in a unique style that might be described as a kind of Aboriginal magical realism. Among Chinese translators of Australian literature, only Li Yao had the depth of experience to take on the challenging task of translating such a masterwork from another culture into Mandarin. He saw it through to publishing with the prestigious People's Literature Publishing House and gathered support from leading Chinese writers, including Nobel literature laureate Mo Yan, who launched it at the Australian Embassy in Beijing.

Today Li Yao remains very actively engaged with Australian literature. Most recently, he was an honoured guest of the 2017 Conference of the Association for the Study of Australian Literature (ASAL) in Melbourne, where he addressed an interested and appreciative audience of Australian scholars about his life's work. Li Yao is always open to advice on new titles of interest. Chinese readers are currently very interested in Tom Keneally's works, for example, and he plans to translate Shame and the Captives. He remains interested in Australian Indigenous Literature and Children's books, and plans to translate further new novels by his friend Alex Miller. He is also co-writing, with Professor David Walker, a memoir about his and his family's experiences in and after the War of Liberation and in the early years of New China and in the Cultural Revolution. This is a book that will be eagerly read by his many friends in Australia.

Li Yao has shown extraordinary dedication in his sustained commitment to the translation of Australian literature in China. No one in China knows more about Australian writing today than Li Yao, who has many friends among authors and literary scholars in Australia. In 2014, I attended a ceremony in the University of Sydney's historic Great Hall in which Li Yao was awarded an Honorary Doctorate for his services to Australian literature. It was a proud moment for the University that had played so foundational a role in Australian literary studies, both in Australia and China. "I love Australian literature', Li Yao has said. "It is an important pillar of world literature. Over the past four decades, I have nurtured great friendships with many outstanding authors from Australia. In translating their works, my own life has changed immensely". In retrospect, we can see that Li Yao's career in literary translation has been exemplary in fulfilling the terms of the 1972 Communique, with which it is approximately contemporary: that is, to "develop … diplomatic relations, friendship and co-operation between the two countries on the basis of the principles of mutual respect … equality and mutual benefit, and peaceful coexistence".

Professor Robert Dixon, FAHA

Professor of Australian Literature

The University of Sydney

July 2017

总序 3

General Preface

我十分荣幸地应邀为李尧教授这套重要的澳大利亚文学优秀翻译作品写序。这套书为庆祝李尧教授从事澳大利亚文学翻译四十周年，由青岛出版社出版，恰逢我们两国建立外交关系四十五周年。我要指出的是，这两个周年纪念日密切相关。

高夫·惠特拉姆领导的工党早在1955年就承认了中华人民共和国。可是直到十七年之后，1972年12月2日，该党才成为执政党。1972年12月21日，高夫·惠特拉姆就任总理不到三个星期，便与中国政府签订了澳大利亚与中华人民共和国建立外交关系的联合公报。根据《公报》，两国政府同意“在互相尊重……平等互利、和平共处的原则基础之上，发展两国间的外交关系、友谊和合作”。

1973年1月12日，澳大利亚驻华大使馆在北京正式开馆。同年晚些时候，高夫·惠特拉姆成为第一位访华的澳大利亚总理，并且与周恩来、毛泽东进行了历史性的会晤。惠特拉姆创建的澳大利亚与中国的外交关系一直被描绘为二十世纪我们两国之间发生的最重要的事件，时至今日，仍然是两国关系的重要基础。

除了贸易和旅游业，文化教育交流对于我们两国关系的发展起到越来越重要的作用。从二十世纪七十年代起，这种交流便将澳大利亚文学研究囊括其中。建立外交关系之后，1975年，第一批五位中国学生到澳大利亚大学学习。李尧教授为几代中国读者翻译澳大利亚文学的生涯一直以这种文化交流为中心。

1966年，李尧从内蒙古师范大学毕业之后，作为作家和文学杂志编辑一直在内蒙古工作，直到1992年到北京商务部培训中心任英语教授。他1986年加入中国作家协会，专事文学翻译。从那时起，开始和北京外国语大学胡文仲教授合作翻译澳大利亚文学作品。胡文仲教授是悉尼大学的研究生，所谓“九人帮”之一。“九人帮”是1966到1976年“文革”之后，第一批从中国到澳大利亚攻读硕士学位的学者。1979年，他们师从我的前辈——悉尼大学澳大利亚文学教授雷欧妮·克雷默爵士。我那时是英语系一个年轻的辅导员，正在做博士论文。时至今日还清楚地记着活跃在系里的这几位中国访问学者。

“九人帮”学成回国之后，对推动中国的澳大利亚研究起到很大的影响作用。从那时候起，在中国各地已经建立起三十多个澳大利亚研究中心。许多学者把澳大利亚文学翻译介绍给中国读者，不少“中心”开设澳大利亚文学课程。包括北京大学、北京外国语大学——李尧教授在这两所大学教授澳大利亚文学翻译——华东师范大学、人民大学、安徽大学、苏州大学、内蒙古大学、内蒙古师范大学。

最初，是胡文仲教授鼓励李尧从事澳大利亚文学研究与翻译。二十世纪八十年代，他们在北京相识。胡教授说，澳大利亚文学在中国还是一块未开垦的处女地。他鼓励李尧作为翻译者致力于这一领域，作出贡献。“文革”前，中国读者对美国、英国、俄罗斯、法国、德国和其他欧洲国家的文学比较熟悉，但是对澳大利亚文学知之甚少。那时候，只有亨利·劳森、弗兰克·哈代和少数几位“社会主义现实主义”作家通过翻译为中国读者所知。1991 年，上海译文出版社出版了胡教授和李尧合作翻译的帕特里克·怀特的《人树》。帕特里克·怀特是澳大利亚最著名的作家之一，1973 年获得诺贝尔文学奖。他之所以影响深远，是因为和早期现实主义作家不同，他的小说通过国际现代主义文体创新，展示了澳大利亚社会与澳大利亚风土人情。

和胡教授合作之后，李尧坚持翻译澳大利亚文学，把他已经继承的传统传承下去。迄今为止，他已经翻译了多达三十五部的澳大利亚文学作品，其中包括布莱恩·卡斯特罗、理查德·弗兰纳根、阿尼塔·海斯、考琳·麦卡洛、大卫·马鲁夫、亚历克斯·米勒和金姆·斯科特等多位作家的小说。还有历史与非小说译作出版。李尧大多数翻译作品的出版都得到澳中理事会、澳大利亚理事会文学委员会、在华澳大利亚研究基金会的资助。为纪念中澳建交四十五周年重新选择出版的这套译著包括业已在澳大利亚和世界范围内赢得盛誉的作品。这些作品有的获得“迈尔斯·富兰克林文学奖”，有的获得“英联邦作家奖”，有的获得“布克国际文学奖”。他的译著还包括帕特里克·怀特的长篇小说《人树》《树叶裙》、自传《镜中瑕疵》；表现澳中关系最早的两部小说：布莱恩·卡斯特罗的《候鸟》和亚历克斯·米勒的《浪子》；著名学者、前澳大利亚驻华大使馆文化官员尼古拉斯·周思的《长安大街》。还有赢得“布克国际文学奖”的三位作家的作品：彼得·凯里的《凯利帮真史》、托马斯·肯尼利的《内海的女人》、理查德·弗兰纳根的《古尔德鱼书》。除了获得“迈尔斯·富兰克林文学奖”和“英联邦作家奖”的《浪子》之外，李尧还翻译了亚历克斯·米勒的《别了，那道风景》和《煤河》。还有一些重要的非小说类作品，包括大卫·沃克的家族史《光明行》

和马拉·穆斯塔芬的《哈尔滨档案》。这两本书都从不同的角度记录了中澳两国普通人之间的关系。

最近几年，李尧紧跟澳大利亚文学的最新发展，继续把澳大利亚作家的新作品介绍给中国读者。他对澳大利亚儿童文学和澳大利亚原住民作家的作品特别关注。这个纪念译文集也收入了相关作品。从2010年起，李尧在澳中理事会的支持下，选择并组织力量翻译了十本澳大利亚儿童文学经典，包括深受几代读者喜爱的埃塞尔·帕德利的《多特和袋鼠》、梅·吉布斯的《小胖壶和小面饼》、埃塞尔·特纳的《七个澳大利亚小孩儿》、多萝西·沃尔的《眨眼睛的比尔》、鲁斯·帕克的《糊里糊涂的树袋熊》和科林·蒂勒的《暴风雨中的男孩》。这些书由人民文学出版社出版，在中国很受欢迎。《多特和袋鼠》《七个澳大利亚小孩儿》新版将由中国青年出版社出版。李尧决心为推动澳大利亚儿童文学作品在中国的翻译出版作出更大的贡献。他将翻译介绍更多的儿童文学作品，收入他的“考拉丛书”。

自从2006年起，在他的好朋友——学者、作家、前文化参赞尼古拉斯·周思教授的帮助下，李尧一直在研究、翻译澳大利亚原住民文学。已经出版的作品有金姆·斯科特的《心中的明天》、亚历克西斯·赖特的《卡彭塔利亚湾》和阿尼塔·海斯的《我是谁》。他目前正在翻译亚历克西斯·赖特的《天鹅书》。鉴于澳大利亚原住民文学到目前为止还没有被系统地介绍到中国，对大多数中国读者而言，那还是一个不熟悉的领域，李尧希望这些书能使中国读者对澳大利亚有更多的了解。

除了从事文学翻译以及在北京大学、北京外国语大学教授澳大利亚文学翻译之外，李尧从1988年中国澳大利亚研究学会成立以来，一直担任学会理事。1996年，他因翻译亚历克斯·米勒的《浪子》获得澳中理事会首次在中国颁发的翻译奖，2008年因翻译尼古拉斯·周思的《红线》、2012 年因翻译亚历克西斯·赖特的《卡彭塔利亚湾》又连续两次获此殊荣。2008 年因其在澳大利亚文学翻译领域的杰出贡献，获澳中理事会颁发的金奖章。

也许因为怀特作为澳大利亚唯一的诺贝尔文学奖获得者享有盛名，李尧也因其在中国翻译介绍帕特里克·怀特的作品在澳大利亚广为人知。在过去的二十五年里，他和胡文仲教授合作翻译的《人树》先后印刷三次，销售量超过 20000 册。怀特的自传《镜中瑕疵》也被印刷三次，销售量超过 12000 册。他翻译的《人树》《镜中瑕疵》《浪子》《凯利帮真史》和《卡彭塔利亚湾》在中国受到好评和欢迎。不少学生依据李尧第一次介绍到中国的这些世界第一流的澳大利亚文学作品，撰写硕士和博士论文。

李尧的译作《卡彭塔利亚湾》作为他毕生从事文学翻译以及四十多年来两国文化交流的巅峰之作，也许特别值得一提。这部小说从原住民的视角出发，以一种也许可以称之为原住民魔幻现实主义的独特风格想象了澳大利亚的生活。在中国的澳大利亚文学翻译者中，也许只有李尧因其具有丰富的经验，可以接受挑战，将这样一部杰作从一种完全不同的文化翻译为中文。2012 年，他克服了重重困难，在久负盛名的人民文学出版社出版此书。该书翻译出版过程中，得到多位中国著名作家的支持。诺贝尔文学奖获得者莫言在澳大利亚驻华大使馆为《卡彭塔利亚湾》举行的新书发布会揭幕，并做了热情洋溢的发言。

今天，李尧依然活跃在澳大利亚文学研究的舞台上。最近，作为在墨尔本召开的“澳大利亚文学研究会 2017 年会”（ASAL）的贵宾，他对兴趣盎然、不无赞赏的澳大利亚学者讲述了自己毕生的工作。李尧总是乐于倾听同事们对新的、有趣的选题的建议。比如，最近中国读者对托马斯·肯尼利的作品很感兴趣，他就计划翻译这位文学大师的《耻辱和俘虏》。他对澳大利亚原住民文学和儿童文学依然表现出浓厚的兴趣，计划翻译他的朋友亚历克斯·米勒的新小说。他与大卫·沃克教授正在合作撰写关于他和他的家族在解放战争前后、新中国建立初期以及“文革”中经历的纪实文学作品。这是一本令他许多澳大利亚朋友热切期待的书。

李尧在中国长期致力于澳大利亚文学翻译，表现出非同寻常的献身精神。在中国，没有人比李尧对澳大利亚文学作品更了解。他在澳大利亚作家和文学工作者中有许多朋友。2014 年，我在悉尼大学历史悠久的大会堂参加了授予李尧荣誉文学博士的典礼。对于这所无论在澳大利亚还是中国都在澳大利亚文学研究领域起到基础性作用的大学来说，这是一个骄傲的时刻。“我热爱澳大利亚文学。”李尧说，“它是世界文学的重要支柱。在过去的四十年里，我和许多澳大利亚优秀作家结下了深厚的友谊。在翻译他们作品的过程中，我自己的生活也发生了巨大的变化。”回顾往事，我们可以看到，李尧的文学翻译生涯，堪称实现 1972 年《公报》初衷的楷模。今天，我们依然为之努力，那就是“在互相尊重……平等互利、和平共处的原则基础之上，发展两国间的外交关系、友谊和合作”。

罗伯特·迪克逊
澳大利亚人文科学院院士
悉尼大学澳大利亚文学教授
2017 年 7 月

目录

CONTENTS

过去的永不会消逝，它甚至还没有过去。

——威廉·福克纳

致艾丽森·萨默斯

黎明时分，“凯利帮”的弟兄们至少有一半受了重伤。就在这时，一个怪物出现在警察拉开的战线后面。那家伙显然不是人。它没有脑袋，只有又长又粗的脖颈，宽阔的胸膛。它迈开笨重的脚步，径直走进弹雨之中。子弹一粒又一粒打在它的身上，但是毫无用处。怪物继续向警察走去，不时地停下来，慢慢地、机械地转动着没有脑袋的脖颈。

“我是班长……弟兄们。”

警察用的是先进的来福枪，但是子弹打到怪物身上后却被反弹回来。怪物有时候用手枪还击，更多的时候则是用左轮手枪的枪柄敲打脖颈，好像用铁匠的锤子敲打铁砧，在黎明的曙光中发出清脆的响声。

“你们枪杀儿童，你们这些恶狗。你们打不死我！”

离一片灰白色枯树不远，有一块洼地。怪物向洼地走去的时候，警察的火力更加密集。它挺立着，继续敲打脖颈。后来，它停了一下，肩膀上那个面无表情的瞭望塔似的东西转到左边。这时，它发现一个头戴粗花呢帽的矮胖子一声不响地站在一棵树旁。怪物举起手枪开了一枪。戴粗花呢帽的人十分镇静，跪在地上举起手里的滑膛枪连发两枪。

“我的腿，你这个杂种！”

怪物像喝醉酒的人一样站立不稳，踉踉跄跄走了几步，倒在那棵死树旁边。不一会儿，一个制作粗糙、铁桶似的钢盔被从倒在地上的怪物肩膀上拽了下来。怪物里原来是内德·凯利——困兽犹斗的内德·凯利！他面色苍白，痛得浑身颤抖，脸和手沾满血迹，胸部和腰部披挂着四分之一英寸厚的铁甲。

与此同时，造成这一结果的那个人躲藏起来，假装对阵阵枪声和受伤人的叫喊毫无兴趣。

后来，一队警察趁夜色把他和他的妻子从他家护送到停在铁路线上的一辆专列。因此，他既没有目睹也没有参加一八八〇年六月二十八日在格棱罗瓦作为纪念品出售盔甲、枪支、弹药的活动。但是这个人也有“凯利帮”留下的纪念品。二十八号晚上，他把十三本污渍斑斑、折了角的手稿装在一个铁盒子里送到墨尔本。这些手稿均为内德·凯利亲笔书写，字体颇为特殊。

墨尔本公共图书馆收藏的历史资料（第10453卷）。没有日期，没有签名，均为手书。

第一章★ 十二岁以前的生活

印着国家银行字样的信头。几乎可以肯定，这些信笺是一八七八年十二月从国家银行尤罗阿分行拿来的。共有四十五页，中等大小（大约 8 英寸 × 10 英寸）。上端有孔，那是当初粗略地装订到一起时留下的。信纸很脏。

这些信笺记述了他最初与警察的关系，包括他被指控具有“异性装扮癖”。对奎恩家族的回忆，移居埃维内尔镇。宣称其父因偷盗默里家的小母牛而被捕是一桩冤案。详细叙述现存贝纳拉历史学会的饰带的来龙去脉。约翰·凯利之死。

★ 本书各章的“章”字英文用的单词是 parcel，意为“包”或“部分”。作者的本意是，全书由凯利写给女儿的十三包手稿、信件组成，每包中有几十页纸。一包即为一章。为行文方便，这里统一翻译为“章”，下同。

我十二岁那年，父亲去世。我深知在谎言和沉默中长大是什么滋味儿。亲爱的女儿，你现在年龄太小，对我写下的这些东西，一个字也不懂。然而，这是我留给你的历史，没有一句谎言。倘若我对你说了假话，我将会在地狱里被烈火烧成灰烬。

上帝希望我活着看到你读这部历史，并且亲眼看到你终于认识到我们可怜的爱尔兰人曾经遭受了那么多苦难和不公，看到你惊讶得目瞪口呆。对于你，那些事情古怪、陌生、闻所未闻。我现在讲给你听的这些残酷的刑罚、粗野的行为，仿佛来自远古时代。

你的祖父是个沉默寡言、不愿意抛头露面的人。他被从家乡提波拉瑞[①]流放到范迪门地[②]，关进监狱。但是，他从来没有提起过在监狱里遭受了怎样的苦难。结束了非人的折磨之后，他终于获释，远渡重洋来到维多利亚殖民地[③]。那时候，他三十岁，满头红发，一脸雀斑，总爱眯着一双眼睛看

①提波拉瑞：爱尔兰中南部城市。

②范迪门地：澳大利亚塔斯马尼亚岛旧称。

③指澳洲大陆。

太阳。我父亲曾经发誓，绝不再和法院打交道。因此在墨尔本看见满大街警察的时候，他觉得比看见苍蝇还难受。他步行二十八英里，来到一座名叫唐尼布鲁克的小镇。就在那时，或者在那以后不久，他认识了我的母亲——艾伦·奎恩。你的祖母那时候十八岁，黑头发，很苗条，非常漂亮，骑着一匹马。她也许是你祖父见过的最美的姑娘，可也是命运之神给“红发凯利”挖下的一个“陷阱”。她是奎恩家族的成员，而警察从来不会放过奎恩家族任何一个人。

我对母亲最早的记忆是，她一边往一个碗里打鸡蛋，一边哭着说，十五岁的舅舅吉米·奎恩被警察抓了起来。我不知道那天爸爸上哪儿去了，也不知道为什么姐姐安妮不在家。那时，我才三岁，趁母亲抹眼泪的当儿，我用小勺舀甜丝丝的黄颜色面糊吃。屋顶漏雨，雨水滴在炉灶上，发出嗞嗞的响声。

母亲用一块平纹细布包起做好的糕饼。当时你的姑姑玛吉还是个婴儿。你祖母只好把她也包裹起来，然后怀里抱着玛吉，手里提着糕饼，走入雨中。我别无选择，只得跟着母亲向那一溜山坡走去。我至今无法忘记一个又一个暗黄色的水洼。雨丝雨线像针一样扎着我的眼睛。

我们到贝弗里奇警察局的时候，已经湿成落汤鸡，而且毫无疑问，浑身上下散发着浓重的“穷酸味儿”。因为这个原因，或许还有别的原因，警察不准我们进警长办公室。直到现在我都记得，当时我坐在门廊下，把生着冻疮的小手伸到下面的门缝里，手指尖感觉到屋子里炉火令人惬意的温暖。可是，等我们终于被允许进屋的时候，吸引我的已经不再是明亮温暖的炉火，而是办公桌后面坐着的那个五大三粗、双下巴的壮汉。他是英国人。我不知道他的名字，只知道他是我见过最有权力的人。只要他愿意，他随时都可以把母亲踩到脚底。

“过来！”他说，好像他就是教堂里的一座圣坛。

母亲走了过去。我迈开两条小腿，急急忙忙跟在旁边。她对那个英国人说，她给警长手里的囚犯奎恩烤了一点糕饼，如果现在能送给他，她将感激不尽，因为丈夫不在家，她得赶快回去搅拌奶油，喂猪。

警长说，不能给犯人送什么糕饼。那家伙留着翘八字胡，头皮在日渐稀疏的头发下面闪闪发光。我闻到他身上有一股我从来没有闻到过的香料味儿。

他说："不经我事先检查，不能给犯人送什么糕饼。"说着他抬起一只软绵绵的、白皙的大手，不耐烦地摆了两下，让母亲把盛糕饼的篮子放到桌子上。他解开那块平纹细布。我发现他的指甲特别干净，就像在碱水里洗过一样。我至今还记得他怎样用苍白的手指，掰碎母亲烤的糕饼。

我最痛恨的不是贫穷，
也不是永无休止的卑躬屈膝，
而是比吸血鬼的盘剥，
更让人心碎的侮辱。

我敢打赌，你一定已经听别人讲过你祖母的故事，讲她怎样在法庭上赢了比尔·福罗斯特，然后在贝纳拉的大街上纵马驰骋。你知道，她绝不是胆小鬼，可眼下她心里清楚，必须管住自己的舌头。她忍气吞声地把被警长掰碎了的、还热乎乎的糕饼包好，又向雨中走去。我大声叫喊，可她好像压根儿就没有听见。我只好拉着她的裙子，穿过泥泞的小院，向一幢房子走去。起初，我以为那是厕所。后来，母亲使劲敲门板，我才意识到那就是关舅舅的地方。舅舅因被指控偷了人家一头眼睛上长了瘤子的小公牛，而被关进这间泥土地、石板墙的牢房里。牢房很小，六英尺见方。牢门紧锁，只有下面有一条大约两英寸的缝隙。母亲只得跪在泥水中，从那条缝隙里塞糕饼。可是塞了半天还是没塞进去。

她哭着说："上帝帮帮我们！吉米，我们怎么惹他们了？为什么总是这样折磨我们？"

母亲从来不哭，可是那天，她哭得非常伤心。我跑过去紧紧抱住她，吻她。

她好像没感到我在跟前，泪水顺着美丽的面颊潸潸流下，包糕饼的平纹细布沾满泥水，她使劲往门缝里塞。

她哭喊着，叫骂着："上帝帮帮我！我要是个男人，非把那些杂种杀了不可！"她骂了好多粗话、脏话，我无法写给你看。一句话，她恨不得把那些该死的家伙砸得脑浆飞溅。

对于一个小男孩儿，听母亲这样恶毒地诅咒，是一件很可怕的事情。不过事情并没有到此为止。两天以后我爸爸回来了，她又把这些话向他说了一遍，我才明白她有多么固执。

"你不知道，你都在说些什么，"他说。

"胆小鬼！"她叫喊着。我堵住耳朵，把脸埋在用面粉口袋做的枕头里。她不肯罢休，继续叫骂。父亲却不敢铤而走险，触犯法律。我真想知道我的双亲真心相爱的时候是个什么样子。

你迟早会看到，你的祖父是个高深莫测的人。他经常心口不一。不过眼下，知道你祖母和警察对他的看法截然不同就够了。我的母亲认为他是个逆来顺受的窝囊废。警察知道他是从范迪门地刑满释放的流放犯，认为他生来就是个罪犯，职业就是犯罪，婚姻也改变不了他的本性。他们经常来察看我们家养的牛马身上的烙印，还用筛子过我们家的面粉，希望找到父亲犯罪的证据。但是，除了耗子屎，他们什么也没有发现。干这些勾当的时候，他们非常认真，好像一心盼望闻到耗子屎的臭味儿。

其实你祖母对警察的态度也不像你想象得那么不友好。虽然单听她的"宣言"，她恨不得把他们统统杀死。但是，在这些"英雄壮举"付诸实施之前，让她跟他们一起喝杯酒，开个玩笑，她也不会拒绝。有个警长，名叫奥尼尔，母亲对他比对别的警察友好些。我现在讲的是后来的事情。那时候，我大概已经九岁，妹妹凯特刚刚出生。虽然父亲按契约被打发到外地给人家打工，但是我们那间小茅屋还是拥挤不堪。母亲用破布缝缀成一个个帘子，然后挂起来当墙。六个孩子就睡在这些帘子隔成的"迷宫"里。我们一年四季似乎都生活在一个挂满破衣服的橱柜之中。

奥尼尔警官来过我们这个由道道“帷幔”组成的暗影重重的世界。他满头白发，总是被梳得溜光，就像要去参加舞会的姑娘。他对我们这几个孩子非常友好，出事儿那天晚上还送给我一支铅笔。那时候，我们在学校写字用的都是石板、石笔，还从来没用过铅笔。所以警官给我削铅笔的时候，闻着松木的清香，看着黑油油的笔芯，我非常高兴。他对我像父亲一样慈爱，把我抱到桌子那边，还在我脸前放了一张纸。姐姐安妮比我大一岁。奥尼尔没有送她礼物，这是后话。

我在那张纸上全神贯注地写字母，母亲和奥尼尔警官坐在桌子那头。他从怀里掏出一个银白色酒瓶的时候，我一点儿也没注意，更没有注意安妮、詹姆、玛吉和丹。我写完大写字母之后，又写小写字母。当时我的精神那么集中，母亲说话的声音好像从很远很远的地方传来。

“请你离开我的家！”

我抬起头，看见奥尼尔警官一只手捂着脸颊。他满脸通红，一定挨了母亲一个耳光。

“滚出去！”母亲扯开嗓门儿叫喊着。我们早已习惯了她这种爱尔兰人的脾气。

“艾伦，冷静点儿，我对你一丁点儿恶意也没有。”

“滚出去！”母亲叫喊着。

警官的声音变得严厉起来。“艾伦，”他说，“对一位警官，你可不能这样说话。”

警官的话越发像火上浇油，母亲腾地一下站起身来。“你这个杂种！”她大声叫喊着，“如果我丈夫在家，你就不敢说这种屁话！”

“我再警告你一次，凯利太太。”

母亲抓起警官面前的茶杯，把里面的白兰地泼到泥地上。“把我抓起来，”她的火气越来越大。“把我抓起来呀，你这个胆小鬼！”

小宝宝凯特被她吵醒，哭了起来。詹姆只有四岁，坐在地上玩羊拐。白兰地在他身边飞溅，詹姆吓得一声不吭，忙把骨头扔到地上。我生性勇敢，向母亲那边走去。

“听见你母亲骂我是胆小鬼了吗，老兄？”

我当然不会背叛母亲。我绕到桌子那边，紧挨母亲站着。“你忙着写字母呢，内德？”警官说。

我抓住母亲的手，她伸出胳膊搂着我的肩膀。

“你是个正在上学的学生，对吗？”他问我。

我说：“是的。”

“那么，你就该知道胆小鬼的历史。”

我疑惑不解，摇了摇头。

奥尼尔猛地站起身来，齐膝高的警靴闪闪发光。他说：“那就让我教教你，年轻人。”

“别，”母亲说。她的态度大变。“求求你，别！”

刚才，奥尼尔还是一副焦急不安的样子，现在却变得神气活现了。“哦，是的，”他说，“每一个孩子都应该知道自己的历史，这很重要。”

母亲从我的手里抽出她那只手，向前走了几步。那个北爱尔兰人钻进第一道“大幕”，在我们那间四处垂帘、八面来风的破屋子里，趾高气扬地走来走去。他甚至拍了拍丹的小脑袋。母亲吓得面色苍白，仿佛凝冻了一般。“求求你，凯文。”

奥尼尔开始讲他的故事。我们只得安静下来，老老实实地听着。他就有这种威慑别人的本事。他的故事说的是，从提波拉瑞来的“某某人”或者“一个我不愿透露姓名的人”因为地主依法不再租给佃户土地而怀恨在心，于是这个“某某人”和几个伙伴合谋要杀死地主。

“对不起，”母亲说，“我已经道过歉了。”

奥尼尔警官充满讽刺意味地鞠了一躬，毫不留情地继续讲他的故事。“某某人”起初给地主写了一封恐吓信。地主没有理睬，还是从佃户手里收回了土地。一天深夜，“某某人”在一座小教堂召集他的同伙开了个秘密会议。他们用圣坛上的高脚杯喝威士忌，手按在《圣经》上发誓。然后，他对大伙儿说："我们既已对天发誓，就是同生共死的兄弟！你们愿意以上帝的名义，完成自己的誓言吗？"大伙儿都说，愿意。于是，他们又一次对天发誓。说完那番亵渎上帝的屁话之后，他们就扛着长枪，打着火把，包围了地主那幢房子。

奥尼尔警官似乎深受这个故事的感染，声音越来越高。他说，地主的孩子们趴在窗口呼喊，哀求那人的宽恕。但是那些暴徒根本不理，一把火烧了那幢房子。从火里逃出来的人被他们用长枪刺死，连怀里抱着孩子的母亲他们也不肯放过。警官不但详细描述了那场暴行的每一个细节，还一五一十地叙述了这伙暴徒如何被逮捕，"某某人"又如何出卖当初被他拉下水的"弟兄们"。我们几个孩子听了都吓得目瞪口呆。"同案犯"都被吊死了。北爱尔兰人——奥尼尔警官让我们想象那会是怎样一幅可怕的情景；还说，关于这个案子的详细情况他一点儿也没有隐瞒。

"后来又发生了什么事情？"他问道。我们当然没法回答，也不想谈论，更不想听他再讲什么。

"'某某人'保住了他的命，被流放到范迪门地。"说完这句话，奥尼尔警官便推开门，走进茫茫夜色之中。

母亲默默地坐在桌子旁边，一动不动。警官那匹母马沿着黑暗笼罩的小路一溜儿小跑，蹄声在通往贝弗里奇的山坡上渐渐消失了。我问母亲，谁是"某某人"？她猛地打了我一个耳光，我再也没敢多嘴。后来，我才知道，警长说的"某某人"就是我父亲。

警官的"故事"就像肝吸虫的卵，深深地埋藏在我的记忆之中。随着年龄增长，这条虫子在我心里越钻越深，越长越大。

奥尼尔警官那些话好像夏天快速繁殖的蛆虫，极大地刺激了我这个小男孩儿的想象力。你或许认为，他已经大获全胜，一定会就此罢休。可是，他并不满足，他对我们家的骚扰愈演愈烈，经常在父亲喝多了酒或者已经熟睡的时候，把他从床上拉起来，羞辱一番。他对我也不肯放过，只要在大街上看见我，就要拿我寻开心。

他嘲笑我那身“行头”——光脚，没有外套，总是露着胳膊肘子和膝盖。任何关于我穿着打扮的评论，都让我羞得无地自容。我和朋友们路过警察局的时候，没有一次不被他嘲笑侮辱。我假装糊涂，嘿嘿一笑，因为我明白，倘若为此而生气，甚至流血，那就称了他的心，遂了他的意。

就在奥尼尔警官令人痛恨的统治在我们这一带延续的期间，传来一个消息：福斯特大牧场的拉塞尔先生要卖一大群小公牛和小母牛，还有一头很出名的种牛。拉塞尔先生说，这头种牛是他当年花五百英镑从英格兰买的。贝弗里奇是个小地方，严格地说，不过是个布局散乱的村庄。这个村庄坐落在墨尔本和墨累河[①]之间一座小山上。那里山路崎岖，赶牛人每每走过，总是骂不绝口。半山腰有一个小酒馆，一个铁匠铺，还有一幢用做拘留所的活动房子，再往西是一座天主教教会办的学校。这座山就连寒冷的风也难以逾越。风刮到这儿总是呼啸着转个弯，向山下我们那座茅屋扑去。路西面的水又咸又苦，不能喝。我们这边的水是甜水，可以饮用，可是人们还是管这地方叫“苦水地”。为了健康的缘故，很少有人来贝弗里奇。

这次交易改变了一切。突然之间来了许多牧场主、买卖牲口的经纪人，甚至还从墨尔本来了个兽医。这些人都在我们家和那座小山中间的沼泽地旁边搭起了帐篷。他们满嘴行话，安顿下来之后，便赌博、喝酒，在通往墨尔本的大路上来来回回纵马驰骋。我们这些男孩子格外高兴，就像来了马戏团，一有空我们就跑到沼泽遍地的岔路口，看那些人的“特技表演”。我和弟弟詹姆每天都大老远地跑到学校看沼泽地附近有没有新搭起的帐篷。我们焦急不安地等待牛群到来，可是直到拍卖前一天傍晚，风儿才送来一阵阵悲凉的叫声——牲口来了！赶牛人正赶着牛群走过一条它们从未涉足的小路。

①墨累河：澳大利亚最长、流域面积最大的河流，在澳大利亚东南部。

我对詹姆说："我要去迎接它们。"

"我也去！"

我们俩顾不得猪和鸡还没有喂，也不在乎山路崎岖、乱石遍地，而且哥儿俩都没有鞋穿——话说回来，我们早已习惯光着脚丫到处乱跑。我拉着詹姆的手，一头钻进玉米地。詹姆说："会挨揍的。"

"我才不在乎呢！"

"我也不在乎。"

我和詹姆刚跑到长满灯心草的沼泽地，就看见牛群宛如决堤的潮水，从贝弗里奇满眼碧绿的山坡向我们和水源地涌来。那是这个国家闪闪发光的财富。

"天哪！黑人！"詹姆说。

七个赶牛人里五个是黑人。他们骑着马，走在"潮头"，脖子上系着鲜红的围巾，脚上穿着镶三角松紧布的靴子。詹姆说："他们的靴子真棒！"

我说："真该死！"

"是该死！"詹姆说。我们从小接受的教育就是，黑人是下等人里的下等人。可是他们有鞋穿，我们却光着脚。我们边跑边恶狠狠地咒骂，不一会儿就跑到那条通往墨尔本的车辙交错、高低不平的大路。路上，我和詹姆碰见帕奇·莫兰。莫兰十六岁，又瘦又高，但是不管碰到什么情况，我们跑得都比他快。

"等一下，你们这两个小家伙！"

我们不会等帕奇，也不会等别人。大家都呱唧呱唧地跑过到处都是泥泞、水洼的岔路口，向关牲口的大院第一道围栏冲去。莫兰没有对我们的胜利说三道四，而是点着一支香烟，没有燃尽的烟丝闪着红光落到地上。"瞧那几个黑鬼！"他说。

"我们已经看见了。"

一阵马笼头丁零丁零的声音在耳畔响起。我回转头，看见折磨爸爸的那个家伙站在我的身后。奥尼尔警官把拴马镫的皮绳弄得很长，只有伸长脚尖才够得着马镫。这是英国人骑马的时尚。他那匹马有十七手之高[①]，骑在马背上，他以为自己高高在上，非常了不起。可是我们这些男孩，不管是谁，只要有一匹小马驹，就能把他甩到身后，让他望尘莫及。

帕奇·莫兰说："警长，你看那几个黑鬼。看见他们脚上的靴子了吗，先生？这样的靴子得花多少钱才能买一双？"

奥尼尔没有回答他，而是从马背上俯下身来，看着我。筒状军帽帽舌下，水汪汪的眼睛好像两大滴杜松子酒。"啊，小凯利。"他说。

"你好，警长。"我说。我早已习惯他如何拿我当笑柄，寻思这次他一定会用黑人的靴子借题发挥，讽刺我那双光脚。我连忙说："他们有一头非常壮实的种牛要卖，听说值五百英镑呢！"

奥尼尔没有理我，笑着说："我刚才看见你父亲了。"我从他懒洋洋的、拖得很长的声音听出，他一定有比"光脚丫"更能刺痛我的事情要讲。他说："我刚才看见赖德·凯利了。他穿着裙子，打扮得像个女人，骑着马跑过霍兰牧场。你能想象出那是个什么样子吗？"

暮色渐浓，我看不见警官脸上的表情，但是听得出，他谈兴正浓。帕奇·莫兰笑了起来，可是笑声戛然而止。坐在栏杆上的詹姆低着头，板着脸，凝视着泥地，因为痛苦和疑惑，额头上现出深深的皱纹。朋友们站在我身边，一声不吭。

"不要瞎说，警官。"

"麦克拉斯基先生、维列特先生和我亲眼看见他穿着裙子，裙摆上还绣着一朵朵玫瑰花。你能想象出那情景多么诱人吗？"

"我想象不出，你才想象得出，警官。因为只有你才能干这种事儿！"

"小家伙，当心你那张嘴，听见了吗？你父亲看见我们之后，向大山北面飞马而去。他可以骑马，这是我依法行事给予他的权利。可你知道他为什么走那条路吗？"

---

①这里的"手"用来量马的高度。一手之宽等于四英寸。

“不知道。”

“哦，”警官说，“我想，他是找丈夫服侍他去了。”

我猛地向他扑过去，抓住他的一只靴子，想把他从马背上拉下来。可他哈哈大笑，勒着缰绳让他那匹马原地兜圈子，差点儿把我甩到围栏上摔死。

盼望已久的一天就这样毁在他的手里。我对莫兰说，不想再看黑人表演了。詹姆说，他也不想看了。我们哥俩摸黑回家。一路上，我们没怎么说话，可是心里非常难过。

“母亲会打我们吗，内德？”

“不，她不会。”

母亲当然早就准备好了磨剃刀的皮带。她在我手上抽了三下，在詹姆手上抽了一下。我们一直没把奥尼尔说的话告诉她。

我一直怀疑自己是否有勇气向爸爸讲奥尼尔造的这些谣言。不过，不管有没有勇气，我都失掉了这个机会。因为没过多久，他就又去纳瓦拉牧场，给亨利·巴克莱先生那些肥大的美丽奴羊剪羊毛去了。虽然正值春季，他本来应该在自己家的地里忙活，可是为了养家餬口，还得出去干活儿。结果，在去纳瓦拉的路上他差点送了命。

悉尼有个剽悍、凶猛的黑人，名叫瓦拉古尔。他把各部落残余的土著人召集到一起，组成一支队伍。父亲从来没有得罪过瓦拉古尔，可是快到墨累河附近的巴纳瓦沙时，丛林里长矛像雨点似的向他飞来。他那头驴在他身边倒下了，当场死亡。父亲从压在鞍具下面的枪套里抽出短筒马枪，用所剩无几的弹药还击，把瓦拉古尔匪帮挡在丛林里，好不容易熬到天黑，才退到一座废弃的茅屋里。他把门窗从里面堵好，以为平安无事了，没成想第二天早晨，天刚亮他就被什么惊醒了。

原来房顶已经被火点着。黑人们叫喊着，将茅屋团团围住。

父亲把最后几粒子弹射向从原木之间的缝隙向他张望的黑人之后，只能等死。黑人的长矛从一条条缝隙中向他捅过来，他开始祈祷。这时，着了火的房顶已经开始坍塌。父亲突然停止祈祷。千钧一发之际，他意识到长矛只是从前面刺过来的，于是悄悄搬开堵在后窗上的隔板。果然，后面无人把守，黑人都守在木屋前面。他爬出窗户，从下风方向逃走，在一个树洞里整整藏了两天。后来，亨利·巴克莱先生发现父亲，终于把他送到纳瓦拉牧场。

就在父亲为活命殊死搏斗的时候，奥尼尔警官给他造的谣言在天主教学校里不胫而走。传播谣言的人是帕奇·莫兰。

我向他发出警告："你再说一次，我就用鞭子抽你！"

帕奇比我足足高出一头，哑嗓子叫起来像个大人。他说："你算什么东西，敢对我发号施令！"

他边说边朝我的太阳穴打了一拳，我倒了下来。

我挣扎着站起来，直盯盯地看着他。他又朝我猛击一拳，打得我两眼直冒金花。我弯下腰，呼哧呼哧地喘着粗气。他骂我是胆小鬼，老子也是胆小鬼。他好像是一个满脸疙瘩、浑身汗毛的巨人，一口就要把我吃掉。胡椒树下是一块寸草不生的空地，我就在那块空地上和他搏斗。也许因为运气好，也许因为我更灵活，我猛地抓住他脏兮兮的脖颈，然后把他摔倒在那块到处都是树根和沙砾的空地上。他倒下去的时候大声叫喊着，又踢又打，和我滚在一起。我觉得脊背被什么东西叮了一口，我一个鲤鱼打挺，把他压在身下。一只犬蚁爬在他的脖子上。

我不松手，就连第二次被犬蚁猛叮的时候，也不肯松手。哦，但愿你一辈子也不要被犬蚁叮咬。那玩意儿比任何黄蜂、蜜蜂都厉害得多。帕奇叫喊着，咒骂着，哀求着。我把他的两只肩膀紧紧按在地上。他拼命挣扎，犬蚁被惹恼了，越发狠咬起来。

"收回你那些屁话！"

他嚎叫着，鼻涕流过了嘴唇。

"收回你那些屁话！"

他说，不能收回，可是最终还是忍受不了钻心的疼痛，大声叫喊道：

"真该死，你真该死！我收回！"教会派来的老师赫恩听见了他那些亵渎上帝的话。站在教室门口的十六个学生也都听得一清二楚。谁也没有说话，大家都静悄悄地站着，看帕奇·莫兰飞快地脱掉衬衫和裤子，使劲抖落趴在上面的犬蚁。女孩子们也把他的"阴暗之地"尽收眼底。

因为被犬蚁叮了许多包，我生了一场病，但是从那以后，没有人再敢说我父亲一个"不"字。

我以为我的问题就此解决，苦水地又成了世界上最美好的地方。我想象不出世界上还有更肥沃的土壤或者更加漂亮的树木——我们这儿的树因为一年四季大风不断，都长得弯弯曲曲的。我经常到沼泽地玩，在那里能捉到鳗鱼，拣到鸟蛋，还能看到盾鳞棘背蛇[①]，我们总想把它们赶到去墨尔本的那条路上。一个温暖的、清露莹莹的早晨，我去找几条蚯蚓，看见妹妹坐在一个锥形石堆上，这个石堆由棕黄色的、表面上有麻点儿的石头堆积而成。这种石头是古老的火山喷发出的岩浆形成的，在贝弗里奇平原上随处可见。父亲经常让我们把整理土地挖出来的石头堆到一起。这一堆石头就堆在我们家后门旁边那块大蓟蓟地里。玛吉听说蓟的乳汁可以去掉疣，就经常来这儿，采蓟的叶子，往疣上挤白色的"乳汁"。石堆便成了她的"宝座"。这天，她让我帮她往胳膊肘子后面她够不着的地方挤。

我非常喜欢玛吉，她是我宠爱的妹妹。我们俩的关系简直可以说"坚如磐石"。我把装在瓶子里的蚯蚓放下，把洁白的"乳汁"挤到她那几个疣上面。玛吉说，她发现了一样我不愿看到的东西。

"什么东西？"

"把这几块石头搬开。"

"我搬开过。"

"你最好再搬开看看。"

玛吉帮我把八块石头推到一边，我发现下面的土好像刚刚被人翻过。

---

①盾鳞棘背蛇：一种见于澳洲南部、塔斯马尼亚岛和巴斯海峡诸岛的剧毒蛇类。

"这儿埋着死人？"

"不是。"

她从茂密的蓟里拿出一把断柄破铁锹。

我从她手里接过铁锹挖了起来，不一会儿就发现一样大约三英尺长、二英尺宽的又硬又黑的东西。那玩意儿还深深地埋在土里，我撬了半天才把它弄出来，原来是一个破旧的铁皮箱子。就在这个箱子里，我发现了那件永远不想看见的东西。

那是一条女人穿的裙子，很脏，裙子下摆绣的正是奥尼尔警官说的那种玫瑰花，还有几个面具，上面粘着羽毛，抹着红颜料，我没太看清。一看见那条裙子，我就急火攻心，气不打一处来。

听见姐姐安妮喊我们，我连忙压低嗓门儿对玛吉说，如果她把我们俩看见的东西说出去，我就杀了她。玛吉十分委屈，一双明亮的黑眼睛满含泪水。

安妮让我去拿柴火。她向这条小路走来，显得烦躁不安，瘦削的肩膀向前倾着，两手反剪放在背后。"你要是不赶快回来干活儿，就别想吃晚饭。"

我劈了一堆木柴，抱到那块大鳍蓟地，在石头上面架起木柴。

"你要干什么？你知道，不能这么干！"安妮说。

话虽这么说，我跟她要火柴的时候，她还是没有拒绝。安妮总是胆小怕事，我烧箱子里那些破烂玩意儿的时候，她躲在门廊里远远地看着。她再走过来的时候，我正把最后几块破布扔进熊熊燃烧的火焰之中。

她问我烧什么？我没有作声。其实我们都心照不宣。奥尼尔的故事给我们家的孩子带来了太多的伤害。

安妮说："你最好把那个箱子再埋到石头下面。"那时候，她才十一岁，瘦瘦的小脸，一副苦相，嘴角总是紧张地抽动着。她的未来似乎都写在脸上，吉凶祸福，一望便知。

她又催我赶快把箱子藏起来。我把箱子拖到后院，藏到马圈的栏杆下面。

"这样不行。"

我把箱子从一堆堆马粪中间推过去，一直推到马圈中间。

“你会挨打的。”她说。

我从来没有怀疑，我要为这件事情遭到比挨打还要糟糕的惩罚。三天后，父亲骑着马缓步而行，出现在门前那条小路上。我等待着，心里明白，就像鸡蛋一定会孵出小鸡一样，这一回逃不脱父亲的严厉惩罚。

起初，他没有发现那个箱子。他先到玉米地里看了看庄稼，显然为自己不但逃脱长矛和大火的袭击，而且口袋里装着钱而沾沾自喜。后来，他终于发现自己的秘密已经大白于天下。孩子们围着他，让他赶快下马。他默默地凝视着那个黑箱子，眼睑虚肿，眼睛显得很小。

“你母亲上哪儿去了？”

“小凯特病了，母亲带她到瓦尔兰看医生去了。”

父亲翻身下马，把鞍具和行囊拿到茅屋。我站在门口等待受罚。可是，他连看也没看我，不一会儿就到小酒店喝酒去了。

我戳穿了父亲的秘密。他仿佛被峡谷里滚滚而来的河水裹挟而去，永远失去了在我心目中崇高的地位，甚至连他本该有的位置也已不复存在。自从挖出那个箱子，我的脑海里一直浮现着他满脸红胡子，两条粗壮的胳膊，雀斑点点的皮肤……一句话，一个大男人紧绷绷地套着一条裙子那副令人作呕的样子。

在那之前，只要有可能，我总是和他形影不离。在丛林里，他教我如何打猎，教我如何把毯子牢牢地捆在马鞍上，还教我使用木工的刨子，教我用灌木蝇①和一条生牛皮钓鱼的技巧。这些东西像一棵大树年轮上黑色的斑点，伴随我一天天长大。

我不知道母亲是否知道那口箱子里曾经藏过什么。她对它视而不见，从来没有说过什么，就把它扔在尘土飞扬的马圈中间。下雨天，箱子里积

①灌木蝇：澳大利亚丛林中成群地附在人或动物身上的小黑蝇。

了雨水，马就跑过去从里面喝水。

一个富人赶着轻便马车从我们家门前走过，或许会看到扔在院子里的这个铁皮箱，看见棚屋顶上长了一颗南瓜秧，但他永远不会想到，父亲生下的这一大堆孩子，挤在布帘子后面，呼吸着同样污浊的空气，毫无顾忌地打呼噜、放屁，就像一窝刚生下的小猪。

我一直告诉自己，父母谈事儿的时候不要伸长耳朵听。可是自从挖出那口箱子，我经常半夜三更偷听他们说话。

关于我发现的那条裙子，他们只字未提。我只是听见他们压低嗓门儿谈土地的事情，特别是一八六二年颁布的《达菲[1]土地法》。根据这项法案，每个男人或者寡妇都可以选择一块五十到六百四十英亩的土地，每英亩一英镑；确定之后支付一部分款项，其余部分分八年还清。母亲想买，可是父亲坚决反对。他说，查尔斯·加万·达菲是一番好意，可他也是个傻瓜，这样做只能使穷人背上一辈子也还不清的债。后来的事实证明，爸爸说得没错。可是母亲责备爸爸是个胆小鬼的时候，我好像也出了一口气。她说，只有傻瓜才像爸爸那样种二十英亩地。我心里想，是的，老爹一定是个大傻瓜！

关于《达菲土地法》的争论简直是生死攸关的大事。母亲希望她的家族能支持自己。现在，他们是我们的邻居。可是等地买好之后，他们就要到东北部很远的地方了。

奎恩家在金河岸边的格棱莫瑞买了一千英亩土地。他们是爱尔兰人，热爱土地，喜欢骏马。过去的艰难很快就抛诸脑后。奎恩家的女人来我们家做客的时候，带着奶油苏打面包和土地测量员的地图。男人们个个五大三粗，做事不计后果，想骂就骂，想唱就唱，看见谁不顺眼就找茬打架，喜欢骑自己根本就买不起的纯种马。舅舅吉米·奎恩像一匹受尽折磨的马，

[1]达菲：(1816—1903) 爱尔兰民族主义者，曾创建青年爱尔兰党，一八五五年赴澳大利亚，任维多利亚州土地和工程部长，后任州总理、州立法会议议长。

眼里闪着吓人的凶光，奎恩家的人如果看见那条裙子，一定会把父亲扔到井里。在买地的问题上他们软硬兼施，终于说服父亲变卖了在贝弗里奇所有值钱的东西，凑了八十英镑。

可爸爸拿到现金之后，觉得把这样大的一笔钱交给政府，简直无法忍受。新主人来接收家产时，他借了一辆大车，我们一家人便搬到了埃维内尔郊区。我们在那儿租了一块地。就这样，我母亲的兄弟姐妹去格棱莫瑞开垦那一千英亩处女地的时候，父亲把我们带到六十英里之外一个英国势利小人盘踞的地方。让母亲无法容忍的是，他喝酒，交租金，没过多久就把八十英镑花了个精光。我是他的亲骨肉，他一定觉得我在远离他。可是他太骄傲，不想再把我"争取"过来。

失去买地的好机会成了我们家经常的话题。母亲没完没了地唠叨，爸爸稳稳当当地坐在椅子里，一言不发，只是摸他那只大黑猫的肚子。有一天晚上，他突然打破了沉默。

"你们家的人还不错。"他说。

"你要是想说他们的坏话，趁早住嘴！"

"哦，我对他们能有什么意见？"

"当然不应该有，他们没有对不住你的地方。"

"我相信他们买的地会有收获。石头多也没什么关系，反正他们的地和我们租的这块地并非紧紧相连，艾伦。"

"我们这块地除了该死的袋貂，什么活物也没有！"

"不产牛肉，那倒是真的。"

"连羊肉也没有。"

"但是你发现没有？这儿没有警察。这倒是真的，挺有趣。我正纳闷这是怎么回事儿呢？你想过没有，你们家的人在格棱莫瑞也会这么走运吗？"

"哦，别跟我说这个！"

"你应该同意我的看法。奎恩家像兔子的内脏吸引苍蝇一样，吸引那些警察。"

母亲叫了起来，一个盘子或者一个杯子摔到了地上。

“听我说，艾伦，”爸爸说，“我知道你根本就看不上这个小农庄。可我宁愿死也不愿意被警察送进监狱。”

“你这种笨蛋，没人想把你送进监狱！”

“这可是你说的。”

“是我说的，”母亲叫喊着，越发提高了声音，“你疯了吗？”

“你知道警察为什么想找我的麻烦吗？”

“你十五年前就是自由人了。他们不会把你再抓进去。”

“实话说，是奎恩家的人引起了他们的注意。”

“哦，你这个该死的家伙！”

母亲抽抽搭搭地哭了起来，睡在帘子尽头的玛吉也呜呜咽咽地哭着。母亲说，爸爸宁愿让孩子们挨饿，也不敢冒险。睡在我身边的詹姆用枕头堵住了耳朵。

埃维内尔的土地非常肥沃，可是遇到大旱，颗粒无收，日子越来越艰难。我是大儿子，我想，我应该为这个家做点什么了。

我们那块地既没有水塘，也没有泉水，每天我都得把母牛赶到休斯湾去饮水。风调雨顺的年份，这里风景秀丽，可是大旱之年，水湾变成一个个浑浊的水坑。默里先生家的小母牛“哞哞哞”地叫着，走过干涸的河床。我饿得要命，听见牛叫，就知道该怎么办了。我从来没有杀过比公鸡大的东西，可是看见黑莓丛中小母牛修长的身影，便觉得一切都不在话下了。它虽然眼睛有点野性，可还是一头驯养得不错的赫里福德牛[①]，皮毛油光水滑。后来听说，默里先生在它身上花了不少钱，总是给它开“小灶”，好草好料喂着它。这话不假，因为默里先生的牧场居然有五百英亩大，可是，久旱无雨，满目枯黄，他家的牲口都跑到了公路边上，啃食任何有一点点营养的东西。我引诱小母牛走过河湾，进人金合欢树丛。树丛中间有一片

①赫里福德牛：英格兰肉用牛，体红色，面部白色。

空地。它不喜欢套在脖子上的那根绳索，尥着蹶子，拼命挣扎，要不是我绑住它的后腿，又把它拴在一棵金合欢树上，它非得伤了自己不可。小母牛发出可怕的叫声。很快，我就把它结结实实地捆绑起来，像捆一只鸡一样。那一刻，我一点儿怜悯之心也没有。手头没有刀，我只得跑过灌木丛，回家去取。母亲在家，正用泥和草堵石板间的缝隙。我从她眼皮子底下拿走一把刀，她也没有发现。

她说："默里家的牛跑到水湾去了。"

"你一定弄错了。"

"我从这儿就能听见它的叫声。"

我说："我去看看，然后再告诉你到底怎么回事儿。"

这年，我学会了如何干净利索地杀牛，剥皮，在太阳下面把皮子晒干。可是第一次杀牛的时候，我连动脉也找不着。我相信，你已经知道，别无选择的时候，我杀过人。那时候，我像战场上的战士，并无内疚之感。但是如果有一条法律判定杀牛有罪，我一定"认罪伏法"。你就可以头戴黑色法官帽，判我有罪。因为我杀那头小母牛杀得那么糟糕，至今都感到遗憾。

等它终于倒下去的时候，它的脖颈已经被我切割得一塌糊涂。我永远忘不了它眼睛里的恐惧。

就在这时，母亲找到了我。看见那头可怜的小牛躺在地上，我的头发和衬衣沾满血迹，她半晌说不出话来。

"这回有牛肉吃了，"我说，"这头小牛够我们受用一阵子了。"

可是，话虽这么说，我心里却七上八下的。母亲从我手里拿走那把血淋淋的刀。我非常高兴，因为对屠宰一无所知，我不知道下一步该怎么办，又不想让操刀切肉的"特权"落到别人手里。母亲拉着我血淋淋的手，领我走过尘土飞扬的牧场，回到我们那座茅屋。把狗拴好之后，她用水和肥皂给我洗身上的血迹，一边洗，一边骂，说我是个非常坏的孩子，她非常生气，等等。不过，她责骂我是为了让弟弟妹妹们学好。他们正站在门口听着，并且从原木缝隙里偷偷地往里看。母亲轻轻地擦拭我身上的血迹。

我知道，她心里其实很高兴。

爸爸还没有翻身下马，安妮就把我干的这桩事告诉了他。他刚给英国人送奶油回来，这差事总让他发脾气。安妮领他看过我杀死的那头小母牛之后，他用皮带狠狠地抽了我一顿。我的腿上至今还有那天挨打留下的伤疤。天黑之后，他打着灯笼来到河湾，把小母牛剥了皮，分成四大块，每次扛一块，穿过牧场送回家，然后烧掉牛头，挂起牛皮，把打着默里家烙印的地方挖掉。这样一来，人们就没有证据指控我们家偷默里的牛了。他把暂且吃不掉的肉撒上盐，放在一只大桶里，剩下的让母亲马上煮熟。

这当儿，安妮一直不和我说话，连玛吉也躲着我。可是，不说话也好，躲着我也罢，夜里吃牛肉的时候她们一个也没落下。我注意到，不只是几个弟弟高兴得要命，吃得满嘴流油，其他人也都心满意足。

两天后，我因为忘了拿家庭作业，吃午饭时只得回家去取。还没进院，就看见胡椒树下拴着一匹以前没有见过的栗色母马。马鞍下面的褥垫上用银线绣着两个字母 VR，那是“维多利亚女王”的缩写。我知道警察来了。我走进棚屋，一眼就看见父亲坐在他平常坐的那张椅子上，一个个子细高、金黄色头发的警察，把那张牛皮铺在桌子上。

“过来，约翰，”名叫多克西的警察把手伸到那个窟窿里——那曾经是打烙印的地方。“约翰，我们知道，这个窟窿是怎么回事儿。”

“你也看到了，”爸爸说，“我杀了一头母牛，用生牛皮做了鞭子。”

“你做了一条鞭子？”

“没错儿，”爸爸说，但是没有再做解释或者表示不同意见。

“那么，好人儿，约翰，你能让我看看那条鞭子吗？”父亲什么也没说，也没动，只是用一双浮肿的眼睛凝视着警察。

“你也许压根儿就没做什么皮鞭。”

“哦，一定是让我给弄丢了。”

“是吗？弄丢了？”

“好吧，我找到之后给你送去。”

“这个窟窿更像是打烙印的地方，约翰。你是不是把默里先生家的烙印给挖掉了？”

“没有，我是做了一条皮鞭。”

“你知道《乔治四世法典》第二十九款第七条和第八条吗？”

“不知道。”

“约翰，那是两条法律。根据这两条法律，如果你偷了邻居家的小母牛，就得坐牢。你要是想拿条鞭子让我瞧瞧，可以。不过做鞭子的皮子必须严丝合缝地堵上这个窟窿，否则你就非去拘留所不可了。我们阿维内尔不能让爱尔兰贼存在。”

“我不能忍受监狱的生活。”父亲一字一顿地说，就像说他不喜欢球芽橄榄一样。

“那就是你的耻辱了。”多克西一边说一边朝他走过去。

“事儿是我干的！”我挺身而出。

我抓住多克西黑色的武装带。他把手放在我的胳膊上。

“你是个好孩子，吉姆。”

“我叫内德，事儿是我干的。”

警察问父亲：“是这样吗？”

父亲一动不动，什么也不说，像被人使了定身法。

我转过脸看着多克西，让他逮捕我。他一边笑，一边摸着我的头，那笑容傻乎乎的，又有点伤感。

“收拾东西，约翰，”他对父亲说，“你可以带一条毯子、一个杯子和一个勺子。”

“是我干的，”我说，“那个烙印是两个 M。那条小母牛是我用一把切肉刀杀的。”

“住嘴！”父亲说，一双眼睛又有了活气儿，露出愤怒的光芒。“闭上你那张嘴，快上学去！”

就这样，我眼巴巴地看着父亲被多克西带走，一双手铐在多克西那匹母马的马镫上。

父亲被抓起来之前，我们凯利家的孩子们上学时走的都 是沿河湾那条路。现在，我们走一条新路。这条路穿过警察的牧场，拘留所就在那儿。除了拘留所那道栅栏，这座牧场没有什么与众不同之处，只有一座白草萋萋的小土丘，那标示着多克西那匹母马的坟墓。不过就连这样凄凉的景色，父亲也看不见，因为拘留所四堵高墙连一扇窗户也没有。起初，我们朝他大声喊叫，可是永远听不见父亲的回答，最后只好作罢。只有詹姆不甘心，他像一条狗一样围着拘留所转来转去，用手拍打冰凉的墙壁。

我每天夜晚都梦见父亲坐在我的床头，一双浮肿的眼睛默默地凝视着我，脸上布满了刀痕。

我深感愧疚，没有父亲的生活其实在许多方面给我们带来更多的快乐，不过我永远不会承认这种感觉。直到他那只老公猫走失之后，我才对母亲坦率地说，猫丢了，我打心眼里高兴。

不要误解我的意思。事实上父亲被抓走之后，家里的日子艰难了许多。地主没有给那块地提供像样的篱笆。为了不让我们那几头母牛走失，母亲和我们几个孩子不得不修一道长二英里的围栏把那座小小的牧场围起来。只有这样，我们养的牲畜才能避免罚款——一头母牛五先令、一头猪三先令。

这笔钱我们家绝对支付不起。母亲又要生孩子了。她总是累得疲惫不堪，但是对孩子们的态度比以前温柔多了。晚上，她常常把我们兄弟姐妹几个都叫到身边，给我们讲故事，读诗歌。过去，爸爸出去给人家剪羊毛、做合同工的时候，她从来没有给我们讲过故事。可是现在我们才发现，她的记忆之中有那么丰富的宝藏。她知道康纳尔王①、狄德瑞尔、梅布迪、库丘林②的故事。我仿佛至今仍看见库丘林勇敢地走上战车，战车上刀枪林立，

①康纳尔王：爱尔兰传说中公元初期的厄尔斯特国王。
②库丘林：爱尔兰民间传说中独身保卫祖国抵抗侵略者的英雄。

还挂着许多绳索、圈、环。

南风吹过我们那幢茅屋，寒风吹得我头痛。不过，我记得最清楚的不是寒冷，而是摇曳不定的烛光。金黄色的光照着母亲的面颊和她那双乌黑的大眼睛。她目光凶狠，就像一只勇敢的母猫在保护一窝没有父亲的小崽儿。她给我们讲的那些故乡的故事里有许多刚烈女子，这些女人满腔热血，一身侠骨，敢于斗争，敢于胜利，敢把国王拉到自己的婚床上。可是在阿维内尔，她们被叫作“爱尔兰垃圾”。

母亲的肚子越来越大。几个男孩子和她一起在菜园里干活儿。这里的土质本来就不错，我们精耕细作，要把它改造得更肥沃。第一个冬天，家里可吃的东西只有欧洲萝卜和土豆。为了保住那几头奶牛，我们不得不卖掉马车和两匹马。奶牛每天倒是能产两磅奶油，但是一家大小谁都舍不得吃。我们的面包上只能抹点猪油。詹姆和我步行到镇子里送奶油，来回都要路过关父亲的拘留所，不过我们已经不再喊他。每天我都盼望夜幕降临，盼望母亲的故事给我们带来快乐。

一八六五年八月五日，天已大黑，我在淅淅沥沥的雨声中回家。已经下了一个星期的雨，河湾里河水咆哮，因此走到家门口，我才听见母亲的哭喊声。我顺手操起一把铁锹，推开房门，发现母亲躺在泥地上。看见来人是我，她挣扎着坐起来，解释道，她要生孩子了。碰巧霍布斯湾也有个女人生孩子，附近唯一的接生婆给她接生去了。母亲只好打发玛吉去默里家借了一匹马，去请梅大夫。她已经去了两个小时，还没回来。母亲肚子痛得要命，又担心玛吉从马背上摔下来，或者过河湾时被洪水冲走。

安妮年纪最大，可是一到关键时刻就紧张，现在又得了胃痉挛。母亲生孩子的时候，她就在旁边。不过，不是照顾母亲，而是对着一个盆子大声呕吐。我把母亲扶上床。所谓的床不过是两棵插在墙里的树干，中间绷着麻袋片。她以为宝贝女儿玛吉死了，还在号啕大哭。那年，詹姆七岁，丹只有四岁，看见母亲痛苦万分，他们都不知道如何是好。

随后的几个小时里，她既得不到安慰，也得不到怜悯，只能指挥我在桌子上铺了一床被子。她爬上去之后，让我们都站到帘子后面。丹叫喊起来。母亲原来打算躺下，但是桌子太短。小詹姆想帮忙，她不让他添乱，只是让我过去抓住她的手，自己慢慢蹲好。这张桌子有一条腿早已松动，爸爸没有及时修理。只有一支蜡烛，屋子里一片昏暗，但是看得见母亲疼痛难忍。我无法减轻她的痛苦，心里非常难受。她要水，可是不让我去取。她骂我是个傻瓜，骂爸爸抛弃了她。这当儿，我们一直盼望医生快来，可是除了雨点打在树皮屋顶上的沙沙声和休斯湾洪水暴发的隆隆声之外，什么响声也没有，甚至连蟆口鸱的叫声也听不见。

那个漫漫长夜，我一直守在母亲身边。她的哭喊声、叫骂声越来越厉害。后来，丹和詹姆都睡了。

大约凌晨四点，母亲又一次从桌子上爬起来。我想，小宝宝终于要生了。母亲骂我，不让我看。不一会儿，屋子里就响起像小羊羔咩咩叫似的哭声。小妹妹已经来到这个世界。母亲让我赶快到她的针线盒里取那把最好的剪刀，然后放在炉火上烧一下。我按她的吩咐把剪刀烧了一会儿。

我听见她在桌子上扭动着，发出痛苦的呻吟，然后温柔地说："好了，过来看看这个小姑娘。"

母亲坐在桌子上，把你的格雷斯姑姑送到我面前。她像刚生下来的小马驹、小牛犊一样，大睁着一双眼睛，又白又嫩的皮肤上沾着血迹，生活的苦难还没有落到她身上。

"剪断，"母亲说，"剪断！"

"剪哪儿？"我问道。

"剪！"她说。我看见脐带仿佛一串珍珠从小妹妹的肚子通往一片黑暗。我闭上眼睛，旧剪刀刚嘎吱嘎吱地剪住脐带，玛吉就领着梅大夫走进我们那幢茅屋。他看见一个十一岁的爱尔兰男孩正在帮助母亲给小妹妹剪断脐带，看见没有铺地板的泥地，看见烟火熏黑的剪刀，还看见从帘子后面探出脑袋张望的吓坏了的孩子们。他觉得这都是饶舌的好资料，于是，埃维内尔学校很快便盛传开我看见过母亲的光屁股。

那个老酒鬼用听诊器给小妹妹听了一下，又把她交给我，便去照看母亲。“别把她摔了，小伙子。”他说。我把小宝宝抱在怀里，她的眼睛清澈明亮，没有丝毫烦恼，直盯盯地望着我的脸。我非常喜欢她，好像她是我的孩子。

医生看完母亲之后，已是黎明，灰蒙蒙的晨光照亮我们那间破破烂烂的小屋。世界又显得明亮、新鲜。我的心充满快乐。

她说：“去把这个消息告诉他。”

“一会儿再去。”

“现在就去。”

但我不想离开刚刚生下的小妹妹。她那柔软的、绒毛似的黑头发，又白又嫩的皮肤，在这间没有地板的茅屋里闪着微光。“去告诉你爸爸，他又多了个小女儿。”

于是，医生骑着马，沿着那条崎岖不平的小路缓步而去的时候，我抄近道走过雨水打湿的蓑草，去拘留所向父亲通报这 个消息。警察的牧场薄雾低垂，在关押父亲的那座孤零零的监狱四周缭绕。我向原木筑成的高墙走去。原木总是潮乎乎的，覆盖着绿色的苔藓和霉菌，在雨水中散发出狗屎般的臭味儿。

“母亲又给你生了个女儿。”我大声叫喊着。

喜鹊唧唧喳喳叫着，吸蜜小鹦鹉在桉树枝头戏嬉，发出刺耳的叫声。拘留所的高墙后面寂然无声。

“她的名字叫格雷斯。”

监狱寂静得像一座坟墓。后来，我突然从眼角看到什么东西在动。原来是爸爸那只大公猫，它正站在埋葬那匹母马的土堆上，一双黄眼睛直盯盯地看着我，然后弓起腰，甩了两下尾巴，似乎我只是一只知更鸟或者金翅雀。我朝它扔了一块石子，便回家看小妹妹去了。

埃维内尔学校所有的学生都听说了我在母亲生孩子时扮演的角色。他们从来不敢对我说三道四，但是伊丽莎·玛顿对安妮说的一番话，把她搞得十分沮丧。学校里的学生对我们的了解仅限于：内德·凯利经常拼错单词，没靴子穿；玛吉·凯利长了好几个疣；安妮·凯利的裙子缝了又补、补了又缝，皱皱巴巴的就像老头的袜子。他们还知道我们的父亲在坐牢。每天上学的时候，他们都从阿文先生那儿听到如下的教诲：爱尔兰人连牲口都不如。

阿文个子不高，大脑袋，窄肩膀，一双眼睛亮光闪闪，自我感觉良好，从来不把我放在眼里。整整过了一年，直到九月，他才指定我当班长。因为别无选择，所有叫英国名字的同学都已经轮了一遍。现在我已经想不起来，为什么那时候我把这差事看得那么重。终于"荣升"班长之后，我发誓要当有史以来最棒的班长。每天早晨我都第一个到校，把白瓷墨水池排成一行，放到储水池旁边，刷洗干净，再放回到每一张课桌放墨水池的槽里。

星期一早晨，我的任务是调制墨水。我爬上阿文先生那张椅子，从架子上层拿下迈克兰肯牌墨水精，这种墨水精散发着刺鼻的气味，有点儿像紫罗兰和胆汁。我按比例用储水罐里的水兑好，分发给大家。为了做好这件事情，我必须在八点前赶到学校。

结果，我碰上了溺水的狄克·谢尔顿。

为了避开拘留所，我上学的时候走休斯湾那条路。整个春季阴雨连绵，休斯湾河水暴涨，河面上漂浮着各式各样的垃圾：烧了一半的树干，折断的树枝，篱笆桩，一头淹死的牛犊——河水漫过它那已是一片茫然的眼睛。这时候，我看到河对岸一个男孩儿小心翼翼走到河水之中。我以为他手里拿着一根鱼竿，后来才知道，是根竹竿。原来他看见河水冲来一顶崭新的草帽，正好在几块石头之间，他想用竹竿把它捞上来，便向河湾走去。浑浊的河水没过他两条小腿，他才八岁。

我大声叫喊："快回去！"但是河湾里的洪水像闷雷一般发出轰隆隆的响声，他什么也听不见。河面上漂浮着一大堆树枝，像一个巨大的琴鸟窝。他想跳上去，却一下子掉到水中。

我来不及多想，也扑通一声跳进河湾。那时候我才知道，河水不但湍急，而且冰凉刺骨。我连气也喘不过来，就像被扑可[①]偷走了灵魂。波浪汹涌，把我冲到宽阔的水面。你无法想象浑浊的水流会有多么巨大的力量。透过层层波浪我看见小男孩苍白的脸，小狄克·谢尔顿知道自己命在旦夕。我一把抓住他的胳膊，两个人一起被洪水裹挟着向下游漂去。

离河湾五十码还有一个形如狗后腿的急转弯，夏天孩子们经常在这儿游泳。我们俩被洪水冲到离河岸不远的地方，那儿的一棵老红桉树淹没在洪水之中。虽然树干十分光滑，我还是紧紧抱住它，设法稳住身子，然后，用尽平生力气，把浑身上下早已湿透、以为自己必死无疑的小狄克从另外那个世界拖回到岸上。

小家伙已经被河水呛得半死。我把他背在背上。他又哭又吐，还没有从溺水的惊恐中清醒过来。他穿着靴子，我像平常一样光着脚，但我毫不犹豫，背着他穿过丛林，径直向“皇家邮政旅馆”跑去。我知道他的父亲是那儿的烟酒特许专卖商。这条路荆棘丛生，乱石遍地。

“皇家邮政旅馆”的看门人是个一事无成的移民，名叫赛凯·怀特。他正在清理灌木丛里的粪便，看见我们俩便立刻“天哪”地大呼小叫起来。

酒店楼上打开一扇窗户，紧接着传来一声女人的尖叫。眨眼之间，谢尔顿太太出现在院子里，急忙向儿子跑来。她虽然焦急万分，但是没有忽略我这个“信天主教的男孩儿”。我被领进她的旅馆，在一个很大的白色浴缸里洗了个热水澡。那是我有生以来第一次看见浴缸。赛凯往浴缸里倒了十桶热水。我从来没见过用这么多热水洗澡或者洗东西。躺在那个长长的、光滑的瓷缸里，四周热气腾腾，真有点飘飘欲仙的感觉。

他们把我的衣服拿到洗衣房里去洗，谢尔顿太太把她大儿子的衣服拿来让我穿。那衣服非常柔软，散发着一股好闻的气味。我真想留下这几件衣服，可是谢尔顿太太没有送我的意思，她只是伸出胖乎乎的胳膊搂着我的肩膀，领我下楼，夸我是上帝派来的天使。

---

①扑可：爱尔兰民间传说中经常变成动物出现的鬼怪。

餐厅里，炉火融融，一个穿三件套西装的男人正在吃早餐。盘子里摆满鸡蛋和熏肉，吃饭的人却只有他一个。谢尔顿太太让我在靠近壁炉的一张桌子旁边坐下。桌子上摆满亮光闪闪的银刀、银叉、调味瓶、盐、胡椒和一小碗白砂糖，砂糖里还插着一把漂亮的小勺。我知道，母亲最喜欢的就是这些东西。

谢尔顿太太问我喜不喜欢喝可可，我说喜欢。她又问我要不要吃早饭，还拿出一份菜单。我从来没见过这玩意儿，不过很快就掌握了它的“要领”，很好地利用了它。早晨我已经在家里吃了面包，现在又要了羊排、熏肉和炒腰花。这些东西都非常好吃。地板上铺着地毯，我至今记着那上面美丽的红玫瑰图案。谢尔顿太太穿着鹅黄色长裙，手腕上戴着金镯子。她一会儿哭，一会儿笑，我吃饭的时候她一直凝视着我，夸我是世界上最好、最勇敢的孩子。

谢尔顿先生那天夜里在塞摩尔，早晨坐着马车回来之后，衣服也没换，穿着沾满泥水的胶靴和油布雨衣冲进餐厅。他要给我半克朗[①]，我坚决不要。

谢尔顿先生身材魁梧，留着挺长的连鬓胡子，要不是那双明亮的眼睛，两片薄薄的嘴唇会让他那张脸显得很难看。

“你什么也不想要，小伙子？”

“什么也不想要。”

其实这不是真话。我很想为母亲要一条裙子，可是我不知道一条裙子值多少钱。

“很好。”他说，握了握我的手。

我握着他的手。说实话，我并不像自己口头上说的那么高尚。我穿着人家借给我的那套漂亮衣服和有点挤脚的锃亮的皮鞋去学校，心里非常沮丧，甚至厌恶。

---

①克朗：英国货币，等于二十五英镑，旧币制等于五先令。

第二天早晨，一辆轻便四轮马车驶到学校大门口。阿文先生一贯害怕督学来检查工作，他立刻像一只鹌鹑似的紧张起来。

“把你们的石板都擦干净。”阿文先生一边赶快收拾自己那张肮脏的桌子，一边对我们发号施令。他教我们乘法运算本来很熟练，关键时刻却手忙脚乱。他脑袋虽然挺大，现在却派不上用场，不知道该把他那把钢丝锯藏到哪儿。

他对卡洛琳·多克西说：“快去窗口看看有没有一位夹公文包的先生。机灵点儿，机灵点儿，卡洛琳。”

“他夹着一个包。”

“什么样的包？是不是书包？”

“哦，先生，是狄克·谢尔顿的父亲。”

在我们这帮孩子里，阿文先生就是国王，他不喜欢别人入侵他的城堡。因此，酒店老板走进教室之前，他抢先出去把他堵在门外。我们清楚地听见阿文先生和谢尔顿先生的说话声。

“真该死，阿文！”谢尔顿先生大声嚷嚷着。“只要我觉得应该，我就一定要做。”

门猛地开了，撞在墙上发出很大的响声。埃沙乌·谢尔顿先生冲进教室，身上散发着啤酒和葡萄酒味儿。这两样东西是他形影不离的朋友。

“啊，孩子们！”他大声说，露出难得一见的牙齿。

阿文先生跟在后面，搓着两只白皙的大手，闷闷不乐地说，我们必须听谢尔顿先生讲话。

“孩子们，往这儿看。”谢尔顿先生边说边把手里拿着的那个牛皮纸包放在凌乱的讲桌上。“昨天，我的儿子狄克差点儿淹死，你们知道吗？不知道？要不是在座的一位同学，我的狄克早就上西天了。”同学们都伸长脖子四处张望。安妮紧张得要命，紧握两手，放在膝盖上，目光呆滞，凝视前方。詹姆七岁，也学姐姐的样子，直挺挺地坐在那儿一动不动。只有我那个结实得像个铁桶似的小妹妹玛吉勇敢地举起小手。

“是我的哥哥内德救了他！”

我满脸通红。

“对！”谢尔顿先生板着面孔非常严肃地说。“请你过来，站到这儿，内德·凯利。”

我知道，他打算送给我纸包里的东西，而且毫不怀疑，定是我一直想要的那套漂亮衣服。我站起身，无意中目光和卡洛琳·多克西相遇。她第一次朝我笑了笑。我挺起胸膛，走上阿文先生的讲台。

谢尔顿先生让我面对全班同学，然后闭上眼睛。我听见牛皮纸包打开时哗哗啦啦的响声，闻到一股樟脑味儿，觉得一样丝绸般光滑的东西碰了一下面颊。

我想一定是女人用的东西，也许是送给母亲的一条裙子。

“睁开眼，内德·凯利。”

我按照谢尔顿先生的吩咐睁开了眼睛，看见他咧开那张嘴唇很薄的嘴巴高兴地笑着，伊丽莎·玛顿、乔治·玛顿、卡洛琳·多克西、谢尔顿家几个孩子都面带笑容。阿文先生一双明亮的眼睛凝视着我。我低头看我自己，没看见光脚丫，没看见织补过的套衫和打满补丁的裤子，而是看见一条长七英尺的绶带。那是一条孔雀绿的绶带，上面绣着金字：**送给爱德华·凯利，感谢他的勇敢。谢尔顿全家赠。**

就在我身佩绶带站在同学们面前的时候，丛林大盗摩根的脑袋正在送往总督府的公路上，从贝纳拉到维奥莱特城到尤罗阿到埃维内尔……也许知道世界凶残的本质对我的成长会更好些，但是，即使知道，我也不会因此而丢掉自己的单纯。埃维内尔的新教徒从一个爱尔兰小男孩的身上看到了善。在我的少年时代，这是一个辉煌的时刻。

如果这件事情给我幼小的心灵留下难忘的印象的话，那么它对埃沙乌·谢尔顿的影响则更大。是不是有什么鬼魂出没于他的牧场，我不知道。但是有一点很清楚，他无法忘记儿子差点一命归天，而且时间越久，他越觉得后怕。以前大家都知道他是个难得开口说话的人，可是现在，天哪，他简直闭不上那张嘴巴，逢人就讲小狄克得救的事。坐在他那张长长的吧台前面喝酒的赶牛人、剪羊毛工人，没有一个没听过这个故事。他从来不考虑自己这样慷慨激昂会让别人尴尬，他只是寻求心灵的安宁。

把绶带拿回家交给母亲不久后的一个晚上，我被我们那几条猎袋鼠犬①的吠叫声惊醒，紧接着又闻到一股淡淡的啤酒味儿。

夜幕下响起一个非常有特色的压低嗓门儿说话的声音："凯利太太，凯利太太，能打搅你一下吗？"

母亲发出一阵嘘声，那声音对于拉扯小宝宝的母亲来说很是特别。"有什么事，谢尔顿先生？"

"你有什么需要帮忙的吗，凯利太太？"

母亲没有说话。谢尔顿先生刮着靴子上的泥，似乎不管怎么样，也要进来。

"你在想什么呢，凯利太太？"

"我在想什么？"她的任何一个孩子都能听出，她又要火冒三丈了。"谢尔顿先生，"她说，"我躺在这儿纳闷，这么傻，半夜三更跑来吵醒我的小宝宝。"

"对不起，凯利太太，我明天再来。"

"我可不想让你明天再来，谢尔顿先生。"她从床上爬起来，穿好衣服，打开房门。我撩起帘子，看见那个身材魁梧、酒气熏天的男人蹒跚着走到桌子跟前，把烟斗、烟丝放在还没有刷洗的盘子旁边，发出叮叮咣咣的响声。他那副样子在我看来像一个精神就要崩溃的人。

母亲懒洋洋地伸出手，把裹在肩头的小袋鼠皮围好，不耐烦地等客人开口说话。可是谢尔顿先生的舌头好像挽了个疙瘩，半晌说不出话来。直到母亲不耐烦地大声叹了一口气，他那挽了疙瘩的舌头才转动起来。

---

①猎袋鼠犬：澳大利亚一种猎犬，用于猎取袋鼠。

“凯利太太，”他终于说，“你的儿子救了我的儿子。”

“这事儿我们都知道，谢尔顿先生。告诉我，什么事儿让你烦恼？”

他承认是那条绶带让他不安。

我心里想：天哪，别在绶带上再做什么文章了，我非常珍惜这份荣誉和奖赏。对于我，它比世界上任何东西都宝贵。不过，母亲认为，谢尔顿家应该给我们点钱作为报答。

“绶带？”

“哦，我脑子里总在想这件事儿。”

“说下去，谢尔顿先生。”母亲鼓励他。

“坦率地说，一条绶带还不足以表达我们的感激之情。”

长时间的沉默。

“你要喝杯茶吗，谢尔顿先生？”

“不，凯利太太，不必麻烦。”

“吃点燕麦饼？”

“我刚刚吃过。”

“要不要喝杯白兰地，助助消化？”

“凯利太太，你是个失去丈夫的女人，就像我差点儿失掉儿子。”

“别难过，谢尔顿先生。他们俩不是都没死嘛。”

“没错儿，凯利太太，我妻子也这么说。我有能力把凯利先生从监狱里弄出来，把他还给你。”

我尽管看不见母亲的脸，但是看见她的脊背像长了癣的猫一样颤抖着。

“你的意思是……”

“凯利先生现在在拘留所……请原谅我提起这事儿。”

“这倒是个不便公开谈论的话题。”

“我向多克西警察打听过这事儿。”

“这事儿和你无关，谢尔顿先生。”

“对不起。他说，也就是花二十五英镑的事儿。”

可是，母亲并不想让爸爸回来。“哦，不！”她大声说，“我不能让你破费！”

“可我必须做这件事情，凯利太太。我有责任救他出狱。”

“谢尔顿先生，你送给内德这条绶带已经非常好了。你要当心，别惯坏他。他是个好孩子，可是非常倔强，用不着鼓励，也会冒险救人。他这次没被水淹死，那是万幸。”

“可是，你肯定不希望他的父亲就这样被人家关在监狱里。”

“当然！”母亲大声说，“我是说，不要为我儿子的事儿过分操心了。”

“你不会反对让你丈夫出狱吧？”

“天哪！”母亲喊了起来，“你把我看成什么人了？”

她还能说什么？一个星期之后，丈夫又回到她的生活之中。我们正在桌子旁边喝茶，他走进来，站到我身后。我在座位上扭动了一下，不知道该说什么，也不知道是不是应该站起身来。

“从我的椅子上滚下来。”

我连忙和弟妹们一起，挤到旁边那条长凳上。父亲在他的位置上坐下，把两条长满小斑点的胳膊放在桌子上，问母亲小宝宝叫什么名字。我无法把目光从他的胳膊上移开。那两条苍白、浮肿的胳膊布满细密的汗珠，就像夏天捂了太长时间的奶酪。

“格雷斯，你是知道的。”

“我怎么能知道？”

“我让内德告诉过你。”

父亲回转头直盯盯地看着我。我觉得他看透了我的五脏六腑，看清了我对他犯下的所有罪过。他把眼前那碗茶推开，让母亲把藏起来的钱都给他。我以为她一定会拒绝，可是母亲把放在短袜里的钱都给了他。父亲推开门，又回到了茫茫夜色之中。他出去之后，我们都老老实实地坐着，一句话也说不出来。

你也许觉得奇怪，一个人经历了流放到范迪门地的痛苦之后还能活下来，一个乡村拘留所怎么就能把他毁灭呢？也许，我的父母在范迪门地、麦夸里港、图加比、诺福尔克岛和鸸鹋平原受的折磨都不足为信。不管怎么说，埃维内尔拘留所的生活是命运对你祖父的最后一击。他从这次回家到死，没和我说过几句话。

有一次，他和我们一起收割燕麦。可是他不愿意长时间见阳光，宁愿在茅屋里待着。第二年春天，他浑身浮肿，脸更肿得怕人，一双愤怒、阴郁的眼睛仿佛消失在厚重的眼皮下面。我们都躲着他走，好像他是一个掉下去就爬不上来的深坑。经过一番诊断，梅大夫说他得了水肿病。我们花了许多钱买药，但是父亲的病不见丝毫好转。父亲躺在他那张破床上，连抬起头呷一口朗姆酒的气力都没有了。

现在耕地、锄草都靠我和母亲。我们在二十英亩地里下了种，可是早已过了季节。十二月的一天中午，天气非常热，湛蓝的天空下面，喜鹊唧唧喳喳叫个不停。母亲回家取什么东西，刚进家门就匆匆忙忙跑出来叫我。

“快来，”她说，“快回家！”

我们一起跑回茅屋，光脚丫黏着泥土，帽子拿在手里。可怜的爸爸躺在厨房桌子上，已经死了。他浑身肿胀，皮肤青灰，在一片昏暗中闪着幽幽的光。

那一天，我十二岁零三个星期。我脚底一层硬皮，手上打满老茧，像一个常年干活儿的人，膝盖和小腿伤痕累累，污渍斑斑，任什么肥皂也难洗干净。然而，我不是还在做好事救自己和亲人吗？为什么给了我生命的这个人还要被这样残酷地毁灭？哦，父亲，你难道就这样离开了你的儿子？你难道就这样去了，我的父亲？

第二章　十二岁到十五岁的生活

红白条布面笔记本，红蓝大理石花纹硬皮封面（大约 6.5 英寸 ×7.5 英寸）。第一页上写着："给爱·凯，你的玛·赫"。其中四十二页用红墨水书写，八页用铅笔书写，字迹颜色很淡。边缘部分已经弄得很脏，一到四页被撕破，不过内文没有缺损。

叙述凯利一家搬到格瑞塔区的情形。詹姆斯叔叔来访。非常详细地描绘詹姆斯叔叔因纵火被捕和在秋季巡回法庭被审判的情形。简略叙述内德·凯利和詹姆·凯利给艾伦·凯利家姐妹们干活儿的经历。满怀激情地讲述凯利太太如何选中"十一里湾"那块土地。毫不夸张地描述安妮·凯利的成长以及凯利太太的追求者各式各样的嘴脸。

你的饱受磨难的祖父就这样长眠于埃维内尔肥沃的土壤之下。你祖母对《达菲土地法》又一次表现出极大的热情。现在没有人能够再阻拦她。我们都知道,奎恩家在金河岸边格棱莫瑞买了一千英亩土地。我们也想有地,就连丹也想有地种,尽管父亲的死最让他伤心。

安葬父亲之后，炎热的夏天的夜晚，母亲常常把我们聚拢到她身边。现在，她不再讲狄德瑞尔、梅布迪、库丘林的故事，而是讲不久的将来我们就能拥有自己的土地。她说，我们将找到一条从山间奔涌而来的大河，河边是辽阔的平原，那里的土地十分肥沃，用不着精耕细作，双手插到泥土之中，就闻得到一股泥香。我们将和姨妈舅舅们再次成为邻居，一起驯马，驯好之后再卖出去，还要种玉米、小麦，把牛养得个个膘肥体壮，油光水滑。脚下的土地将属于我们自己，我们可以从早到晚在这土地上自由自在地行走，谁也管不着。

我们没有谈论父亲，心里都清楚，对未来的憧憬就是对先父的亵渎。他的灵魂已经融入我们每一个人的灵魂之中，无时无刻不和我们在一起。我打结、剥兔子皮、骑马的时候，都觉得他正瞪着一双小眼睛，看我做的是否正确。

从埃维内尔到凯特姨妈和简姨妈的农场有六十英里。我们借了一辆大车，几个小弟弟小妹妹坐在车上。车上还装着锅碗瓢盆、毯子、斧子、锄、两麻袋种子。母亲坐在前面赶车，怀里抱着小格雷斯。

我们几个年纪大一点的孩子负责照看那几头母牛和狗。猪跑了之后，把它捉回来也是我们的活儿。不过，一想到要去一座农场，便对能否找回这几口猪不太在意了。毫无疑问，母亲也是这么想的。终于到达格瑞塔镇之后，我们才知道，几个姨夫都被关进了监狱，姨妈和她们的孩子都住在一家无照经营的旅馆。“淘金热”的时候，这家旅馆简直像座宫殿，现在却像一条破旧的大船搁浅在棕黄色的平原，任凭风吹雨打。可是在我眼里，它仍然是个豪华、奢侈的所在。

旅馆有十三个卧室，宽阔的走廊。这种体面和排场我以前只在谢尔顿家见过。表兄弟汤姆、杰克、小杰克和妹妹凯特高兴地嬉戏打闹，沿着楼梯跑上跑下。

如果母亲有点失望，她也从来不表现出来。她总是和她的姐妹们一起唱歌，和她的父亲、兄弟骑着马四处转悠，商量该买哪块地。几个姨妈一定一直很穷，可是在我的记忆之中，她们那阵儿日子过得还算可以。我们能吃上鸭子、鸡蛋、肥羊肉炖土豆。凯特姨妈四英尺十英寸高，瘦得像根生牛皮鞭子。她把土豆和一大块奶油和在一起，捣成泥，做出一种父亲叫土豆泥、奎恩家叫奶油土豆的食物。她还有个菜园，她把土壤改良得非常肥沃，无论种什么都硕果累累。我们拔起洋葱，惊讶地发现，离地面只有十二英寸，便是未曾改造的土地。那里卵石成堆，很难想象能种出什么东西。

我来格瑞塔还不到两个星期，就发现一匹没有打烙印的马。驯这匹马的时候，吉米·奎恩帮了我很大的忙。吉米虽然没有像老本·戈尔德那样，被警察在手上烫个T字①，但已经是个远近闻名的贼。格瑞塔人都说，他把

① T为英文“贼”（thief）的缩写字母。

灵魂出卖给魔鬼了。不过，我从来没有见过比他更好的鉴定牲口的专家。谁都无法用一匹有毛病的马或者一头不健壮的牛骗过他。有的人为了卖个好价钱，在牛角上大做文章，他们用锉刀锉，烙铁烙，但是再聪明的把戏也瞒不过他那双眼睛。

吉米因为被无数次关进监狱，已经处于半疯的状态。他满嘴脏话，三句话不对头就动拳头。可是他对我非常耐心，非常和善。我对他说，我离开学校就是为了当个好农民。他没有嘲笑我。他说，一个十二岁的男孩儿，完全可以成为买卖马匹的好手。他帮助我驯了好几匹没打过烙印的马。这样一来，过十三岁生日的时候，我就有了一个不大的驯马场，并且认为自己已经是这方面的专家了。有的马我卖了出去，换回的钱都给了母亲，帮她买地。后来我还养了几只羊，它们一直繁殖到十八只。

年纪大的人到纳瓦拉牧场剪羊毛的时候，我和弟弟詹姆也在家里干这活计。我用剪刀剪，詹姆手拿焦油锅站在旁边，有弄破的地方，就赶快用焦油抹一下。所以，你瞧，我已经成了一个认真做事的男孩儿。由于我的错误，我们永远失去了父亲，现在我已经代替他，挑起生活的重担。

我正在那家老旅馆的游廊里坐着。丹面色苍白，从牧场那边跑来。他才六岁，说不清为什么吓成这个样子，他只是拉着我的袖子向他来的方向跑。

“怎么了？”

我向我们要去的那个方向张望着。母亲为圣布丽吉德[①]扯的一块红布挂在大街对面的金合欢树上，哗啦啦地飘拂着。

“是蛇？”

远处是瓦贝山脉，我们脚下的原野却十分平坦，绿草如茵，没过脚踝。我低下头找蛇。

“他在那儿！”

①圣布丽吉德（453—523）爱尔兰女隐修院院长，爱尔兰主保圣人。

我什么也没看见。

“那边儿！”

又走了一会儿，我看见一个黑影在桉树的树阴下晃动。起初，我以为是人，可是定睛细看，那个黑影走路时既无拘无束又小心谨慎。他骄傲地仰起脑袋，两条僵硬的胳膊从腰间伸出。我看了不由得心惊肉跳，连忙在胸前画了个十字。

是他！

我握着丹的手慢慢地向前走着。这当儿，心里一直纳闷，父亲的鬼魂为什么跑到这儿了？他有什么消息要告诉我们吗？走近之后，我看见他受到可怕的伤害，地狱之火融化了他——溜肩膀，罗圈腿，连鼻尖儿也向下耷拉着。走到离他一臂之遥时，我才看清：把他置于死地的浮肿已经消失，但是浑身上下散发着一股悲凉，只有一双蓝眼睛充满生命的活力。爸爸现在成了一个“幽默家”。

“你是内德。”他说话的声音听起来非常熟悉。

我的头发都竖了起来。

“你是丹？”

丹握着我的手，不敢答话。

“啊，孩子们，我是你们的叔叔詹姆斯。我又热，又渴。我的马现在在比屈沃思牲畜栏。”

父亲那双眼睛似乎总不能坦然地面对这个世界。现在一切都化为乌有，他已经把那些可怕的秘密带进坟墓。这个人却没什么秘密。我把他领进厨房，他毫不掩饰对母亲的“手足之情”，吻了吻在场的女人，抱了抱所有的孩子——除了丹。他还躲在门廊后面，一副忐忑不安的样子。蒂尼·凯特·劳埃德提来一壶水，母亲给他沏了一杯茶。喝完之后，詹姆斯叔叔还觉得不解渴，寻思喝一杯朗姆酒也许能起点作用。他是一个很活跃的人物，对什么都好奇，喜欢嗅嗅马脖子，嗅嗅小孩的头发，还爱揉碎黄杨的叶子，把红鼻头凑过去没完没了地闻。

我的父亲用坚硬的桉树桩打篱笆时，搞得非常结实，中间拉上八根绷紧的铁丝，篱笆桩纹丝不动。可是没用一天我们 就看出，詹姆斯叔叔干不了这些活计。打篱笆时，要么坑挖得太浅，要么挖在沙土地上。一切和他有关的东西都歪歪扭扭。胳膊，肩膀，眉毛，都弯弯曲曲。他对侄儿、侄女的态度和蔼可亲。丹最喜欢这个叔叔，对他言听计从。他一肚子故事，丹听了以后又讲给我听：吉姆[①]叔叔能闻出哪儿有黄金，吉姆叔叔知道哪儿有矿脉，吉姆叔叔知道丛林里藏着一群没有打烙印的纯种马。

从打爸爸去世，丹脸上就一直挂着深受伤害、忿忿不平的表情——此刻，我给你写这些文字的时候，在我脑海中他脸上依然这样一副表情。可是，见到詹姆斯叔叔，他又一次变成帮我往埃维内尔送奶油的那个可爱的小弟弟。

詹姆斯叔叔像一匹马，总也吃不饱。几个女人心甘情愿地供养着他。第一天早晨，他宣布他太累了，没法儿出去干活儿。第二天，他拿着一把斧子，提着一袋子干粮，到丛林里劈篱笆桩去了，直到太阳落山才回来。这天晚上，姐妹几个特别高兴。她们给他的杯子里倒满酒，自己也迫不及待地把酒杯斟满。然后，事情一件接一件地发生了。到星期日，他已经在光天化日之下，把我母亲追得房前屋后地乱跑。没人挤奶，几头奶牛急得哞哞直叫。我只好亲自动手，为它们“排忧解难”。玛吉去照料猪和鸡，一边干活儿，一边抱怨屋子里传来的笑声简直吵翻了天。后来，我洗手的时候，听见母亲咯咯地笑着跑回她的房间，这时，已是黄昏。

母亲随手反锁了房门，詹姆斯叔叔一点儿也不生气。他从厨房拿了一把椅子，坐在门外给她唱起歌来。

> 我是杰克·斯特罗，
> 这样的男人你从来没见过。

---

①吉姆：詹姆斯的昵称。

穿过岩石，

穿过小河，

穿过绕线筒，

穿过古老的纺车，

穿过一袋子胡椒，

穿过沉重的石磨，

穿过绵羊的小腿骨，

穿过奶牛的牛角尖。

哦，这样的男人你从来没有见过！

起初，我没听出他唱的是什么意思，可是几位姨妈在厨房里嘻嘻哈哈地大加评论。我渐渐明白，原来詹姆斯叔叔和奥尼尔警官以及那些半夜三更敲母亲门的家伙都是一样的货色。

我是杰克·斯特罗，

手握硬棒准备干活。

一夜生下十四个小孩，

个个健康活泼。

我因此开始恨他。那时候我十三岁，脑袋还不到詹姆斯叔叔的溜肩膀高。我知道，和他一对一地干仗，肯定打不过他。我便对他说，如果他跟我到厨房，我就给他倒一大杯威士忌酒。但是他欲火中烧，就像正在打架的狗，对他说什么也充耳不闻。

“快把你那根肮脏的硬棒子拿开！”母亲叫骂着。

詹姆斯叔叔咧开嘴嘻嘻嘻地笑，胡子朝两边扎煞着。“我的棒子又粗又长。”

我实在听不下去了，拉起叔叔就朝厨房走。“是奎恩外公的威士忌。”

他一定已经喝了一夸脱[1]酒。他伸出长满小斑点的胳膊，一把把我推得撞在墙上。

“我要把这根棒子戳进你的小火炉里。”

我不允许他再对母亲说这种污言秽语，便猛地扑过去，两只手抓住他的胡子，像爸爸打烙印时把小牛犊按到地上一样，把全身的重量压到他毛乎乎的脑袋上，想把他从那把椅子上拖下来。

“你这个笨蛋！”他叫喊着，朝我的脑袋狠打一拳。我一下子倒在地上，眼前直冒金花。

母亲猛地打开房门。“你这个杂种，别碰他！”

“吁——艾伦！吁——”他想抓她的胳膊。母亲不费吹灰之力便把他甩开了。“我不是马。”她说。

我从后面冲过去，朝他的腰部猛打。他一拳把我打开，硬把母亲拖回卧室，想把她按在床上。

“对，你不是马。你是头‘贞牛’。”

我知道，母亲也知道，他说的“贞牛”是指不肯和公牛交配的母牛。母亲像一架飞速旋转的风车，猛地扑过去，抓他那张脸，撕扯他的胸。我袭击他的下身。他还不肯就范，我便朝他的睾丸猛打一拳。他不是我们俩的对手，倒在地上之后又挣扎着爬起来，趺趺撞撞、磕磕绊绊地跑进厨房。

后来，我看见叔叔坐在前面的游廊。暮色渐浓，姨妈们都要喝上一点威士忌。天还没有大黑，噪钟鹊[2]还在令人倍感凄凉的昏暗中鸣啭。夜色笼罩牧场，大家都回屋吃晚饭。詹姆斯叔叔不肯和我们一起用餐，结果弄得大家心里都很不好受。母亲看见他那副可怜巴巴的样子，让丹叫他回来吃点儿布丁。

---

①夸脱：英国液量单位，等于二品脱。

②噪钟鹊：澳洲土著语，意为澳洲喜鹊。

我们等了好长时间，丹也没回来。我走到游廊，看见小弟弟握着叔叔那双打满老茧的手。他们俩都满脸怨恨，谁也不和我说话。

我梦见自己下了地狱，热得要命，呛得难受，醒来之后，还心有余悸。屋子里都是烟，弟弟丹不见了。我推开门，跑到游廊，除了烟雾，什么也看不见。这时候，丹跑了过来。他吓得丢了魂似的，一边咳嗽，一边喊母亲。我告诉他不要大喊大叫，要不然会死的。我把詹姆摇醒了。

几个姐妹都在旁边那个屋子里睡觉。我一手拉着丹，一手拖着小凯特，大声叫喊着，让她们赶快逃命。安妮用不着再喊第二声，便像一只白母鸡，穿着睡衣冲进走廊。玛吉只穿着一条灯笼裤。她想抱丹，可是丹不愿意离开我，尽管瘦骨嶙峋的胸脯因为咳嗽，不停地震颤着。我们又一次冲进地狱般的走廊。这时候几个表兄弟也跑了过来，他们说，房子后面已经起火。我们在母亲那个房间追上安妮。门锁着，得用斧子砸开。谢天谢地，就在这时母亲走出房间。她想把格雷斯交给我，自己回去拿那个铁盒子。我不知道盒子里装着什么，想必无非是针头线脑、尺子剪刀之类的东西。我让她赶快把孩子领走，我去抢救她的“财宝”。我找了一会儿才找到那个铁盒子。这时，走廊里浓烟滚滚，热浪扑面而来，我只好退到另外一个房间。记得那个房间有一扇可以上下推拉的小窗户。我使劲推开它，好不容易才挤了出去。那天夜里，夜色很美，月光皎洁，夏日的牧场就像下了一场雪。

我去找母亲，结果发现了詹姆斯叔叔。他正睡眼惺忪，直瞪瞪地看着洗衣房那堵熊熊燃烧的墙。他跌跌撞撞，全然不管四周腾空而起的火苗。我想把他拉开，可是他的眼睛映着火光，他当胸给我一拳，使劲把我推开。我打了几个趔趄，看见他把瓶子里的东西浇到火里。虽然亲眼看见火苗腾地蹿起，我当时并没有意识到那是煤油。叔叔正在烧这幢房子，而且并不在乎被别人看见。他又向黑暗中冲去，回来的时候抱着松树枝，扔进熊熊燃烧的洗衣房。

我来不及考虑他是否会伤害我，一个箭步冲过去，想把他推倒。他醉得一塌糊涂，像一头熟睡的牛，晃了两下便倒在地上。他恶狠狠地骂着我，爬起来一瘸一拐地向黑暗走去，回来的时候拿着更多的煤油。我急了，随手拿起一根铅管，在头顶舞着向他冲过去。这个老纵火犯只好落荒而逃。

窗户在熊熊燃烧的火焰中哔啵作响。我拣起铁盒去追他。这时，整个一堵西墙已在烈火中化为乌有，叔叔也没了踪影。我打开牲口棚的大门，可是为时已晚，公鸡、母鸡躺在地上死了一大片，几头奶牛从我身边跑过，火光在它们的大眼睛里跳荡。

我终于找到母亲。她在大路上站着，孩子们都在她身边，平安无事。我把铁盒交给她。那个名叫希哈恩的警察骑着马来到现场，警服套在睡衣外面，看得一清二楚。

“出什么事了？”

这是废话，谁都看得见房顶正在坍塌。警察歪着脑袋看站在路边的那个陌生人，他两条长满小斑点的胳膊抱着吓坏了的弟弟丹。

“他是谁？”

“他是詹姆斯·凯利，”母亲说，“就是他烧了我们这幢房子。”

第二天，我们一家人就像被风吹散的灰烬，各奔东西。母亲带着几个小弟弟小妹妹到二十英里外的瓦加拉塔镇，希望找点活儿干。我和詹姆留在农庄给姨妈们干活儿。

几个姨夫被关进监狱之前，已经买下十五里湾的地。现在他们的妻子别无选择，只好马上搬到那儿平整土地，围栅栏，干所有那些极其繁重的活计。这便是贫穷的开拓者和农民的命运。杰克·奎恩和吉米·奎恩帮助他们的姐姐重新支撑起这个家。正是他们盖起那儿间棚屋，我们才有了睡觉的地方。傍晚，边喝掺水烈酒，边聊天儿的时候，他们都很和善。可是平日里，两个舅舅都非常严厉，尤其不允许任何懒惰存在于这个贫穷的“王国”。我的弟弟詹姆才九岁，每天从格瑞塔学校放学回家后要做许多家庭作业，可是还得劈柴，喂猪，做数不清的家务。我们俩只能压低嗓门儿悄悄地咒骂，当初就是到东北部地区作牛作马像奴隶一样干活也比来这儿强！我们那么傻，以为拥有了自己的土地，就能从早到晚自由自在地溜达，就能遥望美丽的鹦鹉飞过天边的晚霞。自从离开埃维内尔，我们一直盼望很快就能拥有像黑缎子似的牛、圆臀长颈的纯种马，我一直想象着它们宛如画上的骏马，驰骋在自己的土地上，四蹄生风，发出雷鸣般的响声。

两位姨妈对我们也不怎么友好，总是说，母亲很快就会赚到钱，可过后她们又承认，她在瓦加拉塔不过是给人家洗衣服罢了。因此，我们的希望很快化为了泡影。

哦，我恨透了詹姆斯·凯利！是他改变了我们的命运。躺在粗麻布做的吊床上，弟弟的臭脚丫就在我脸前。我们俩想象出各式各样可怕的酷刑惩罚叔叔。剥他的皮，抽他的筋，用鞭子揍他，让奔驰的骏马拖他。小哥俩只有这样恶狠狠地诅咒，才能出一口心中的恶气。我的女儿，长大之后，你会一天天地盼望圣诞节的到来。那时候你便会理解，我和詹姆是怀着怎样急切的心情盼望秋天巡回法庭的审判。这次审判将决定詹姆斯·凯利的命运。

巡回法庭的审判在比屈沃思举行。南边和东边有远比比屈沃思更繁华的城镇，但是没有人能到那儿去打官司。因为法律在这个小镇就有足够的威严，它所发表的高尚的意见就是最后的裁决，不可能有更高的机构加以评判。毫无疑问，这座小镇攫取了矿工和穷苦农民的血汗。那儿幢石头建造的堂而皇之的楼房享有生死予夺的大权。它可以让你破产，也可以把你送上绞架。这里有一个法庭，一座监狱，一家医院，四个银行，两个酿酒厂，十五家旅馆。

我在这里和母亲团聚了。她从瓦加拉塔驿站的大马车上走下来，头戴漂亮的帽子，身穿蓝得耀眼的丝绸长裙，裙子后面的撑架鼓得很高。我非常惊讶地看到，她一副春风得意的样子。

“你长高了，裤子显得那么短，”她说。

我不明白，她靠给人家洗衣服怎么能赚这么多钱，但我知道，最好别直接问她。总之，我们匆匆忙忙向法庭走去。走进那座阴森森的建筑物，我觉得仿佛走进一座教堂。我摘下帽子，低着头。在此之前，我从来没有见过法官。法警让大家起立，我们都规规矩矩地站起来。法官走上审判席的时候，我做梦也没有想到，他将成为我一生中最凶恶的敌人。他头戴假发，身穿红色长袍，在我看来更像红衣主教。他皮肤白皙、细腻，就像四周垫着棉花、羊毛，从外国运来的一个价格昂贵的古董。

雷德蒙德·巴里法官双目微闭，扫视着人头攒动的法庭。我们都屏声敛息，连劳埃德家的人和奎恩家的人都能感觉到他随时都可以加害于他们的力量。

警察把詹姆斯叔叔押上法庭。他瘦得皮包骨，就像一只拔了毛的白鹦鹉，非常可怜。看见我的眼睛，他连忙把目光移开。他被推上被告席之后，我对他的仇恨突然之间烟消云散。

母亲向法庭陈述了这个案子的来龙去脉。她还想说点自己的看法，结果被法官制止了。她讲完之后，警察希哈恩出庭作证，手里拿着一个笔记本大声朗读。然后，法官问詹姆斯叔叔，愿不愿为自己辩护。

“我一定要娶凯利太太为妻。”

“你想为自己辩护吗？”

“是的，我要和她结婚。”

“没有别的话要说了吗？”

“是的，没有了。”

“那么，我就宣判了。”雷德蒙德法官拿起一块黑布，放到詹姆斯叔叔头上。

母亲呻吟起来，我以为她一定是听了叔叔想娶她的话，心烦意乱，才这样哼哼唧唧。这时，法官宣布，把詹姆斯叔叔拉出去吊死。詹姆斯叔叔大张着嘴，伸出舌头舔着嘴角，一双充满恐惧的眼睛望着我们。我们惊恐地看着他被警察带出法庭。

女人们哭哭啼啼地走出法庭。我和詹姆默默地走着，为我们的诅咒终于变成现实而羞愧。

詹姆斯叔叔被判死刑后，母亲眼睛哭得通红，喝了点酒之后，情况更糟。她乘当晚的马车回到瓦加拉塔，在那儿租了一间房子。这间房子什么样儿，我不得而知。不过有一点可以肯定，在一间新移民居住的茅屋里，做母亲的不会有什么秘密，就是放个屁孩子们也能听见。可是现在，她住的地方离十五里湾很远，我无法猜测她的生活状况。听说，她给人家洗衣服。也许确实如此，也许另有谋生的手段，但是，无论如何，我心里都清楚，她所做的一切都是不得已而为之。她有母亲，有父亲，还有兄弟姐妹，唯独死了丈夫，成了可怜的寡妇。她有七个孩子，都过着动荡不安、惊魂难定的生活。丹还在尿床；安妮膝关节疼，一跑步骨头就嘎巴嘎巴地响；我虽然比较懂事，但也忍不住向她抱怨我给她两个妹妹作牛作马的痛苦。

我不知道个子已经长了两英寸，以为凯特姨妈给我洗衣服时煮得时间太长，缩了水，所以穿在身上紧紧巴巴的，特别难受。我只知道，我们俩像不拿工钱的农业工人，从早干到晚，又饿又累，苦不堪言。

詹姆斯叔叔被判死刑四个月之后，一个秋天的早晨，十五里湾天高云淡。我正在上厕所，听见有人骑着马飞驰而来。我并不特别当回事儿，因为奎恩家和劳埃德家的人都喜欢纵马驰骋。他们举止粗俗，喜欢哗众取宠，经常在马背上表演那么一两个马术动作。跨越篱笆更是平常事，马鞭一扬，像擦鼻涕一样麻利。我蹲在臭烘烘的厕所里，干自己的事情，只听见一匹马绕着我们那座棚屋慢慢地跑着，还有一个女人快乐的喊声。紧接着，我就听见有人不耐烦地喊我的名字。我十分气恼，心里想，一天到晚连一点点属于自己的时间也没有。我跌跌撞撞跑出厕所，一只手还揪扯着背带裤的带子，因为背带缩水，和扣子拉开一段距离，派不上用场。

原来是母亲！她骑着马绕着我兜圈子。太阳从她身后升起，她穿着一条崭新的大红丝绸长裙，特别漂亮。“地！我们有地了！”她快活地叫喊着。

她没有戴帽子，乌黑的头发编成辫子，满脸通红，一双黑眼睛亮光闪闪。

她斜跨在她那匹漂亮的栗色母马上，裙裾在晨风中飘拂，露出光溜溜的膝盖。“地！”她欢呼着，“我们有自己的土地了！”

我朝新盖的牛奶房瞥了一眼，看见瘦削的凯特姨妈和丰满的简姨妈站在门口。凯特姨妈皱着眉头，简姨妈面带微笑，看着她们宛如皇后一样漂亮的姐姐。这时，詹姆从一堆木头后面悄悄地走了过来。他一直藏在那儿，看见来人是母亲之后，便向那匹马跑过去，脚趾蹬着马腿，纵身跃上马背，扑到母亲怀里。他一直非常非常想念母亲。

我问她租金是多少，她吻了吻詹姆的脑门和脖颈，勒着马缰又转了一圈儿。“没有租金！”她大声说，“是买的。昨天下午五点我已经把钱交到‘土地办公室’。是我们自己的土地，亲爱的孩子们！”

“妈，地在哪儿？”

“你会看到的，”她大声嚷嚷着，“我们现在就搬到那儿去住。”

“今天？”

“此刻！”

我从来没有想过还会有如此快乐的一天。半个小时之后，我把马鞍交给詹姆，自己骑着光身子马向目的地飞驰而去。我才十三岁，母亲也不过是个三十多岁的年轻女人。蹄声嘚嘚，她从我的身边跑过，穿过一道河床，踏上一条白色土路。露珠莹莹，薄雾绕膝，我们沿着一条小河继续向前奔，一缕缕阳光透过浓枝密叶照射下来，洒在碧绿的草地上。一座棚屋出现在眼前，四周环绕着高大的树木。这些树木已经枯死。为了砍伐，人们在树干上剥掉一圈树皮，露出白花花的木头。棚屋的墙壁用木板和粗糙的板条做成，潮湿的屋顶升起一缕缕水汽。我做梦也想不到，这里将是孕育你的地方。

六岁的弟弟丹没穿裤子，从敞开的房门跑了出来。健壮的玛吉咯咯咯地笑着跟在后面。阳光明媚，薄雾渐渐散去。他们一路欢呼着向我们跑来。哦！这就是我的家！我的心激烈地跳动着，我翻身下马，把那个欢笑着的光屁股小男孩儿紧紧抱在怀里。

母亲买的这块地离格瑞塔三英里远，和十一里湾相邻，因此这个地方就叫十一里湾。57A 号地是五块面积相差无几的土地中的一块。小路附近树木稀少，可是再往前走，丛林就变得非常茂密。含黏土的土地平展展一片，一溜慢坡，渐渐向南延伸，在法特山脉两翼之间形成宽阔的盆地。

我们家这块地八十八英亩，比我想象的要小。不过母亲选择这块地主要考虑它的商业价值，面积大小还在其次。一是，这里已经盖好一座棚屋；二是，这里离大路很近，做买卖方便。詹姆和我进家门的这天，母亲已经买来一桶白兰地，一罗①葡萄酒，两打亮光闪闪的玻璃瓶。她已经开起了小酒店，当然没有办执照。没有政府颁发的营业执照卖掺水烈酒是非法的。但是她别无选择，只能靠开这个小酒店赚点钱，“供养”那块土地——清理土地需要花钱，用围栏围起来需要花钱。

我抱着丹，母亲给他穿好裤子，然后把缰绳交给詹姆，自己走进棚屋。再看到母亲的时候，她已经脱下那条漂亮的红裙子，穿上一件衬衫和一条男人穿的裤子，腰间系着一根绳子。她说，我们现在必须干活儿，帮她用树粧、树枝扎篱笆，好让我们家那几头奶牛有个过夜的地方。一旦扎起篱笆，就可以把我们那一小群牛从十五里湾赶回来，生产的黄油能卖钱增加点收入。

来到这块地不到两个小时，我就砍倒一棵高大的桉树。鹦鹉喳喳喳地叫着，吓得四散而去，一只小袋貂掉下来摔死在地上。妹妹凯特和格雷斯把它埋在河湾旁边。母亲和我们几个年纪比较大的孩子都顾不上伤感。我们都拼命干活儿，连安妮也不肯落后，尽管她平常连手都不愿意弄脏。

黄昏时分，篱笆还没围起来，可是母亲和兄弟姐妹都看出，我长了不少力气，已经顶个大人了。和大伙儿一样，我也累得筋疲力尽，但我没去做小孩子的杂活儿，而是在最后一缕阳光的照耀下，在磨石上磨我那把斧头。安妮本来应该帮母亲干活儿，可她没去，而是朝我大声叫喊着，说她在河湾发现一只螯虾。我告诉她取点熏肉皮做钓饵，再拿一根绳子，然后和她

①罗：量词，一罗等于十二打。

一起向河湾走去。我教她怎样装钓饵，可是她看也不看，我不禁有点奇怪。

“告诉她，不要卖掺水烈酒。”

我这才明白，根本没什么螯虾，她是为了单独和我说话，才把我骗到这儿的。

“她不能做这种买卖，会被警察抓走的。”她说，“倘若那样，政府就会把我们都送进工读学校。”安妮说出这样的话很符合她的性格，她总是胆小怕事。

“哎呀，安妮，事情没那么严重。”

她把手放在我的胳膊上，使劲拽着我的袖子。“我们家需要一个男人。”她说。

“需要一个男人，为什么？”

“跟她结婚，”她说，“救我们一家人。”

“安妮，安妮，别为这些事情烦恼。”

“烦恼个脚！你傻呀？”

“好安妮，你难道没有看见我砍倒多少树吗？你难道不知道，如果河里真有螯虾的话，我不费吹灰之力就可以抓到它？我干的活儿不比任何一个你认识的男人差。我们一定可以在这里建起一座漂亮的农场，安妮！”

她哼了哼。我瞥了一眼她那张嘴唇薄薄的、令人悲哀的嘴巴，心里想，姐姐安妮从来看不到希望，对任何事情都只看到悲观的一面。这是她的性格，不是她的过错。

“你才十三岁，”她说，“对生活还一无所知。”

安妮自己才对生活一无所知。一个连蚂蚁、蜘蛛都害怕的人，能干成什么事情！不过，我不想刺痛她，便没有把这话说出口。我们终于有了自己的土地，因此当太阳落山，暮色渐浓，母亲发现自己忘了买火柴的时候，我也还是保持了那种被人们称之为乐观的心态——尽管没有火就意味着只能用河水拌点面粉充饥，然后就躺到落满尘土的小床上睡觉。母亲躺在床上，想象着、描绘着我们很快就会拥有的牛群。我觉得没有任何理由怀疑她设计的这张美好的蓝图。

就这样，我们满怀希望，快快乐乐地度过了这个冬天。一八六八年，我收到一件新蓝衬衫，一条灯芯绒裤子。这两件衣服是贝纳拉的沃尔神父送给母亲的。先前的主人是个十八岁的小伙子，黑夜里骑马不小心从马背上摔下来，死了。我虽然比他小好几岁，可那条裤子非常合适。

母亲从爸爸留下的那堆破烂里找到一双靴子。靴底密密 麻麻钉满了铁钉，靴帮的皮子皱皱巴巴，硬得硌脚。不过我很快就用猪油、羊油、威尼斯松节油把它弄软了。这是一位承包商——霍姆斯先生告诉我的“秘方”。我穿在脚上当然有点大，不过里面塞了一些柔软的草，还蛮舒服。至于它的重量，我更不在乎。十一里湾的第一个春天，无论多么沉重的担子，我都心甘情愿地挑在肩上。

我每天伐倒三棵树之后，就抽时间驯马。刚驯出来的那几匹马虽然不太驯服，但是弟弟妹妹很快就可以骑着到格瑞塔上学去了。我还送给母亲一匹非常漂亮的纯种马——也许有点阿拉伯血统。有一次母亲骑着这匹马到贝纳拉做弥撒，警察怀疑是偷来的，但是没有找到任何证据，他们只好作罢。

刚进九月，春雨就淅淅沥沥地下个不停。等到十月，天气渐渐变暖。母牛来到这座新牧场之后，产奶量有了很大的提高。警察像对待这一地区别的穷苦农民一样对待我们，还没有找更多的麻烦。

安妮已经开始发育，胸部高高隆起，女人味儿越来越足，可是心灵深处她还是个孩子。就我所见，她每个星期都是在惊恐中度过的，总是担心警察会突然袭击我们，把母亲带走，关进墨尔本监狱。

十二月，一个月光皎洁的夜晚，空气中弥漫着夏日泥土与桉树特有的清香。“我听见马蹄声了，”安妮说，“有人在我们的棚屋四周悄悄走动。”

玛吉说，一定是那匹刚刚被阉割了的马在捣乱。

“是该死的警察！”安妮大声说，“我知道，没错儿！”

以往的经验告诉我，最好在母亲和安妮争吵起来之前，平息这场“风波”。我是男子汉，因此义不容辞从床上爬起来，穿上那双沉重的靴子。这当儿，安妮像一只鹅似的一惊一乍的，让母亲赶快把白兰地藏起来。母亲让她住嘴。我拨开门栓，走进茫茫夜色。

月光下站着一个男人，他右手提着一把特制的马枪，身穿熊皮大衣，腰间扎着皮带，皮带上别着两把明晃晃的手枪。我问他要干什么。

男人没有回答我的问题。他膀大腰圆，留着铲形胡须，阔下巴，黑熊皮大衣长及膝盖。“这个地方很僻静。”他终于说。

棚屋里传来沙沙沙的响声，那是母亲正用炉台边的铲子武装自己。那人弯下腰，拔起一把蓟，喂他的马。我看出那是一匹骏马，白色的皮毛在月光下闪闪烁烁，就像一袭白袍在不太干净的玻璃窗上反射出幽幽的光。

我对他说，如果他有一先令，我就给他送一大杯掺水烈酒。

“你叫什么名字，小鬼？”

“内德·凯利。”

“你这个年纪，经营一家小酒店未免太小了吧，内德·凯利？”

“我帮母亲开店，先生。”

“现在就在帮她？”

“是的，先生。”

来人朝我微笑着，把马缰绳拴到门廊柱子上。“那么，告诉你母亲，哈里·鲍威尔看她来了。”

这个尽人皆知的名字立刻在棚屋里引起一阵混乱。安妮喊了一声“母亲！”母亲叫道：“住嘴！”

一分钟之后，我跟在大名鼎鼎的哈里·鲍威尔身后，走进黑洞洞的棚屋。母亲这时候已经从床上爬起来，穿着那条漂亮的红裙子坐在桌子旁边。“请进！”她说。骤然之间，小小的 棚屋仿佛有一百枝蜡烛放射出耀人眼目的光华。

母亲不想点灯。客人在口袋里摸索着，掏出一大堆子弹和火帽之后，找到一盒火柴，点燃了我们那支牛脂蜡烛。明灭不定的光在孩子们的眼睛里闪烁。我们看见这个藏在丛林的逃犯把马枪放在桌子上。那是一件怪吓人的武器，枪膛口径就将近一英寸。枪柄锯掉一半，枪筒也比一般的马枪短。我以为母亲一定会让他把这个杀人的家伙拿到外面，可是母亲什么话也没说。哈里说："这个小伙子刚才答应卖我一杯酒，如果真能喝一杯白兰地，我将感激不尽。"母亲钻到帘子后面，亲自去拿他要的酒。

哈里·鲍威尔把子弹和火帽都捧到手里，然后把火帽装到左边的口袋，子弹装到右边的口袋，往椅子上一靠，坦然地看着一双双凝视他的眼睛。"你们知道我是谁吗？"

我站在他后面，所以他看不见我。格雷斯和玛吉都被他吓得藏了起来。安妮和丹透过帘子的缝隙勇敢地看着他。丹大睁着一双又黑又亮的眼睛，凝视着这个传奇人物。姐姐安妮撇着嘴，毫不掩饰她的轻蔑。

"我是哈里·鲍威尔，逃犯，土匪。"

安妮没有被他吓倒，于是这个大名鼎鼎的人物把头转过来看我。我突然害起羞来，连忙脱下靴子，爬上我那张散发着霉味儿的床。昏暗的烛光下，我看见安妮两条胳膊紧紧抱在胸前。哈里·鲍威尔显然不是她希望娶母亲为妻的那种人。可是母亲很快活，我听见她迈着轻快的舞步从披屋走出来。我先听见一个玻璃杯放在桌子上的响声，然后是第二个杯子放下的声音。"喝点你想喝的东西，先生。"

哈里·鲍威尔问母亲还记不记得他。因为丹和詹姆一直 嘁嘁喳喳地小声说话，他的话我没太听清。

"哦，当然记得，鲍威尔先生，记得清清楚楚。"

"你知道我现在的处境吗？"

"我听汤姆说，你星期三从佩恩特里奇逃了出来。"

"他是个该死的强盗，"詹姆压低嗓门儿，悄悄地对丹说。"快闭上嘴睡觉去吧！"可是丹从我身上爬过去，爬到安妮的床上。安妮当然也不欢迎他。“小混蛋，别上我这儿，回你自个儿的床上去！”

丹又连忙爬到詹姆的床上。他兴奋得要命。“詹姆，詹姆，他还打着绑腿呢！”“住嘴！”詹姆说。

“住嘴！你们这几个小东西！”母亲呵斥着。但是没用，丹像只毛鼻袋熊，又爬到安妮的床上。我也跟了过去，听见母亲正向哈里·鲍威尔先生打听詹姆斯叔叔的消息。安妮也想听个究竟，不再恶狠狠地踢丹了。我们一家人都惦记着詹姆斯叔叔的命运。

“他还在监狱里关着，”哈里·鲍威尔说，“死亡之剑高悬在他的头顶。我在那里面见过许多被判了死刑的犯人，凯利太太。他们的情况各不相同。你还记得瑞安恩和埃文思吗？他们合谋害死了埃文思的妻子。”

“没判死刑，”丹悄悄地说，“告诉他，他说错了。他们不再判叔叔死刑了。”

“我们只是在上诉，你这个白痴，”安妮说。母亲听见他们没完没了地说话，又喊了起来：“我要让该死的警察来抓你们！安妮·凯利，我发誓，一定让他们来抓你！”

哈里·鲍威尔停了一下，朝黑暗深处挂着的道道“帷幔”瞥了一眼。“我和瑞安恩的关系很好。他被判死刑后吃吃不下，睡睡不着，可怜的家伙。可是你那位小叔子和埃文思一样，总能从草料袋里找到慰藉。”

“詹姆斯从来就是个该死的大肚汉。”

“凯利太太，你知道，这样说可不礼貌。”

“为了给他雇律师，我已经花了二十英镑，可是还没把他弄出来。我真不明白，为什么不能狠狠心让那些家伙把他吊死算了。”

“哦，同样一件事情，发生在不同人身上，说法就不同。你可以说这个人是大肚汉，那个人是好胃口。”

母亲双臂抱在胸前，靠着椅背直挺挺地坐着。

“她不喜欢他。”丹悄悄地说。起初，我觉得他的话没错儿，母亲脸拉得很长。

“我这个人的胃口就不错，凯利太太。”

安妮哼哼了两声，拉过一个枕头堵上耳朵，又开始踢我们。

“可是，”哈里说，“我不能像他们那样随心所欲。我嫉妒任何一个能像詹姆斯·凯利那样自由自在大吃大喝的人。我总是约束着自己的肠胃。”

安妮的脑袋从枕头下面钻出来，对着我的耳朵咝咝地说，应当把丹弄回到他的床上。我没有理她，只顾看哈里解开腰间又宽又厚的皮带，让母亲看他怎样“约束自己的肠胃”。我还看到，他这番展示如何让母亲立刻软了下来，他使母亲的态度迅速发生了变化。“是吗？”母亲说。

后来，我经常看到哈里这样“宽衣解带”，对这个“约束肠胃”的玩意儿不再感到新奇。但是第一次看到母亲眼睛里的光芒和她歪着头，表现出女性那种威力无比的同情，那真是令人感到惊异。“你喜欢吃熏肉吗，哈里？”

“求之不得，艾伦。”

“羊肉呢？”

“梦寐以求，”哈里说，“我喜欢粉红色的嫩羊肉。”

他舔了舔嘴唇，母亲出神地看着他，又问他牛肉怎么样？“也喜欢。”

母亲把能想到的动物都问了个遍。他们俩的对话把我搞得迷惑不解，如同坠入五里雾中。我看见母亲接过哈里递给她的腰带，整整齐齐地卷好，又在膝盖上打开，轻轻地抚摸着。我本来被哈里·鲍威尔深深吸引住了，但是他露出满嘴牙齿，看母亲的脖颈时，我觉得他那么讨厌。

“对不起。”我大声说。

“哦，天哪！”母亲喊了起来。

“鲍威尔先生，您认为詹姆斯叔叔能逃脱绞刑吗？”

哈里·鲍威尔恶狠狠地瞪着我：“你说什么，孩子？”

“我是说詹姆斯·凯利叔叔的事儿。我可不想让他被吊死。”

哈里从母亲膝盖上拿起皮带，又系在腰间。他看起来非常生气。

“麻烦在于，为你那位詹姆斯叔叔打官司的律师是个出名的大傻瓜。”

母亲听到哈里对她花那么多血汗钱雇来的律师评价如此之低，非常不高兴。

哈里杯子里还有点酒没喝完，母亲就毫不客气地拿起来，连同自己那个杯子一起送回到披屋。

“你说我该怎么办？”母亲大声说。

“金克。”

“什么意思？”

“比屈沃思有个律师，他可以帮我们的忙。这个家伙名叫 金克，艾伦。”

母亲从披屋回来时，两手空空，一双黑眼睛就像两枚纽扣，闪烁着愤怒的光芒。“金克！”

就在以火爆脾气而著称的母亲要大发雷霆的关键时刻，哈里·鲍威尔伸出手，似乎抚摸了一下母亲的掌心，然后缩了回去。母亲立刻变得像一只抱窝的鸡一样温柔驯服。

“你把这个给金克先生，”他说，“他一定能让詹姆斯·凯利平安无事，一定不会让绞索套到他的脖子上。”

我的视线被安妮那张床挡着，看不见哈里给她的那十枚沙弗林[1]，但是听见母亲抽抽搭搭地哭着，看见她捧着那家伙那双伤痕累累的大手，不停地亲吻，让泪水洒在他的手上。在一座穷移民的棚屋里，母亲动动眼皮，就会像风中的铁皮一样哗啦啦地响着，逃不脱孩子们的眼睛。

第二天早晨，看见母亲的毯子下面露出两只男人的大脚，我心里很不是滋味儿。说实话，我并不想让母亲的床上躺个新丈夫，可是眼见得这个愿望无法实现，我宁愿让她嫁给老哈里·鲍威尔。“没有一个女人会因为认识我而倒霉，”有一次，他对我这样说。在我看来，他确实比那些一颠一颠地骑着马，沿着那条热浪蒸腾的小路来纠缠这位寡妇的男人们强得多。

①沙弗林：英国旧时面值一英镑的金币。

比如，莱斯巴伊的特克·莫里森，喜欢整洁的英国人比尔·福罗斯特。老特克喜欢给母亲唱情歌，比尔则坐在我们那张桌子旁边，对着母亲的耳朵喋喋不休，教给她如何克服少雨干旱带来的困难。他不过是个骑着马东游西逛、游手好闲的家伙，却把自个儿伪装成熟悉农业生产的行家里手。他说，澳大利亚人干不了农活儿，素质低下，愚昧无知……

比尔·福罗斯特打扮得像个牧场主，整个夏天都穿着一件粗花呢外套，因此，安妮赞成他。但是一看到他那副无知妄言、指手画脚的样子，我就觉得受到天大的侮辱。母亲对他言听计从，更让我气得发疯。

她口口声声说："哦，是的，比尔。没错儿，比尔。"

我双手打满血泡，一天能砍倒五棵树。你或许以为，一个大男人看见一个小孩儿这样没命地干活儿，一定羞得无地自容。可事实上，他从来没有拿起斧头帮我砍过一棵桉树。相反，他总是说三道四，发表些不着边际的建议。比方说，他告诉我，应该给整个牧场施肥；提醒我，只有下一场阵雨之前烧掉麦茬，才对庄稼有利。

哈里·鲍威尔的最大的优点恰恰在于从不放这种没用的废屁。你就是把圣约翰的麦芽种撒到地里，让丛林耗子和袋鼠交配，他也不会说长道短。他总是半夜三更来我们家，天刚亮就离开。他每次来总要带些礼物。如果他抢了一辆驿车，就会送给母亲一块金表，或者一枚蓝宝石戒指。如果他抢了一家酒馆，就会带来一桶朗姆酒或者几张散发着腐臭的纸币。这些东西都使我们家的生活多多少少有所改善，而且没有造成大家都不愿意看到的矛盾和纷争。

可是，比尔·福罗斯特从来没带过什么有用的东西，最多拿来一张当地的破报纸——《贝纳拉新闻》。他和母亲凑在一起专心研究那上面的牲口价格，啧着舌头嘲笑殖民地农民的无知。我认为那是恶意攻击。

亚历克斯·冈是另外一个追求母亲的人。他第一次出现在格瑞塔镇到十一里湾的小路上，娶妻之心就"昭然若揭"。那是一个尘土飞扬、赤日炎炎的星期天，人们的喉咙被尘土呛得难受，苍蝇直往耳朵眼儿和鼻孔里钻。

我正在半栏里哄那头生了病的泽西奶牛喝桶里的水，看见一个又瘦又高的人骑着马走过泥泞的河湾，走过我们那座棚屋，径直向我走来。

“这头牛得的是白斑病。”陌生人说。

“我知道。”我说。

“你知道怎么治吗？”

“我们给它抹了些黄油。”

“应该给它抹埃尔曼香脂，你们有埃尔曼香脂吗？”

“不知道。”

他骑在马背上，凝视着我，没有下来。他长着一双蓝眼睛，沙色头发，脸被太阳晒得黝黑，不到二十八岁，比我母亲年轻得多。我以为他也要说长道短，指手画脚了，可是没有。他翻身下马，把马和我的病牛拴在一起，径直向我们那幢棚屋走去。他是罗圈腿，裤脚扎着带子。

我回转身又去侍弄奶牛。突然咔嚓一声，一根很粗的树枝从灰皮桉上掉下来，在屋顶上弹了一下，最后落到一群鸡里。还好，鸡没有被砸伤。这棵灰皮桉经常往下掉树枝，我们已经习以为常。可是这位客人却大惊失色，一个劲儿地嚷嚷，说他无法理解，人怎么可以住在如此危险的一棵大树之下。如果他是为了我好，才这样大喊大叫，实在无此必要，我还有许多事情要做。不过，他很快就在牛栏旁边发现了寡妇。他把她的孩子都召集到身边，似乎要训练自己如何做父亲。

我走过去，听见他正给他们讲，灰皮桉是桉树家族中的一种，因它的树枝常打死人而闻名。他还说，人们管这种树叫“寡妇制造者”，因为它常把正值壮年的男人打死。

“我们不怕。”我说。

陌生人瞥了我一眼，然后转过脸看着母亲：“劳驾，能借一把斧子吗？”

“她没有斧子。”我说。

他长了个小鹰钩鼻子，有点儿像鹦鹉。他直瞪瞪地看了我半天。

“内德，”母亲说，“把你的斧子借给冈先生用用。”她一只手放在丹的肩膀上，另一只手抚摸着安妮的头。看得出，安妮对这个“候选人”挺满意。她对哈里·鲍威尔一直心怀不满。但我不允许他当我的“老子”，便告诉他，斧子在哪儿放着，想用就自个儿去找。

“好了，我去拿！”安妮边说边向棚屋跑去。大家都围着亚历克斯·冈，看他磨那把斧子，似乎要亲眼目睹什么奇观。“表演”结束之后，他劈了几块木板。母亲也兴致勃勃地观看着，好像以前从来没有见过这样的技艺。

我去喂猪，尽管那不是我的活儿。喂完之后，我看见追求者已经在灰皮桉树干上凿出几个“V”形槽口，又用那些木板做了一架梯子，每一级之间的距离为三十英寸，可以沿树干拾级而上。

现在，他该表演如何砍倒这棵大树了，可是母亲打发安妮请他进屋。等我到河湾把自己洗刷干净，再走进家门的时候，看见母亲正请他吃烤袋鼠。这天夜里，他睡在桌子上，离母亲很近。半夜里，他起来两次，每次我都点着灯，给他照亮。

第二天，亚历克斯·冈刚走，哈里·鲍威尔便来了。我们家就像一个该死的火车站。他又送给母亲一枚蓝宝石戒指。起初，母亲非常高兴，两个人喝了一下午酒，半夜里却争吵起来，哈里·鲍威尔气咻咻地走了。

第二天，我没用任何人帮助又砍倒三棵很粗的桉树，还打下四只白鹦鹉。拔毛、开膛之后，安妮做了鹦鹉肉馅饼当晚饭。我得承认，很香。

哈里再来的时候，给母亲带来一只刚杀的小母羊。他是朝小母羊的脑袋开的枪，子弹一直穿过羊背。他没有解释这件事是怎么发生的。晚上，他住在我们家，第二天一早就走了。

也许是经过精心安排，也许纯属偶然，总之，哈里·鲍威尔刚走，亚历克斯·冈就来了。这一回，他带来一根没有用过的麻绳。母亲看见这根麻绳，比看见哈里送她的蓝宝石戒指还高兴。我们全家人一起看他拿着绳子，爬上大树。我真希望他掉下来，摔断脖颈。他在鸡舍之上三十英尺的地方绑好最粗、最危险的一根树枝，砍断之后，用绳子吊着慢慢放到屋顶上。母亲高兴得直拍手，夸赞他活儿干得真棒。她吩咐安妮赶快从哈里送来的那只小母羊身上切一块好肉，给亚历克斯煎着吃。肉煎好之后必须趁热吃，因此，直到天黑，他只从灰皮桉上砍下一根树枝。

亚历克斯·冈睡在桌子上。他每次起夜都把我惊醒。我像一条警惕的猎犬，总要陪伴在侧。

随后的一个星期里，我和母亲到河边锯我已经砍倒的桉树。我们费了好大的力气，又是推，又是撬，把比较粗的原木滚到一边，把树叶、细树枝堆在另外一边，准备晾干之后当柴烧。这活儿很重，可是谁也没有把它当话题。大家只想谈论亚历克斯·冈。

一个星期之后，他给母亲和安妮带来裙子下摆用的裙环、玩具娃娃、丝绸围巾。送给我一把鲍伊猎刀[①]。我道了谢，没有再多看一眼，因为有个来花钱喝酒的家伙正拉我和他下跳棋。估计亚历克斯·冈一定答应今天把那棵树伐倒。我清清楚楚地听见安妮开玩笑说，他会像星期天被上帝派到月亮上砍树的那个人一样，得到好报。

他说，这个故事对他毫无意义。

安妮说，他只需走出棚屋，她就会高高兴兴地指给他月亮上那个男人——手里拿着斧子，背上背着一捆柴，旁边跟着一条狗。

我只顾和那个老酒鬼下棋，没有听见他们出去，也没有听见他们回来，直到被亚历克斯和母亲说话的声音惊动。

“凯利太太，”他说，“你想不想出去散步？”

“想呀。”母亲说。她放下正缝补的衣裳，和亚历克斯·冈走进如水的月色。

我问安妮：“这家伙要耍什么花招呢？”

安妮没有回答我的问题，只是神秘地笑了笑。那个老酒鬼趁机跳了四步，赢了我一克朗。棋下到这儿，停了下来。母亲和亚历克斯·冈手挽手走进棚屋，两个人都满面红光。

①鲍伊猎刀：传说由一七九九年出生于美国的墨西哥殖民者鲍伊制作，故名。

安妮放下手里的活儿，面颊飞红，目光明亮，不无羞涩地看了我一眼。母亲用清亮的声音宣布了一个消息。我怔怔地站着，半晌才明白，瘦骨伶仃的姐姐要嫁给亚历克斯·冈为妻！

我一直以为自己已经长大成人，现在才明白，费了那么大劲儿，其实自己还是个孩子。我瞥了一眼姐姐，看见她脸上洋溢着幸福的光芒，乳峰在罩衫下高高隆起，我想到他们已经有权利在一起做的那些事情，不由得满脸通红。

第三章　十五岁的生活

五十九张八开大的纸。纸的质地很好，木浆制成，已经变成棕黄色。褶痕条条，污渍斑斑，有的地方已经撕破。

描绘鸸鹋平原贫苦的爱尔兰人的结婚宴会。作者“师从”哈里·鲍威尔的有趣细节，同时坦言这种安排并非出自他的本意。维多利亚州东北部地理知识“入门”。逃犯鲍威尔鲜为人知的逃亡经历。详尽地（富于幻想地）介绍大牧场主的发家史。讲述许多次的打斗、纷争，这一部分在全部材料中颇为典型。作者第一次监狱生活的经历。

安妮和亚历克斯·冈的结婚宴会在奥克斯莱饭店举行。我十四岁，还有不少和我同岁的姑娘，但我不会跳舞，赢得跳远和四分之一英里赛马冠军后，我就觉得索然无味了。一帮无人管教的孩子到处乱跑。我无事可干，站在厨房门口等开饭。从门廊望过去，我看见母亲穿着她那条鲜艳的红裙子，和一个獐头鼠脑的家伙跳舞。那家伙穿着一件粗花呢外套，我一猜就是那个笨蛋比尔·福罗斯特。母亲刚刚获得女子一英里障碍赛第一名，满面春风，容光焕发。看见我正在门廊里看她，她立刻沉下脸来，丢下她那个英国人向我走来。

“过来。”她说，一只手提着她那条漂亮的裙子，领我走过热气腾腾、地板又黏又滑的厨房，走进饭店后面的菜园。姨夫魏尔德·潘特——都柏林人——喝得酩酊大醉，躺在储水罐下睡大觉。母亲都没看他一眼，领着我从厕所和粪堆之间走过，然后直截了当地问我，喜不喜欢她的舞伴。

“他关我屁事儿？”

“既然这样，你就不要总对他怒目而视。你看起来简直要发疯。”

“我管不了自己这张脸。”

她似乎在掂量我这句话的分量有多重。她是个女人，我无法想象她心里到底打的什么主意，就像琢磨不透一个中国人的心思。

“你觉得老哈里·鲍威尔怎么样？”

“毫无疑问，我更喜欢他，母亲。”

“你认为他这人更好些？”

“是的。”

“那么，你能替我帮帮哈里吗？”

“没问题，母亲。”

她又变得容光焕发，兴高采烈，她吻了吻我的额头，让我在饭店旁边等一会儿。她需要我花点儿时间再了解了解哈里。

“你的意思是，我们要再演绎一个传奇故事？”

“准确地说，只是跟他骑马走一趟。”

我穿着爸爸留下的那双靴子来参加这次结婚宴会。感谢霍姆斯先生的“秘方”，靴子已经软多了，但是因为靴底钉满了钉子，所以还那么重，走起路来还那么响。所以我把它暂且藏在饭店一个不起眼的地方。我估计最多和哈里在一起待一个小时，便留在那儿没有管它。

未见其人，先闻其声。鲍威尔还没露面儿，游廊那边便传来他沉重的脚步声。从游廊到前面那条小路，中间是一溜高低不平、坑坑洼洼的台阶。台阶上布满紫藤，把他绊了个跟头，几乎倒在我脚边。这个家喻户晓的绿林好汉从我眼前爬起之后，我几乎认不出他了。以前，他好像一位高傲的王子，可是现在瘦骨嶙峋，几乎变了个人。我从来没有见过一个堂堂男子汉会被爱情困扰到如此地步。我无法理解这一切。

“我向马儿的王国前进！”他叫喊着，已经喝得烂醉。他眼睛充血，眼白有点发黄。我领他走过那条车辙交错的小路，走到牧场。他先认出他那匹母马，然后认出那匹黑白花斑小马驹。小马驹驮着马褡裢，可怜巴巴地站在母马旁边。他骑上，或者更准确地说爬上马背，便一切听凭母马“安排”了。

他又朝第三匹马指了指，那是一匹威尔斯马[①]。他说，那是我的坐骑。这匹马生气勃勃，只有两岁。我对这样的马一点也不在意。

这当儿，比尔·福罗斯特和母亲在游廊后面跳舞。这是他的拿手好戏。他紧紧搂着她，就像搂着一根弹性十足的树枝，随时有可能弹回去，打他一下。可是比尔·福罗斯特认为前景看好，足蹬漆皮舞鞋，跳得越来越欢。

鲍威尔掉转头，不愿意看这让人心碎的一幕。我们的马缓缓而驰，从饭店前面跑过。我和哈里·鲍威尔都急切地凝望着西方。

男孩以为这位著名的丛林大盗一定知道现在身处何方，但是，他们俩在莫伊乎那边又走了一个多小时之后，男人勒住了马缰问他，这儿是什么地方。男孩早已走出了他熟悉的那方天地，自然无法回答他的问题。

男孩说："也许我们该回家了。"

男人骂他是傻瓜，然后策马，向更加荒凉的原野驰去。男孩别无选择，只能扬鞭催马在他身后奔驰。

这里的地形地貌，像一块巨大的"楔形馅饼"，"馅饼"外缘环绕着高高的山峰。人们把这连绵逶迤的山峰叫作"大分水岭"。

"楔形馅饼"最高处是河边小镇瓦加拉塔。欧文斯河从"馅饼"东边流过，再简单点说，布罗肯河从西边流过。这是它们的大致位置，不过没有关系。金河正好流经"楔形馅饼"中间，在瓦加拉塔流入欧文斯河。瓦加拉塔的土地十分平坦。但从瓦加拉塔开始，"馅饼"呈一溜慢坡升起。安妮结婚的所在地奥克斯莱就在这一带。男孩和那个可怕的男人骑着马在"楔形馅饼"中部转来转去，一直走上那块高地。下午晚些时候，离开已经划归私人的农田，他们进入了一道绵延曲折的山岭。黄昏时分，眼前又出现一片辽阔的原野。后来，他们沿着一条小路，走进树木稠密的溪谷，潺潺的山泉流水声不绝于耳。

---

①威尔斯马：澳大利亚种军用驯马。

“这是什么河？”男人问道。他说话还含糊不清，通红的眼睛目光凶狠。男孩说不知道现在在什么地方。他又骂他傻瓜。两个人翻身下马，吵了起来。男人的声音浑厚低沉，男孩的声音又细又尖，就像一个破管风琴发出的响声。男人用指甲在暮色笼罩的泥土中画了几下，说这个方向是北。男孩说，根本就不是北。他非常认真，寸步不让。不管经历了多少磨难，他还是那样年轻，那样天真，对别人说的话从不怀疑。他没有想到，自己已经成了这个人的“徒弟”，现在正在接受“师傅”的考查。如果有人事先给他点忠告，别让这次“考试”合格，等待他的便是全然不同的命运。

“这么说，今天夜里我们不回家了？”

“回个屁！”

回答完这个问题之后，男人说，除了三瓶朗姆酒和一袋子面粉外，他什么也没带。月亮升起之后，男孩一个人到溪谷里，打了一只小袋鼠，第二次证明，他是可以适应山林生活的“有用之才”。回到宿营地之后，四周一片漆黑，“丛林大盗”仰面朝天躺在地上，鼾声如雷。男孩摇晃他半天，也没把他弄醒。直到生着篝火，做好饭，他才睡眼惺忪地从地上爬起来。

这天夜里，男孩冻得够呛，一直看着那堆火不让它熄灭。男人像一条追踪袋鼠的狗，躺在地上又打呼噜又放屁。他有一件油布雨衣，男孩却没有，光着脚骑了半天马，两只脚冻得又红又肿。男孩想念兄弟姐妹，倘能躺在自己那张小床上，呼吸那温暖而又污浊的空气，他宁愿放弃一切。

半夜刚过不久，露水便打湿萋萋衰草，片片黄叶，男孩辗转反侧，难以成眠。天地间刚刚露出一线曙光，晨雾笼罩的空谷还没有响起鞭鸟①的鸣叫，男孩就下定决心这天逃回家。他对这个男人并无恶意。他悄悄地爬起来，找到那个装面粉的袋子，抓出许多面粉，用很浓的红茶和面做了几块面粉饼。

饼子做得特别棒，于是，像打袋鼠一样，他又犯了一个严重的错误。他的命运就此决定。

①鞭鸟：澳大利亚一种鸟，鸣声如响鞭。

男孩和男人并肩坐在一根原木上吃男孩做的饼子。男孩宣布，他自己能找到回十一里湾的路。男人没有理由阻止他。事实上，他什么也没说，只是考问他要走过几条路，翻过几座山。男孩的回答显然没错，男人给他的铁杯子里倒满茶水，还多加了一勺糖。

“其实你到哪儿也一样，”男人说，“十一里湾不再是能让你牵肠挂肚的地方了。”换句话说，他是告诉男孩，他不能回家了。

男孩对他的话不以为然，认为他不过是说说而已。他非常认真地解释，家里需要他，詹姆还小，砍树全靠他一个人。他还对那个男人说，比尔·福罗斯特死缠硬磨，一心想钻到母亲的毯子下面。他认为，如果他不在家，那小子的阴谋就会得逞。对他们这两个“同林鸟”，这肯定不是好事儿。

提起比尔·福罗斯特，男人变得心事重重。他吹了吹杯子里的茶水，让热气在他的连鬓胡子四周缭绕。“那又不是比尔·福罗斯特的农场！”他说。

“当然不是。”男孩说。

“不是他的，也不是我的。”

男人朝金合欢树中间那一块昏暗的空地瞥了一眼。这就是他的家。男孩心里很难过，这个人活到这把年纪，还没有自己的立足之地。他说，他讨厌比尔·福罗斯特，一定尽最大的努力，不让他钻进母亲的被窝。

“我不是农民，小伙子。我是该死的强盗。”

“干农活儿并不难。”

帽檐阴影之下，男人布满血丝的痛苦、阴郁的眼睛凝视前方。突然，他咧开嘴笑了起来，像一匹马，猛地在男孩的膝盖上咬了一口。虽然很疼，但那是友好的表现。

“让我给你几句忠告，内德。”他以前从来没有叫过男孩的名字。“你知道你们那块地以前的主人是谁吗？”

“听说是皮赛先生。他因为不肯还债，被判入狱。”

“不是。他是在那棵老灰皮桉上把自个儿吊死的。树枝折断，他又从该死的屋顶上滚下来，直到乌鸦啄完他的两只眼睛和半个脑子，人们才发现。

别想你母亲了。十一里湾不是个好地方，不会给你我带来快乐。”

男人把杯子里喝剩的茶水倒进火堆，开始归拢他的东西，用油布雨衣把朗姆酒包好。

男孩问：“你要把我送回家吗？”

“保证送你回去。”男人说。但是要付诸实施的时候，他并不履行自己的诺言。

男孩给马解开马绊，备好鞍子。两位骑手和那匹驮东西的小马驹终于出发了。他们向南而行，男孩估计，很快就会穿过一道山嘴，向西而去。可是山坡越来越陡，路越来越崎岖不平，男孩看出那人还没有送他回家的意思。

他们在一道河湾停下，烧水沏茶。男孩让男人看他那双已经肿得不像样子的脚，声称不能再走，必须马上往回返。

“别着急，我给你买双靴子。”

“我不要新靴子，家里旧靴子有的是。”

“让那些旧靴子见鬼去吧！我给你买两边带松紧口的漂亮靴子。”

男孩只得跟在男人那匹母马浑圆的屁股后面一路颠簸，去图木布鲁普。那儿当然没有卖靴子的地方，只有一座破烂的棚屋等待他们。主人安排男孩睡在后面的回廊。可是蚊子轮番袭击，一帮狂饮滥喝的酒鬼大声叫喊，还有两个人因为一条狗大打出手，男孩彻夜难眠。终于熬到寒冷的黎明，男孩蹑手蹑脚，给那匹威尔斯马备好鞍子，正要翻身上马，后背猛地挨了一拳。他身不由己，倒在车辙交错的大路上，回转身，看见给他这拳的正是那个男人。

“我保证给你买双靴子，”他说，“赶快滚回去！小心我剥了你的皮！”

他抓着男孩的胳膊，把他送回到后面的回廊，用刚撕下来的窗帘包住他那双肿胀的脚。每人喝了一杯酸奶之后，他们便向被人们叫作袋熊岭的原始丛林进发了。男孩做梦也没有想到，这个男人已经将他领上他的“生活之路”。

两天后，他们来到袋熊岭下辽阔的平原。男孩第一次看到玛尔赫牧场美丽的景色。他们骑着马缓步而行，草丛里不时飞起鹌鹑、黑色的雄鹰和娇小的百灵。天空中盘旋着粉红色的小葵花鹦鹉，在朝阳的映照下，粉红变成银灰。冬雨还没有降临，青青的牧草已经枯黄。男孩十分惊讶，一个人居然能拥有这样辽阔的草原，拥有如此巨大的财富。

这两人终于来到瓦加拉塔。如果男孩知道他骑的那匹马早已被列入《警察公报》，他的心情一定大不相同。可是他对此一无所知。来到这样一座“大城市”，他非常兴奋。他们先把马拴到拉德诺“农民旅馆”的马棚里。这座旅馆像一块结婚大蛋糕，一共二层楼，高高的游廊，四周围着漂亮的锻铁栏杆。男孩说，他敢肯定，他们不会允许一个爱尔兰男孩入住，再说，他脚上还包着两块肮脏的布子。男人一只手放在他的肩膀上，二话没说，领他走到漂亮的服务台跟前，两个人订了一个房间。

“好的，鲍威尔先生，”伙计说。这位佩恩特里奇监狱的逃犯并不在乎被人们认出并且直呼其名。服务台后面站着的伙计交给他一把很大的钥匙，上面还有房间号码。但是男人并不急于入住。他先领男孩上街，取下裹在脚上的破布，在饮马槽里洗干净脚。

“好了，我答应过你，给你买双漂亮的靴子。”

买靴子当然是男孩梦寐以求的事情，可是他知道一双靴子要花许多钱，所以他说，他情愿用这笔钱给母亲买一件礼物。男人听了，在他的后脑勺上拍了一巴掌，揪着耳朵把他领进马路对面一家百货商店。

男孩很快就在一张紫天鹅绒面椅子上坐下了。一个穿制服系领带的售货员恭恭敬敬地站在男人面前，一口一个“先生”，而不是“鲍威尔先生”。

“这个小伙子需要一双带松紧口的靴子，要古巴皮底。”

“好的。”售货员抬起男孩一只又脏又痛的脚，用尺子仔细量了量。

不一会儿，他就拿出一个棕黄色硬纸盒子，上面印着“亚瑟·奎勒父子公司”。打开盒盖之后，男孩简直不敢相信自己的眼睛，洁白的棉纸上面放着一双非常漂亮的靴子。售货员把盒子放在地板上，便走了。男孩正纳闷儿他干什么去了，就看见他拿着一双羊毛袜子又走了过来。

亲爱的女儿，你的父亲长到十五岁也没穿过袜子。他有时候在破靴子里垫点草，感觉也蛮好。售货员教给他如何穿袜子。看着袜子底部织出脚后跟的形状，他觉得妙不可言。你一定不要笑话，他怎么那么傻。

售货员递给他那双带松紧口的靴子，男孩的脚虽然还很痛，但是靴子软得像太太手上戴着的手套，穿在脚上，特别舒服。天知道他脸上是一副怎样的表情，反正丛林大盗和鞋店掌柜都咧开嘴笑了。他也放声大笑起来。

你的父亲似乎一下子又长高了两英寸，他高兴得要命。

这天夜里，哈里在拉德诺“农民旅馆”的餐厅安排了一顿丰盛的晚餐，那景象或许你永远也不会看到。水晶般纯净明亮的调味瓶，装在银盘子里的一块块方糖。哈里的肠胃不好，可我早已饥肠辘辘。他坐在那儿，看我大嚼大咬烤牛肉，吃约克郡布丁，还有侍者当着我的面烙的煎饼。我不知道这顿饭花了多少钱，反正不会便宜。旅馆的浴室比埃维内尔·谢尔顿家的浴室还要高级。只需打开水龙头，热水就会流满澡盆。我舒舒服服地泡着，直把皮肤泡得像李子干一样皱皱巴巴的。

半夜里我被哈里吵醒了。他喝得东倒西歪的，把屋子里的东西碰得山响。他倒头便睡，鼾声大作，不过我不介意。这是我最后一夜做他的徒弟，明天我就回家，把所见所闻告诉家人。黑暗中，我又伸出手，摸了摸放在床下的靴子。早晨，我骄傲地穿着它去餐厅吃早饭，早饭是粥和鱼蛋烩饭，每张桌子上都有一瓶酱油。

旅馆里一个名叫奥斯特勒的伙计已经喂好、饮好我们的马。一切都已准备停当，从马棚牵出可爱的老威尔斯之后，我只需把新靴子伸到马镫里翻身上马即可与家人团聚了。那是一个晴天，早上八点我们已经离开瓦加塔拉。出了小镇，一个路标直指格瑞塔。

我在这儿和哈里告别，向他解释，我是家里最大的男孩子，还有许多事情等我去做。我还对他说，《达菲土地法》可不是好惹的，如果不遵守，政府就会收回我们的土地。

“哦，我也不是好惹的，”哈里·鲍威尔说，“你必须听我的话。”

“你答应过我，要放我回家。”

“好吧，那就把靴子还给我。”

“没问题！”我脱下靴子，扔在路上，然后掉转马头，就要向格瑞塔的方向跑。哈里虽然膀大腰圆，动作却十分敏捷；他翻身下马，一把抓住威尔斯的笼头。我也不甘示弱，使劲夹着威尔斯的肚子让它快跑。可威尔斯站在地上一动不动，它知道谁是真正的主人。

“这是我的马。”哈里·鲍威尔说。

我跳下马背说，我可以不骑这匹该死的马，我可以穿着短袜回家。如果他连短袜也不想给我，我就光脚走，反正谁也别想拦我。

他说，他之所以不想放我回家，是因为怕我母亲生气。

我哈哈大笑着说他撒谎。他那双黄眼睛里有一种近乎同情的东西，我看了心里很不安宁。“让你跟我走，”他说，“是你母亲的意思。你的活儿是替我看管马。”

“你这话没有道理，”我说，“我妈一个人根本就种不了那些地。倘若没有我，政府会从她手里把地收回去的。”

“你妈自有她的办法。”

“什么意思？”

他闷闷不乐地耸了耸肩。看见他那副伤心的样子，我知道，他是指比尔·福罗斯特那个游手好闲的家伙。我信了他的话，可是就像遭了重重的一击，不禁有点头晕目眩。父亲死了才两年，我不应该再失去母亲的爱；即使做了什么错事，母亲也不该抛弃我。

哈里把靴子拿到我面前。我该怎么办呢？

不一会儿，我又跟哈里·鲍威尔上了路。我们又一次沿金河向南走上一片高原。天空一碧如洗，微风轻轻吹拂。可是，现在我成了一个无家可归的男孩，我的心像金河水一样充满忧伤。大地似乎也为我悲泣。被砍伐过的森林里，青草被牛羊啃到根部，露出灰黄的沙土。每次看到一道篱笆、一棵剥掉一圈树皮的大树，或者任何开拓者的劳动在大地留下的印迹，我的心中便涌起难言的酸楚。

我们整整骑了一天马。下午晚些时候，哈里在离小路不远的地方选择了宿营地。所谓宿营地不过是一座小土丘，周围没有多少草，根本连那几匹马都喂不饱。他开始像黑人那样用树枝和树皮搭窝棚，可是很快就没了耐心，他一脚把刚刚搭起的架子踢了个七零八落。最后还得我到丛林深处，剥下一块很大的绿油油的桉树皮，搭好窝棚。接着我又打回一只袋鼠，开膛剥肚之后，按照爸爸教给的办法，把肉用哈里那支马枪的通条串起来。串的顺序很有讲究，爸爸的方法是：肥、瘦、肥、瘦、肥，这样烤出来的肉才好吃。我情绪低落，一点儿也高兴不起来。

哈里夸我窝棚搭得好，肉烤得香。可是睡到半夜，他又闹起肚子，三步并作两步跑到丛林里。他难受得要命，用你能想象得到的、最肮脏的语言咒骂着，叫喊着。地狱里的流浪汉一定就是这个样子。

闪电划过黑暗的夜空，但是听不见雷声。想到比尔·福罗斯特就这样不费吹灰之力偷走我们家的土地，我彻夜难眠。黎明，没有露水，天气很干燥。我被思乡之苦折磨着，迷迷糊糊地醒来，给哈里烙了几张饼，烧好茶，没有惊动他，便将早餐送到他面前。哈里把三支手枪、一支马枪放在毯子上，正在看装在一个瓶子里的黑色火药。

“瞧，小凯利。”

哈里装弹药的时候我注意到，他那总是亮光闪闪的胡子 刚刚洗过，一双眼睛充满生气。“你瞧，这回你可以送母亲一件好礼物了。”

我以为他是指还剩下的袋鼠肉。

“让比尔·福罗斯特给她打一只该死的袋鼠。”

哈里放下手枪，站起身来，在他那粗壮的脖颈上系了一条红围巾。他说，我们要做一件比尔·福罗斯特永远做不到的事情。“小伙子，”他说，把手枪插到腰带里，“我要把你像个英雄似的送回家！”

"你说过，她不想让我再回家了。"

"没有，我可从来没有这样说过。"

我不想让自己的感情被别人玩弄，便逼问他，母亲到底怎么说的。他一把推开我。我也朝他胸口推了一把。他以迅雷不及掩耳之势从腰间抽出一根厚重的皮带，啪的一声打在我光溜溜的胳膊上。

"你该揍！"他恶狠狠地说，"永远不要再干这种傻事！"

我咬着牙，不让他看出这一皮带打得有多疼。

"好了，"他说，"去把马绊解开，备好马鞍，再把行李驮到小马身上。"

那一道伤钻心似的疼，我使劲忍着才没哭出声来。我说，我不是他的奴隶，但是我知道，他也知道，这是无力的反抗。他把皮带穿进裤鼻儿，把裤子系好，从口袋里掏出一把钢梳，梳理起头发和胡子。"你明天就能回家，"他说，"在那之后，你会为自己所做的一切感到骄傲。你不再是那个光脚丫的爱尔兰小伙子，而是哈里·鲍威尔的帮手。"

"你说过，她不想让我再回家了。"

"再顶嘴我就用鞭子抽你，直到你屁股痛得连坐也不敢坐。听着，我跟你说话的时候，你赶快把窝棚拆了，把东西收拾好。把马藏到土堆后面，不要发出一点儿响声，然后就等着看一场好戏。"

"我不明白你的意思，什么好戏？"

哈里没有回答，但是我很快就听到从怀特菲尔德方向传来鼓点般的蹄声。哈里连忙系好腰带，把三支手枪插到腰间。

"这出戏叫'狄克·特平[①]'。"他说，然后，大步流星地向那条大路走去。他头发抹了油，灰白的胡子梳得整整齐齐，手拿马枪站在路当中。一幅典型的丛林强盗的画面出现在我的眼前。

我听见一辆四轮大马车驶上最后一道山坡，车夫呐喊着，啪啪啪地甩

---

①狄克·特平（1705—1739），英国强盗，因其强盗经历被载入传说故事和小说而闻名。

着鞭子。“看好马，内德！”哈里大声叫喊着。眨眼之间，一辆红颜色的马车拐了一个弯，出现在眼前。我的心怦怦怦地跳着，刚才的怒气烟消云散。“停车！”著名的哈里·鲍威尔厉声喝道，从腰间拔出一枝手枪，朝天空放了一枪。驮东西的小马吓得尥了个蹶子，撒开腿就朝大路跑。我使劲拽着，在那片空地被它拖出老远。这当儿，马车的车闸发出钢与木头摩擦的刺耳的响声。我那匹威尔斯前腿腾空，后腿直立，引颈长嘶。

尘土飞扬，气氛紧张。“留下你们的金子！我是哈里·鲍威尔。”

我总算让驮东西的小马和威尔斯安静下来，可是自己却热血沸腾，一种可怕的东西在心中涌动。“留下你们的金子！”哈里叫喊着。我知道，我们将变得富有，我们将非常快乐。

“没有什么金子。”一个干巴巴的声音说。我从金合欢树的枝叶间望过去，看见海拉姆·克劳福特那辆锃亮的美国造大马车还在弹簧弓子上不停地颤动。瘦高的车夫凝视着渐渐落定的尘土。

哈里枪口对准车夫的衬衫，说：“我要打出你的五脏六腑！”

车夫是比屈沃思人，名叫科迪。他也是经常出没于丛林之中的傻瓜之一，而且宁死不屈。他把嘴里正嚼着的烟草吐到地上。“打出来也没用，还是没有该死的黄金，”他说。“喂，伙计！快来瞧呀！这个家伙说他是哈里·鲍威尔。”

后面这句话是对一个骑手说的。那人正从另外一个方向拐过那道弯，向这边驰来。

“你是谁？”哈里对新来的人厉声喝道。

“我是幸福谷的伍德赛德。”

“好哇，牧场主伍德赛德，你可以取保获释了。保释金就是从车夫那儿把那袋子黄金拿过来，扔到我脚边。”

“我已经告诉他了，”车夫说，“根本没有该死的黄金！”

“我是哈里·鲍威尔，”哈里大声叫喊着，“我说有就有。”

“我可不管你是谁，你就是汉弗莱[①]也没用，伙计，”车夫说。“你再大喊大叫也变不出黄金。”

“再嚷嚷，这就是你的下场！”哈里咆哮着，有意或者碰巧朝路边一只正飞来飞去的乌鸦开了一枪，乌鸦顿时脑浆迸裂。爆炸声吓坏了那匹胆怯的驮东西的小马。它撒开腿，又拖着我向大路跑去。我紧勒缰绳，被金合欢树枝划破了脸，车里有一位妇人正直勾勾地看着我。那一刻，我心里只有一个念头：这下完了，我已经被他们认定是强盗了。

我好不容易才把那匹马拉回到浓密的金合欢树丛中，擦掉那只死鸟弄在新靴子上的血污。这当儿，装邮件的袋子已经都摆在路边，并且用刀划开了。哈里跪在旁边，查看里面的东西。

“你最好看看包裹，”伍德赛德先生建议。他态度友好，愿意帮忙，也许是因为害怕哈里把他的马抢走。那是一匹非常棒的纯种马。

“只有两个邮包，”科迪说，“都是挂号邮件，在那个蓝袋子里。不过我必须告诉你，抢劫我的人绝对不会从那里面找到让他满意的东西。”

“把包裹给我！”

结果大失所望。第一个包裹里装的都是些花边、鞋带之类的东西。第二个包裹里面装着一个英国座钟。哈里看见这个钟，立刻火冒三丈。他恶狠狠地咒骂那个国家，还威胁说，一旦有机会，他一定好好地收拾英国人。车上的乘客一定吓坏了。他们都想转移哈里的视线，大声嚷嚷着，说车上有个中国人，而且眨眼之间便把那位“天朝君子”推了出来。中国人夹着一个手提包站在哈里·鲍威尔面前。

“你是矿工？”

这个中国人当然是矿工。他和哈里，鲍威尔十分相似，也是膀大腰圆，两条腿像柱子一样。

“我不是矿工，但我可以给你十先令。”他从钱包里掏出几枚硬币，

①汉弗莱（1391–1447），英王亨利四世的第四子，参加过百年战争。

送到哈里面前。

“黄金！”哈里声嘶力竭地叫喊着。他把马枪插在腰带上，抽出一把鲍伊猎刀，用牙齿打开，然后左手拿刀，右手拿手枪，向中国人逼过去。

中国人非常勇敢，他为他那个种族争了光。“十先令，你拿去。”

“我把你那颗黄心掏出来！”哈里挥舞着匕首，朝中国人扑过去。

中国人身手敏捷。哈里刺破手提包那一瞬间，他一闪身跳到旁边，包里装的玻璃球像丰收的小麦一样哗啦啦地撒在地上，滚得到处都是，有玛瑙、猫眼儿、血轴儿、螺丝钻儿、柠檬钻儿、玻璃眼儿。就是没有黄金的影子。

“坏！坏！你太坏了！”中国人叫喊着。“我杀了你这个狗娘养的！”哈里朝他小腿上踢了两脚，用枪逼着他，把他赶回到车里。

哈里就像泄了气的皮球，别的乘客他碰都没碰，就放过了那辆马车。等马车和牧场主伍德赛德各奔东西之后，哈里叫出我，指着滚了一地的玻璃球，说：

“随便拿吧。”

“这些玩意儿能把我造就成英雄？”

哈里又想抽腰间的皮带。不过皮带上别着好几支枪，他没法儿再像先前那样，一抬手，抽出来就打我。

“把那些该死的玻璃球拣起来。”他有气无力地说。从那一刻起，依据法律，我也成了强盗。

我才十四岁半，还没有用刮胡刀刮过上嘴唇细细的绒毛，但是当我骑着马，口袋里装满玻璃球，跟在哈里·鲍威尔身后一路小跑的时候，我已经开始改写自己的人生之路。哈里骑马的姿势还是那种老式样。马跳起来跨越障碍的时候，他总是身子向后仰着，好像脊椎骨和马屁股天生紧紧相连。我却把马镫拴得很短，纵马疾驰时便欠起屁股，几乎站立在马镫上马儿跨过倒伏的树木或者别的障碍时，我便俯身向前。我们是一对“未来”和“过去”的组合，“天真无邪”和“老奸巨猾”的组合。这对“组合”一路颠簸，来到怀特菲尔德，向一个穷苦农民要了一桶燕麦，然后沿着那条小路驰向图姆布鲁普。一路上连一个人也没有碰到，就连哈里曾在其中撕下窗帘给我包脚的那幢破旧的棚屋也没有人的踪影。我们从那儿抄近路，穿过丛林，进人袋熊岭。人困马乏，树林越来越密，前进的速度越来越慢。深沟大壑越来越多，白桉顶天立地。也许天哪还是小男孩儿的时候，它们就已经是郁郁葱葱的小树。黄昏时分，我们进入一条浅浅的河谷，河谷里有一条小溪，只有十八英寸宽。河岸上，一片蕨丛中兀立着一座满目凄凉的棚屋。棚屋用很粗的原木建成，连窗户也没有。悲凉的暮色中，乌鸦呱呱呱地叫着。我听了心里很不舒服。

“到家了。”哈里说。

这座棚屋像警察局的拘留所一样坚固、昏暗。可是因为没有窗户，又像一只特别容易被猛兽捕食的瞎眼爬虫。鲍威尔把马绊好，让它吃草，然后问我这个地方怎么样。

我对他说，如果不给他那匹马喂点好草好料，它可就派不上什么用场了。现在它的反应就很迟钝，什么东西从它脑袋上打过去，它也无动于衷。

“你得学会，”他用那双布满血丝的黄眼睛凝视着我，“你得学会不要无知妄言。论养马，你就是活到一百岁也没有资格教训我，何况我很怀疑你能不能活到一百岁。这座棚屋很漂亮。它的好处你看到了吗？”

“看到了，看到了。”

“你在撒谎。你根本就不知道它好在哪里。你应当好好地漱漱口，刷刷牙，然后老老实实地对我说：‘哈里，谢谢你对我从轻发落。虽然今天我像一条杂种狗似的，对自己压根儿就不懂的事情哇啦哇啦地大发议论。’”

他的话刺痛了我的心，尽管他说话的腔调还算和善。快到门口的时候，他又开始教训我。

“让我告诉你，你这个傻瓜蛋儿，”他说，“从瓦加拉塔到贝纳拉，还有比屈沃思，每一个警察都在追踪我。可是到了袋熊岭，他们连路也找不着。”

他一脚踹开门，一道亮光照进洞窟般的棚屋，一股酸臭味扑鼻而来。这里一定已经成了老鼠“居家过日子的”的地方。它们在这儿找到食物、毯子，也找到了安宁。

哈里开始收拾他的宿营地。我很快就看出，他的“收拾”颇为独特——一脚踢开几个掺水的烈酒瓶子，从折叠着的毯子里抖出一只刚生下就死了的丛林鼠，然后从墙壁和房梁之间的黑暗中摸出几支蜡烛。

“这个地方叫小公牛湾，我的朋友。我要告诉你，它永远不会出卖你。我知道，你的朋友、伙伴都是好人，可是如果赏金可观的话，他们也会把你出卖给警察。女人呢，时间长了就嫌你在她床上放屁，讨厌你。狗倒是忠实的好伙伴，可是寿命不长，总是先你而去。这座老棚屋，”他说，“墙壁就有二英尺厚。你知道这意味着什么吗？”

“腐烂得慢？”

哈里从腰带上抽出手枪。我以为他要告诉我枪应该挂到哪儿，或者藏到哪儿，可是他开了一枪。火光一闪，枪声震耳欲聋，我的耳朵嗡嗡嗡地响个不停。他举起蜡烛，让我看子弹击中的地方。

“可以防弹，”他说，“现在你还觉得奇怪吗？我们就像阿里巴巴一样。你知道这个故事吗？简单地说，阿里巴巴有一座山洞，他不得不忍受洞里的种种不便。你很难找到一座干燥的山洞，一座可以在里面生活，而且不管天气如何，烟囱都排烟良好的山洞。这个棚屋是一座城堡，一旦被敌人发现，可以坚守阵地，打退他们的进攻。”

人们都说哈里是个了不起的丛林人。有的人，比如我母亲，却说他不算什么丛林人，他连给丛林人提鞋的资格都没有。这话也没错儿。他不会干活儿，很难养活自己。可是他的藏身之地比狐狸家族还多。他有许多秘密山洞、窝棚、树洞。毫不夸张地说，它们简直遍及维多利亚殖民地整个东北部。命中注定，我将在许多这样的洞窟内藏身。

这座肮脏的、到处都是垃圾、破烂儿的棚屋让你看到他性格的一方面。可这只是表面现象。你将在小公牛湾黑暗的角落发现一包包牛脂蜡烛、沙丁鱼罐头、面粉、火药，全都码放得整整齐齐。在芦苇湾，他还用树枝、铁皮、麻布做了一张吊床，隐蔽在树丛之中，和大自然融合得天衣无缝。

有的藏身之地是新建的，但是最让他有安全之感的还是小公牛湾这个不祥之地。他让我看他的“秘密武器”——两个大铁桶里装着的两英担[①]燕麦。

“你这个傻瓜蛋，”他说，“燕麦多的是，你可以喂马去了。”于是我给三匹马的草料袋都装满了燕麦，三个家伙吃得津津有味。然后，我给老哈里烙了几块甜饼，他吃了以后赞不绝口，管我叫“好孩子”。看到他性格中温柔的一面，我心里感到莫大的慰藉。我也很快活，暂且把比尔·福罗斯特夺走我的土地的事抛诸脑后。

洗完盘子之后，我问他能不能给我讲讲阿里巴巴的故事。

“我给你讲个更好听的故事，”哈里说，“坐到那儿去，那堵墙有个坡度，靠墙坐着舒服点儿。我给你讲讲詹姆斯·惠蒂是怎样发财的。”我按照他的吩咐靠墙坐好，他往烟斗里装满烟丝，又用粗大的拇指按了按。

“事情得从一袋子玻璃球说起。”他说，“就是你今天弄来的那种玻璃球。”

听到这儿，我突然哈哈大笑起来。

哈里停了一下，我以为他要打我，可他只是晃了晃手里的烟斗。

“好好听着，小东西，”他说，“让我们看看谁笑到最后。詹姆斯·惠蒂先生来贝弗里奇的时候，和你爸爸母亲一样，穷得叮当响。一个漆黑的夜晚，天下着雨，詹姆斯·惠蒂骑着马回家的时候，在通往墨尔本的路上碰见了鬼。”

“这个故事是真的吗？”

“闭上嘴，老老实实听着。你要是怀疑鬼，那就说明，你比詹姆斯·惠蒂的常识也丰富不了多少。他起初也不信。我说天正下雨吗？”

“说了。”

---

①英担：重量单位，在英国等于112磅或者50.80公斤。

“那天夜里又刮风又下雨，詹姆斯·惠蒂半醉半醒，他一直在丹尼·摩根旅馆喝酒。因此听到鬼说话的时候，他还以为是埃迪·威尔逊或者勒奇·奥汉伦在说话，可是只有说话声没有马蹄声。上山之后，他听见鬼还在说话。估计那个鬼一定是在空中飞翔，就在老惠蒂耳朵旁边跟他说话。”

“他说的是爱尔兰话吗？”

“你这话是什么意思？”

“这个鬼是爱尔兰鬼吗？”

“哦，天哪！你就老老实实听我讲吧。鬼很快就出现在惠蒂面前。惠蒂问他想要什么？鬼说：‘不要，什么也不要。’‘那就好，’惠蒂说，‘因为我也不想和你要什么。’没有路，他用踢马刺刺马肚，想继续朝前走。可是，马的力量当然超不过鬼。它原地站着一动不动。‘你错了，’鬼说，‘你虽然嘴上说不想要什么，其实心里还是非常想要点什么。’他边说边从怀里掏出一个皮面钱包，递给惠蒂。”

“里面装着玻璃球？”

“别打岔！”哈里说，“惠蒂收下了钱包，虽然是鬼送给他的。”“‘这里面装的是什么？’他问鬼。”

“‘玻璃球，’鬼说。”

“惠蒂说：‘我要一袋子玻璃球有什么用？’”

“鬼对他说：‘只要朝某扇窗户扔一颗玻璃球，无论求什么，你都能如愿以偿。’”

“惠蒂是个农民，很会做买卖，因此，第一个问题是，他为此要付出怎样的价钱。”

“鬼说：‘免费。只要你还活在世上，我什么都不和你要。这笔账等你死了以后再算。那时候，跟你就没什么关系了。’‘很公平，’老惠蒂说，‘听起来不错。可是，如果你不能让我的愿望实现怎么办呢？’‘倘若实现不了，将来便无账可还了，’鬼说。‘不过，话说回来，还没有我满足不了的愿望呢。把这个钱包拿走吧。无论什么时候，想要什么东西，就朝贝弗里奇圣玛利亚教堂的窗户扔一个玻璃球。’”

“我知道那座教堂，哈里。我去过那儿。”

“惠蒂自己的孩子们不是也在那儿受的洗礼吗？惠蒂对鬼说：‘那些窗户都是彩色玻璃，每个十字架下面都有一扇窗户。’‘没错儿，’鬼说，‘我说的就是这座教堂。’于是，他们俩握手告别了。”

“鬼的手是什么样子？”

“冰冷黏滑。不过这不是问题的关键。没多久，惠蒂就想把河边一块好地弄到手。不过，看起来没有希望，因为牧场主和他手下的喽啰都特别坏。于是，一个月黑风高的夜晚，他骑马来到贝弗里奇，朝教堂第一扇窗户扔了一颗玻璃球。玻璃球打掉彩绘玻璃上天哪的鼻子。玻璃还没落到教堂里面的地板上，鬼就从一棵松树后面走了出来，神父都喜欢在教堂周围栽种松树。见到惠蒂，鬼非常高兴。他问老惠蒂想要什么。惠蒂说，他想要一块地，并且把那块地所属的教区、编号告诉了鬼。鬼把这些情况一一记在一个蓝格练习本上。‘好吧，’鬼说，‘下星期二下午到邮局等消息。”

“五天以后，惠蒂来到贝弗里奇邮局，他收到一个政府寄来的棕色公用信封，里面装着他想要的那块土地的所有权证。惠蒂自是欢天喜地，从此以后，占有土地的欲望一发而不可收。十一年里，他弄到一万英亩土地和三头出名的安格斯公牛①。为了这些地，他打碎了画着西门②的玻璃窗、画着圣女维罗尼卡③为耶稣擦拭面孔的玻璃窗和画着被脱下衣服钉在十字架上的救世主的玻璃窗。”

“后来他得了胸膜炎，一病不起。他又急又怕，便把这个秘密向妻子和盘托出了。他又哭又叫，说自己要下地狱了，现在做什么也于事无补了。他很走运，妻子是提波拉瑞人，非常能干。‘别哭哭啼啼的，’妻子说，‘告

①安格斯公牛：苏格兰产黑色无角肉用牛。

②西门：基督教《圣经》中耶稣十二门徒之首彼得的原名。

③维罗尼卡：曾以汗巾为耶稣拭面，其面相即留于此巾上。

诉我，你还有玻璃球吗？’‘只剩这一颗了，’他说，‘我可不想烂在坟墓里呀！’‘很好，’妻子说。她把丈夫从床上扶起来，让他坐上马车，到贝弗里奇去。一路上他不停地咳嗽，喉咙里发出呼噜呼噜的响声。下山的时候马车速度很快，就像拉车的是一匹脱缰之马，可其实不然。到了教堂跟前，惠蒂的妻子才发现一个问题一这个垂死之人还有没有力气打破一块画着耶稣升天的玻璃？但是惠蒂没有让她失望，他用尽平生力气投出玻璃球，正中主的圣心。鬼也应声而出，像潘趣[1]一样，得意洋洋。因为在过去的四个小时里，惠蒂的呼噜声一直在他耳边回响。‘看起来，’他说，‘你快来我这儿报到了。’‘别高兴得太早了，’老惠蒂说，‘你还欠我一个愿望呢！’‘悉听尊便，”鬼说，‘不过从你的咳嗽声中判断，不出今天，你就是我的人了。’‘那就走着瞧吧，’惠蒂说，‘如果你不能满足我的愿望，为什么我要升天堂呢？’‘如果我不能满足你的愿望，’鬼说，‘你就比我预想得还要聪明。’

“是呀，”哈里说，“鬼对惠蒂聪明程度的估计一点儿也没错儿。可是他没有想到惠蒂的妻子就藏在旁边的绣球花丛中。惠蒂对鬼的最后一个请求其实是他妻子的主意。我说没说过，她是提波拉瑞人？”

“说过。”

“她是提波拉瑞人，比狐狸还狡猾。她教给丈夫怎么说。”

“惠蒂对鬼说：‘我要你把律师都变成诚实的人。’”

“如你所知，鬼像煤一样黑。他们没有皮肤，只有鳞甲，听了惠蒂的请求之后，他浑身的鳞甲突然变白，就像这堆火留下的灰烬一样。‘这事儿我办不到，’鬼说。‘哦，你一定要办到，’惠蒂说。‘办不到，’鬼说，‘如果让我办这件事情，我就只能赋闲在家了，永远不会有一块煤来暖和自己。’”

---

①潘趣：潘趣是英国木偶戏《潘趣和朱迪》中的主角，驼背。朱迪是他的妻子。戏中两人经常吵架。

这就是哈里在袋熊岭的藏身之地给我讲的故事。那时候，我以为这位惠蒂先生一定早就到了另外那个世界。可是像以前一样，我又错了。许多年之后，我在莫伊乎赛马会有幸碰到这位先生。不过像人们常说的那样，这是后话。

安妮的婚礼四月份举行，现在已经是八月底了。雨季到了，饱受风雪摧残的大地吐出新绿。我们走过一个又一个地方，酸模和蒲公英在新开垦出来的土地上轻轻摇曳。如果我在家，我一定会把詹姆、玛吉，甚至丹召集起来，用锄头和手拔掉地里所有的杂草。因为奶牛场不能有蒲公英散发的气味。许多个秋雨绵绵的夜晚，想到比尔·福罗斯特一定疏忽了这些活计，我都烦躁不安。躺在窝棚里，棚屋里，或者山洞里，我暗暗发誓，这是和哈里·鲍威尔一起度过的最后一夜。可是第二天早晨醒来，我又照旧顶着习习秋风去找黑莓根煮水给哈里喝，治他的肚子；照旧用河湾的沙子擦亮那只破旧的煎锅；照旧硬着头皮听哈里喋喋不休地说那些骗人的鬼话。他一边吃早饭，一边许诺，一旦机会到来，就让我带着黄金回家。

就这样，五月二十二日，哈里抢劫巴克兰邮车的时候，我仍然是他的“徒弟”，帮手。我是后来报纸上说的那个“不知姓名的人”，“鲍威尔的同伙”。哈里砍倒一棵树横在路上，我拉着马，这样他才能放心大胆地抢劫。

“停下！”哈里大声叫喊着，“停下，你这个混蛋！”

真是无巧不成书。这个车夫曾经听到过这样的叫喊。你一定还记得，他的名字叫科迪，瘦高个儿，看上去一本正经，实际上特别善于讽刺挖苦。

“哦，瞧瞧那是谁呀！”他一边说一边把马缰绳扔到膝盖上，掏出烟荷包。

哈里站在比大路高出六英尺的路基上。

“你这个杂种！”他叫喊着，挥舞着手枪，从路基上跳下来。看到哈里如下山猛虎般扑来，科迪连忙改变了说话的口气。等哈里冲到面前时，烟荷包已经变成钱包，乖乖地送到哈里面前。哈里没有看里面装着多少钱，顺手扔到地上，准备一会儿再捡。

“下来！”他厉声喝道。“下来！你也下来！”他命令坐在科迪旁边那位乘客下车。那人是个屠夫，油布雨衣下面露出干活时戴的围裙。

“我只有十六先令六便士。”屠夫把放在手掌上的几枚硬币送到哈里面前。“我用最后一英镑付了车费，找出来的钱都在这儿。”

哈里拿走了那几枚硬币。“都滚出来！”他大声喊道，“你们被劫了！”

车门慢慢打开，走出两个女人和一个男孩儿。年纪大一点的是个体态丰满的已婚妇女，大约三十岁。她打开钱包，拿出一张十先令的纸币和三个弗罗林。

“谢谢，夫人，”哈里说，把钱装进口袋。“这条漂亮的项链我也要。”

这个女人先前还因邮车被劫，可一睹“绿林好汉”的“风采”而兴奋激动，现在眼见得要失去自己的珠宝首饰，立刻沉下脸来。她只得低下头，让男孩儿帮她摘下项链。她眼巴巴地看着自己的财宝消失在哈里的口袋里，嗫嚅着说：“你能还给我一先令吗？我得发个电报。”

他一定给了她比一先令更多的钱。她脸上露出几分喜色，朝他鞠了一躬。

第二个女人似乎因此受到启发，大着胆子说，她倒是愿意倾囊相助，可惜身上连一便士也没有。

男孩儿向前跨了一步，交出三便士。

看着这一幕，我几乎完全绝望了。我知道，这种抢劫不会引出好结果。就在哈里把那三便士还给男孩儿的时候，一个骑马人飞驰而至。那是一个穿得很漂亮的年轻女人，骑着一匹栗色母马，那匹马有十六手高，脑门上有一块漂亮的白斑。二十畿尼①也买不了这样一匹好马。哈里答应过我，要给我弄匹好马，因为威尔斯腿有点瘸。

“站住，交出买路钱！我是哈里·鲍威尔。”

---

①畿尼：旧英国金币，等于二十一先令。

“哦，鲍威尔先生，”马的主人说，“对不起，让你失望了。我出来的时候，一个子儿也没带。”

她的行为举止和另外两个女人没有什么区别，但是她说话带着标准的英国口音，换句话说，有点拿腔拿调。

哈里一听就烦。“下来！”他咆哮着。

“劳驾你扶我一把好吗？”她说。

“你自己滚下来！”他说。

她非常麻利地翻身下马，站在她那匹漂亮的骏马旁边，因为尴尬，脸涨得通红。

“难道你们不觉得奇怪吗？”哈里对所有乘客说，“一个骑着这样一匹好马的人居然身无分文。这可是天下奇闻，不亚于英格兰女王和该死的德国人上床睡觉。”

“请你放尊重点。”屠夫说。

“闭上你那张臭嘴！”

屠夫胆子很大，朝哈里扬了扬下巴，继续说：“请你放尊重点，这位是波伊德小姐，一个穷教师，穷得想找两枚硬币在一起擦着玩儿都没有。”

“天哪！屠夫，你以为我是个傻瓜？”

“听说你从来不抢穷人。”

“穷人！你看看她的马鞍子，至少值十四英镑！一个穷女人能买得起十四英镑的马鞍子？”

“是买不起，可是……”

“可是什么？当心点儿，屠夫！跟哈里·鲍威尔对着干可是件危险的事情。”

“我没有和你对着干，”屠夫说，脸越来越红。他两腿分开，毫不畏惧地站在哈里面前，说：“我只是想告诉你，这样的鞍子，常常是中彩票赢得的奖品。也许你一直在别的地方，对这种事情一无所知。”

“别的地方？”

“我听说你不在此地。”

“你是说，我在监狱，你这个杂种。”

“不要生气。我确实听说你被抓进了监狱，而且知道，这不是你的错。但这个马鞍子确实是中彩的奖品。”

虽然离得挺远，但我看出，哈里犹豫不决。他吃不准他们是不是在骗他。

“好吧，”他说，“就算马鞍子是中彩赢的。马呢？马也是中彩赢的奖品？”

关键时刻，一声库伊[①]从远处传来，一个高个子、红头发的爱尔兰人拄着从桉树上砍下来的一根树枝，沿着那条路走了过来。他显然不是个有钱人。哈里让他把口袋都翻出来，自然空空如也。他让他和别人一起，站到波伊德小姐和她那匹马旁边。我已经把自己想象成那匹马的主人，正指望哈里把马拉过来，一个中国人徒步走了过来，后面不远处还跟着一个从胡如莱来的奶制品商人。他骑着一匹又老又瘦的马，这马对谁也派不上用场。哈里自然不会放过他们俩。他一边抢劫一边道歉，说自己不得已才犯罪，否则，他也不会在这儿找他们的麻烦。

到“天朝人”[②]交出钱的时候，哈里已经抢到三英镑。科迪在路边点了一小堆火，九个被抢劫的人围在篝火旁边，焦急地等待哈里如何发落。

哈里对波伊德小姐说：“你敢对天发誓，保证你是教师吗？”

她迫不及待地发了誓，不过说的都是假话。后来《旗报》报道说，她是福比·马丁·波伊德小姐，一位富有的牧场主的侄女，是屠夫阿兰·乔伊斯生意场上不可多得的顾客。

“我对天发誓，我是教师。”她说。

“很好，”哈里说，“我不会抢一个穷教师。我只要车上这匹驾辕的马。”

---

①库伊：澳大利亚和新西兰土著人尖利的拖得很长的招呼声，从十九世纪中期起多为英国人所模仿。

②天朝人（Celestial）：澳大利亚人对中国人的称呼。天朝指封建王朝时代的中国。

那几天，我们无论做什么都不顺利。那匹马又踢又咬，不肯就范，哈里只好解下右边那匹深棕色的挽马。这匹马倒是挺老实，不过没有一点活力，一副萎靡不振的样子。

后来正是这匹精心挑选的挽马把我暴露给巴特里山牧羊站的牧场主罗威先生。

五月二十三日夜晚，天气很冷，没有月亮。我站在奥克斯莱一座棚屋的门廊下面。但是门廊挡不住寒风冷雨。雨水打在我的脸上，冲刷着地板上的泥土。我想家！想家里那种污浊、干燥但有点甜丝丝的气味。而此时此刻我还是鲍威尔不付工钱的“徒弟”。他命令我站岗放哨，以防警察突然袭击。其实，大雨滂沱，河水暴涨，没过金河桥桥面的洪水就足有两英尺，天知道警察怎么能从天而降，突然袭击。我累得筋疲力尽，烦透了这种生活。

那匹从巴克兰邮车上解下来的可怜的挽马和我一起站在门廊下。它被牧场主罗威打了一枪，受了伤。都是哈里的错，他压根儿就没有理由让它结束驭马沉闷但诚实的生活。它虽然日复一日地爬坡上梁，无休无止地重复着繁重的劳动，但是此刻，一定怀念以往的快乐和甜蜜。它肩胛骨中弹，那就意味着，它将终生残废，成了一匹瘸马。最终的下场是被一块黑布罩住脑袋，一把大锤向两眼中间猛击，它摇晃两下，倒地而死。

棚屋里传来阵阵笑声、歌声，窗帘上映出一闪而过的人影。哈里·鲍威尔正在跳舞。他玩得高兴，没听到他抱怨肠胃和拇指的囊肿。他总是不分白天黑夜地哼哼唧唧。我从来没有见过一个人像他那样为一双脚大惊小怪。脚呀，肠胃呀，他总是为这两样东西喋喋不休。每天早晨，我做的第一件事就是给他找黑莓根熬汤，治他的肚子。谢天谢地，他可以自己料理拇趾上散发着臭味儿的囊肿。他有一根红绳，上面打着七个结。他经常把这根绳子绕在发了炎的关节上，口中念念有词：

骨对骨，血对血

筋腱对筋腱，位置不能错。

挽马在泥泞的地板上肆无忌惮地撒尿。棚屋里飘出煎熏肉的香气，但是没有人叫我进屋吃一口饭。我正要发火，门开了，哈里·鲍威尔用铁匠的钳子夹着一块烧红的木炭，走了出来。跟他一块儿出来的还有房东的老婆。她乳峰高耸，屁股却像男孩子一样扁平，一双非常好看的手里端着一小碗砂糖。她带着几分醉意咯咯咯地笑着，装出一副和这个著名强盗情投意合的样子。

“看好马，内德·凯利，”他说。在一位陌生人面前说出我的名字，让我特别生气。仅仅两天前，他让巴特里山牧羊站的罗威先生清清楚楚地看见了我这张脸。那天，我们趴在他那座牧场几块岩石后面，想抢一匹更精神一点的马替换这匹挽马。罗威是个狡猾的老狐狸。他爬到离我们很近的地方放了一枪。子弹差点儿打中我，在我鼻尖儿前面炸起一团尘土。要不是怕哈里比怕牧场主还厉害，我可能当时就举手投降了。结果我们纵马驰骋，一直跑了两天，直到这个大雨滂沱的夜晚，才来到这座房子的门廊下面。冷雨彻骨，我们早就成了落汤鸡。在灌木丛生的荒野奔驰，我脸上划了许多口子，嘴唇肿得老高，就像受了鞭刑一样。

房东的老婆把砂糖递给哈里·鲍威尔。哈里把砂糖撒到烧红的木炭上。

“看好马。”他对我说。

我抓紧笼头，哈里把冒着烟的木炭凑到马的伤口上慢慢地熏。我见过奎恩家和劳埃德家用这种办法给马治伤。可是哈里这天晚上喝多了酒，火炭离马的伤口太近，门廊下弥漫着一股皮肉烧焦的糊味儿。马第一次被烫着的时候，痛得踢了几下。等到第二次又被火烫着的时候，它蓦地直立起来，撞坏了门廊的树皮屋顶。哈里对于棚屋的损坏毫不在意。“好了，”他说，“你的伤口会好的。”他当然是说瞎话，因为子弹深深地打在肉里，烟根本熏不进去。

他对我说，一会儿就给我送点吃的过来。

“我想进去吃。”

“哦，你想进去吃，是吗？”

“根本就没必要站什么岗，”我说，“四周都是水，那些警察怎么能找到这儿？除非坐船。”

哈里没有回答，照我的脑袋打了一拳。我不甘示弱，揍了他一拳。哈里咽不下这口气，一把抓住我的睾丸。

“想和我打架，小伙子？”

“不想，哈里。”

女房东袖手旁观，他使劲捏我的睾丸，我疼得忍不住叫喊起来。让我大丢其脸之后，他回转身，挽着“女朋友”的胳膊走进棚屋。我让那匹吓坏了的马慢慢平静下来，发誓这是我和臭名昭著的哈里·鲍威尔最后一次冒险。

门开了，出来的不是哈里，而是个陌生人。这个人一看就是个农民。溜肩膀，粗壮的胳膊，他手里端着一杯酒让我喝。那味儿我一点儿也不喜欢。

“是不是太烈了，小伙子？”他是那种所谓的“漂亮男人”：脸刮得很干净，胡子修剪得整整齐齐。“想加点柠檬苏打水吗？”

他直盯盯地望着我，唇边挂着一丝微笑。我呷了一口，让他明白，如果我愿意，照样能喝。

“你妈特别喜欢喝这种酒，我想你肯定知道。”

“也许吧！”

“特别喜欢。”他说。

整个少年时代，我碰到的男人都愿意讲点和母亲有关的事情。那人背靠门廊柱子，咧嘴笑着。“你知道比尔·福罗斯特吗？”

我只得承认知道。

“那家伙特别喜欢朗姆酒和丁香花骨朵。”他说出的话那么下流，我听了非常难为情，把脸贴在母马冰冷的、水淋淋的脖子上，轻轻抚摸着，可是那家伙还不罢休。

“听说，你离开家已经好长时间了。”他说。

我心里想，我离开多长时间管你屁事，所以什么话也没说。

“也许你不知道你母亲现在的情况。”

我不想跟他套近乎，还是一言不发。

“你母亲忙着烤饼呢！”他说。

“那好呀！”

“对比尔·福罗斯特当然好，”他说，“因为那家伙成天把小圆面包往你妈的炉灶里放。”

我朝他肚子猛击一拳。这一拳打得很重，我自己都觉得手仿佛触到他的内脏，还闻到他嘴里喷出一股酸臭味儿。那家伙块头很大，足有十二或者十三英石①重。他踉踉跄跄连连后退，像一条墨累河的鳕鱼，大张着嘴巴。我恨他，朝他脸上吐了一口唾沫，把他推下门廊。雨还在淅淅沥沥地下着。他磕磕绊绊地倒在泥水之中，旁边是一堆木头，我像骑一口大肥猪似的骑在他身上使劲儿揍。他大声叫喊“救命！”我一边揍，一边大声警告他，如果再敢骂我的母亲，我就杀了他。

我从眼角看到门开了。哈里走到门廊，伸长粗壮的脖子在黑暗里张望着。我知道，那一刻，他恨不得废了我。挽马认出折磨它的人，吓得大声嘶叫，拼命扯着拴在门廊柱子上的缰绳。哈里·鲍威尔弯腰拣起一根劈柴，向我走来，但我一点儿也不怕。

马把廊柱从地板上连“根”拔起，然后带着柱子冲到漫天风雨之中。哈里·鲍威尔扑过来，用手里的劈柴朝我的腰背猛打。我顾不上还手，咬着牙，把那个“漂亮男人”的胳膊拧到身后，把他的脸按在泥水之中。

那匹马带着一根柱子自然逃不了多远，但是它狂暴地跳着，踢着，眼睛充满惊恐，蹄子能把人踢死，谁也不敢靠近。正是由于它，才使得哈里不再对我说三道四。我向这匹浑身颤抖的可怜的马儿走过去，不停地喃喃

①英石：英国重量单位，通常用来表示体重，一英石等于十四磅。

着和它说话。它乖乖地让我解开缰绳带着的那根柱子，把它牵回到院子里。这当儿，他们一直眼巴巴地看着我。

雨越下越大，但是哗哗啦啦的雨声并不影响我听见哈里·鲍威尔向房东道歉。棚屋泻出明亮的灯光，“漂亮男人”浑身泥水，盘腿坐着，好像是他把自己弄成这副狼狈相。我从院子里回来之后，他立刻躲了起来。打那以后，他再也不敢说我母亲半个“坏”字。我转过脸，看见哈里大拇指插在腰带上，旁边就是手枪。

“过来。”他说。

我想，他要杀我。但我没有退缩，挺着胸走了过去。一分钟前，我还是个英勇无畏的斗士，一分钟后却像一头可怜的野兽，在漆黑的雨夜匆匆忙忙走向屠场。该如何解释这一切，如果你愿意，就自己探寻去吧。我走到一条陡峭的溪谷边，棚屋里泻出的灯光消失在身后。哈里一只手放在我的肩膀上。我停下脚步，没过脚脖子的水在四周缓缓流淌，我的心也被冰冷的水浸泡着。

“把靴子给我。”

我脱下靴子交给他，一双赤脚踩在又黏又滑的泥浆之中，过了好长时间才意识到他已经走了。我被他“解放”了。

母亲坐在十一里湾那座棚屋里。她已经用炉灰封好火，第二天早晨一捅，炉火就会燃烧起来。可是她心里有事，还没有上床睡觉。她坐在一张三条腿长凳上，两条腿伸在面前，一双大手放在围裙上。

母亲是个漂亮女人，头发像乌鸦羽毛一样又黑又亮。炉膛里微弱的光在她的乌发上跳荡。她本来应该去睡觉，可是梳起头来。梳了整整两百下之后，她开始编辫子。编好之后，她把头发盘成一个紧紧的发髻，显然没有上床睡觉的意思。她还在已经封好的炉子旁边坐着，孩子们的呼吸声此起彼伏。老鼠在糊着《贝纳拉旗报》的墙壁后面乱窜，发出窸窸窣窣的响声。

雨渐渐小了。万籁俱寂，只有从桌子上方的屋顶漏下的雨水发出滴滴答答的响声。母亲向一侧偏着美丽的头颅，好像在仔细聆听什么。后来她说，那天夜里，她是担心河水暴涨，而不是像迷信故事说的那样鬼使神差地走出家门。不管怎么说，她拔开门闩，提着马灯，穿着睡袍，走过一株株剥了一圈树皮、已经枯死的桉树，在雨夜中慢慢走着。这些死树像树中的幽灵，流动着的树液早已干涸，树干像枯骨。捕猎袋鼠的狗没有吠叫，只是戴着链子绕着拴它的木桩焦急地转圈儿。

就在母亲举着马灯走出家门的时候，我正穿着偷来的靴子，一瘸一拐地走在许多英里之外的大路上。黑暗中，看不清道路，只觉得木炭留下的污迹在眼前晃动。

母亲一只手提着裙子，查看波涛汹涌的洪水，靴子上沾满泥巴和马粪，不过很快就被河水冲刷得干干净净。洪水涨得很快，用不了多久就会漫过小路，淹没燕麦地。

我一定是刚过半夜就离开了大路。现在走在茫茫无际的草原，一双手伸在前面，不知道身处何方。母亲回到棚屋之后，还没有心思上床睡觉。她仿佛听见宝森先生的羊咩咩地叫，就又一次打开房门，提着灯走了出去。没有山羊，也没有山羊的叫声。

她正要回家，看见一个身影。起初，她以为是住在这一带的土著人，定睛细看，才看出是个穿红裙子的白人老太太。

“你迷路了吗？”母亲大声问道。老太太没有回答。她比猪圈的围墙高不了多少，也就是说，还不到三英尺高。

“你找谁？”母亲大声说，吓得毛发倒竖，浑身起了一层鸡皮疙瘩。

还是没有回答。

“你是谁？”其实母亲已经知道，她是班西[①]。她连忙退到门口，保护孩子们的安全。

---

①班西：爱尔兰及苏格兰高地民间传说中的女鬼，其显形或哀嚎预示家庭中将有人死亡。

“你找谁？”

班西没有回答。母亲很小的时候就听家里人说过，绝不能和“报丧女鬼”发生冲突。她知道，有个人因为打扰了班西，手被烧伤；还有一个人整整一夜被“钉”在茅屋墙上，动弹不得。总而言之，她知道，不管是谁，惹恼班西就得倒霉。可是现在，她是在远离班西出没的那个国家的另外一个国度，她要看个究竟。于是，母亲举起手里的马灯。班西转过身，颤抖着，似乎要大发雷霆。她是个十分丑陋的干瘪老太太，可是现在突然披散下满头长长的金发。她开始梳理，就像梳理她那烦乱的心绪。母亲知道许多关于梳子的故事：骨头梳子，铁梳子，金梳子。现在她又亲眼看见，那可怕的物件儿在班西的金发间滑动。她心里清楚，其实现在最应该做的事情是赶快上床，闭上眼睛睡觉。可是母亲是奎恩家族的女儿，那不是她的性格。

“告诉我，你来找谁？”母亲厉声喝道。

我跋涉在离家乡很远的草原上，对正在发生的事情一无所知，但是我能准确地说出这件事情发生的时间。

母亲说，“你是找内德？你要找我的小内德？”

班西不说话，母亲拿起詹姆放在门旁的斧子，像苏格兰人那样，两手抓着转了几圈儿，嗖的一声，穿过浓重的夜色向她扔去。

这时候，我正在被人们叫作“弯弯岔路口”的北边，清清楚楚听见班西的叫声。那叫声不像人们常说的“泼妇骂街”，而是让人毛骨悚然的尖叫。一个剽悍的男人听了都会吓得热血变成冰凉。那声音在苍穹之下回荡着，久久不肯散去。我两只手捂着耳朵，趴到黑暗笼罩的大地上，觉得泥土在身下颤抖。那可怕的叫喊声消失之后，我还趴着一动不动，任凭冰冷的土地一点一点吸走我血液中的热气，直到天边露出鱼肚色的白光，我才慢慢爬起来。我浑身僵硬，面色苍白，仿佛自己也变成了泥土。我一直走到溪谷尽头。汤姆·巴克莱住在那儿，他把沥青油毡搭在一棵巨大的桉树的树洞之上，建成一座非常漂亮的小房子。我推开房门，这间昏暗的矿工的小屋里立着一排排架子，东西放得井然有序。可是，我立刻发现主人躺在地板中间，一条腿压着另外一条腿。不知道为什么，他穿着外国军队的制服，那身制服已经非常破旧。汤姆·巴克莱死了。他是个单身汉，没有妻子，没有儿女。没有人悼念他。我不知道该怎么办，只好借用他的马，向家里飞快地驰去。

当我们勇敢的父母像从嘴巴里拔出一颗牙齿一样，被政府从爱尔兰和爱尔兰的历史中剔除出来的时候，所有宝贵的东西都被丢在科克[①]，或者高尔维[②]，或者都柏林[③]。可班西却悄悄溜上运送流放犯的大船——“罗拉号”“泰莱彻里号”“罗德尼号”“菲比·邓巴号”。没有一双英国人的眼睛能看见她，就像没有一双英国人的眼睛能看见激荡在这个民族心头的火一样的热情，而这热情终将爆发，燃起冲天大火。班西坐在船头，从科克到植物湾[④]，一直梳理着满头长发。她和我们的双亲一样，坐在三个十字交叉的外国旗帜之下，驶向漫漫远方。

在维多利亚殖民地，我的父母见证了圣布丽吉德日渐衰败的历史。尽管母亲按照奎恩家老奶奶的教诲，用草编了十字架，祈求圣布丽吉德保佑，羊多下羊羔，母牛多产奶，可是显而易见，圣布丽吉德已经失去往日的威力。这位可敬可爱的圣人在维多利亚已风光不再，无力帮助人们增产增收。渐渐地，没有人再对她顶礼膜拜了。

可是班西在新的气候条件下，像黑莓一样旺盛成长。当水洼结冰的时候，当从贝纳拉到瓦加拉塔广阔的平原干旱得像炉火供烤过的糕饼一样的时候，

---

①科克：爱尔兰共和国南部港市，科克郡首府。

②高尔维：爱尔兰渔港名。

③都柏林：爱尔兰共和国首都。

④植物湾：澳大利亚新南威尔士地名。

她一直和我们形影相随。甚至丛林在燃烧的桉树升起的烟雾中微微颤抖，愤怒的苍蝇毫不留情地嗡嗡乱叫、漫天飞舞的时候，她也不肯回家。经常有消息传来，说人们在埃维内尔，在贝纳拉，在尤罗河，在墨尔本路新修的桥下，看见过她那把梳子。

听见班西这样嚎叫，我立刻明白发生了什么事情。我骑着汤姆·巴克莱那匹马奔驰着，一路上祈祷，希望家里不要有人遭到不测。我从金合欢树上折下一根树枝，挥舞着，催马前进。金黄色的花朵落下来，黏在马儿血迹斑斑的腹肋上。

终于看见日思夜念的家时，我不由得大吃一惊。那幢房子显得非常小，树皮搭的屋顶歪歪斜斜地耷拉在棚屋四周。灰白色的树干有的兀立着，有的已经倒伏。这是一个潮湿的冬天的早晨。天低云暗，河水暴涨，寒风从连绵逶迤的山岭呼啸而来，满目萧瑟，遍地荒凉。在我的记忆之中，我还从来没有看见过如此凄惨的景象。篱笆上连一只乌鸦、一只喜鹊、一只屠夫鸟也没有。寂静之中我断定，班西曾经来这儿肆虐。我催马向前，走过洪水淹没的小路，为母亲的生命而担忧。

河湾里的水太深，我骑的这匹小马过不去。我只好脱下靴子，踩着横在水面之上的树干过河。直到那时，这根树干还是我们唯一的“桥梁”。

狗汪汪汪地叫了起来。小格雷斯叫喊着从猪圈那面跑了过来。她已经四岁。我怔怔地站着，半晌才意识到，她在快乐地嬉戏。健壮的玛吉也跑了出来，大声叫喊着：“格雷斯，格雷斯，小心我剥了你的皮！”

詹姆从胡椒树后面走了出来。自从我们分手，他又长了两英寸，而且越来越壮。他打着赤脚，脚上沾满泥巴。看见我，他的黑眼睛蓦地一亮。我放下心来，家里没有死人。

母亲跟在詹姆后面，左手放在肚子上，一望而知，她的子宫里又有一颗心脏在跳动。这是比尔·福罗斯特带来的唯一变化，除此而外，只有破败和凄凉。没有桥，没有清理出来的土地。牧场上到处都是酸模和蒲公英。看着遍地黄花，我的心都碎了。

母亲问：“哈里在哪儿？”

脚边儿到处都是散乱的原木。这些木头是母亲和儿子用横切锯一根一根锯下来的。

“哈里怎么样？”她问，“他好吗？”她一点儿都没有表现出对我的关切之情。实际上，她还在想班西的事儿，想她到底为谁来报丧。

“老汤姆·巴克莱死了，现在还躺在他那幢茅屋里。”她画了个十字，然后把一双手放在我的肩膀上。感觉到我这一身结实的骨架，她脸上露出微笑。“你更壮了，对吗？”

“你都看见了。”

“你有什么打算，儿子？”

“回家干活儿，把这个家收拾得像个家。”

母亲默默地取下头上的金属发卡，又重新别好。

“我不会和比尔·福罗斯特争吵，”我说，“你放心，我也不会对他怒目而视，什么都不会。”

格雷斯抱着我的两条腿，揪扯扎裤脚的带子。

“我可以是他的左膀右臂，”我说，“我只想在我们的农庄干活儿。”

母亲望着灰蒙蒙的天际，显然目无所视。

“老哈里的情况怎样？”

“他怎样，不关你的事，”我说。

“哈里是不是被警察抓住了？”

“没有。我一直以为你看见我回家，会非常高兴的。”

“是不是警察在抓你？”

“没有，”我说，“我回家是因为这座该死的牧场长满了蒲公英和酸模。我不在家的时候，没有一个人懂得清除杂草，收拾收拾这块地。”

母亲摇了摇头，叹了一口气。“哦，天哪，救救我。”

我说：“我还没遇上麻烦。”

“天哪，你对我的难处一无所知，儿子。”

“谁都能看出，你没有按《达菲土地法》的要求，做任何工作。”

母亲向四周看了一眼。谁也无法否认，这里破败不堪。没有新打的篱笆，没有一英亩土地收拾得像个样子。

“他们会收回租约的！”我说。

听到这儿，母亲突然转过脸打了我一个耳光。

“我的钱呢？”她叫喊着，“我的钱哪儿去了？”

格雷斯松开我的腿，不声不响地跑了。

“我回家是为了帮助你。”

“我知道你们抢了巴克兰邮车，还抢了里德·墨菲牧羊站。报上的消息你姐姐都给我念过。”

“拦路抢劫不像你想的那样可以发财。”

“你什么也没给我带回来？”

“没有。”

“啊，你让我怎么办？”母亲叫喊着。

“我回家帮你干活儿。”

“你不能回家。我花了十五英镑，才让他收下你。你现在是他的徒弟。”

母亲和儿子就这样在自家的小牧场对峙着。鸡鸭垂头丧气，身上满泥水。猪瘦得皮包骨。十一里湾的洪水已经退去，被洪水淹过的燕麦无精打采地躺在棕黄色的泥水里。儿子觉得自己真是个傻瓜，居然像一堆腐肉，被人家卖来卖去。

第二天早晨吃早饭的时候，母亲还一肚子委屈地叨叨这件事情。她说，生活已经让她精疲力竭。现在我一个子儿也没拿回家，她不知道该怎么办。

比尔·福罗斯特不但占了母亲的床，还占了爸爸那张椅子。他是那么自鸣得意，面色红润，脸刮得干干净净，因抹了香脂而闪闪发光。我问他打算如何帮助我们家渡过难关。

“把地还给黑人，”他说，然后扑哧一声笑了起来。“不，不，黑人不需要这些土地。给爱尔兰人得了。哦，我只是开个玩笑，内德。你这个问题提得好，我正好可以告诉你它的答案。”他边说边从口袋里面掏出一个皱皱巴巴的信封。我以为他又拿来一张刊登牲口最新价格的报纸，可是信封里面装的是一块黄褐色的布。“这可是你母亲的‘大救星’，内德。这是我向你母亲求婚时答应她的。”

求婚？我可从来没听说过有这么一档子事儿。我看了母亲一眼，她把孩子放在地上，注意力被那块布吸引了过去。

“这是什么，比尔？”她问。

“这玩意儿的价格在新南威尔士州比在维多利亚州高出四倍。”福罗斯特朝桌子四周环顾着，好像他是一位应当受到我们大家赞美的魔术师。

“别拿我寻开心，比尔。”

他把那块布放到母亲手里。“这是样品，我需要做的只是拿着这种布到墨累河对岸。到了那边，我就赚了四倍。想想看，这不比站在那儿搅奶油合算，凯利太太？”

母亲瞥了我一眼，目光中流露出胜利的喜悦。她这个人胆子很大，一定早就想干走私的勾当。现在总算找到一个和她旗鼓相当的知音。

我既没有怒目而视，也没有说什么不中听的话。可是看见母亲把卖奶油赚来的血汗钱交给比尔·福罗斯特之后，我便让詹姆跟我一起出来。离开前面的门廊时，我拿起两把斧子。到了牛栏后面，我对弟弟说，我们必须干那个游手好闲的家伙不愿意干的活儿。不这样做，这块土地非丢掉不可。

詹姆才九岁。他眉头紧皱，一双又黑又亮的眼睛直瞪瞪地看着我，非常认真地听着。明白我的计划之后，他说，他死也不到姨妈那儿作牛作马，一定要保住我们这块地。说着，他用手里的那把斧子割破自己的手。我也割破了自己的手。我们俩的血流在一起，对天起誓。他说：“我至死忠于我的哥哥！”

这天是星期日，比尔·福罗斯特无事可做，但还是早早地离开家，不知道上哪儿去了。

“最好现在就开始。”我说。

我们在一棵巨大的桉树下起誓。那棵树足有八英尺，它古老得犹如悠长的历史，树皮又黑又粗糙，好像外国国王的铠甲。

“现在就开始。”詹姆说。他朝掌心吐了口唾沫，举起斧子朝大树砍去。利斧劈开饱经风霜的树皮，淡红色的木头像人的肌肤一样闪着微光，一块块地落到地上。詹姆的斧子五磅重。我不时地停下来让他休息一下，免得他不好意思歇息。

到午饭前我能砍倒两棵树。可是这一棵简直是树中之王，我们哥俩干了整整一天，它还昂然挺立在苍穹之下。苍蝇直往我们大张的嘴巴里飞，手黑糊糊的，粘满树液。我们连茶也没喝，一口气干下去，直到最后一缕阳光在天际消失，才听到一阵吱吱嘎嘎的响声。

如果你伐过树，就知道，这种响声就像关门时铰链发出的声音。

一棵树砍伐的过程很慢，但是倒下的速度却很快，快得就像断头台上利刃猝然落下。我大声叫喊着，让詹姆快跑。詹姆停了一下，回转头看着我，一双眼睛清澈明亮，眉头紧皱，似乎正面对一个难解之谜。我的耳边响起一个非常小的、好像一张纸被撕破的声音，我伸出双臂，把詹姆的头紧紧抱在胸前。“树王”倒了下来，就像一个“王国”在坍塌。“王冠”落地，咔嚓嚓，砸在旁边一棵灰皮桉上。我仿佛听见一千根骨头同时被折断的声音。树干向空中弹起，又跌落下来。那是一种排山倒海的力量，整个大地为之震撼，仿佛一枚炮弹擦着我的耳朵呼啸而过。

整整一天，砍木头的声音不绝于耳，可是在听见我大声叫喊之前，母亲一直以为是邻居布雷克·威廉姆森在砍树。现在，她觉得整个大地在颤动。她穿过渐浓的暮色向我跑来，身后跟着玛吉、丹和格雷斯。他们都是她身上掉下来的肉，一刻也不愿分离。他们叫喊着，在浓枝密叶组成的“华盖”中艰难地穿行。“树王”虽然已经倒地，但依旧是个庞然大物。母亲揪扯着树枝开路，几乎在我们头顶之上跋涉。她从来不哭，可是现在跪倒在暮色笼罩的大地上，把我和弟弟搂在怀里，不停地抽泣，连我们的身体都被她的哭声震动。我知道她已有身孕，连忙从她怀里挣脱，扶她起来。

母亲擤了擤鼻涕。她说，我们都是非常勇敢的好孩子，从今往后，她一定帮我们干活儿。

我对她说，我已经长大成人。我们都知道，她正怀着孩子，一定好好照顾她，让她的农庄硕果累累。我们就是她的依靠。

我没有想到自己会说出这样一番话来。弟弟妹妹们也没有。可是听了我的话，他们都站到我身边，发誓照顾好母亲。丹才七岁，倘若拿起斧头干活儿，难免伤着自己。但他也庄严地宣誓。母亲向他表示感谢。谁也不提比尔·福罗斯特，不提母亲再婚的事儿。

晚上，那个男人回来之后，发现我坐在爸爸的椅子上。他什么也没说，便匆匆忙忙到屋里找母亲去了。

母亲说:“哦，就让他在那儿坐着吧。”他们俩又嘀嘀咕咕说了一会儿话，比尔·福罗斯特才端着盘子，在我们中间坐下来，红扑扑的脸上挂着一丝假笑。“这么说，”他一边把肉汤和土豆往嘴里送，一边说，“你们这几个男孩子打算清理出十英亩土地，是吗？”

“是的，这是我们神圣的誓言。”詹姆说。

“这可是莫大的耻辱。”福罗斯特说。

“住嘴，比尔，”母亲说，“他们都是好孩子，帮了我很大的忙。”

比尔·福罗斯特歪着头，撇着嘴，一副盛气凌人、不屑一顾的样子。他瞥了詹姆一眼，说:“我想你肯定愿意住在墨尔本一幢大房子里，去看‘墨尔本杯’赛马会。”

“你说的都是没影儿的事。”詹姆说。

“没影儿的事，是吗？”

“我们该怎么办？”玛吉说。她正在玩用羊腿骨和一块方形棉布做的娃娃。“你们三个去看赛马，把我们都留在家里？”

“不，”母亲说，“大家都去。”

“可是，”比尔说，“如果我没说错的话，作为十一里湾的农民，他们要继续完成自己的计划。”

“当然，你说的没错。”詹姆说。

“要是这样的话，以后可就麻烦了。你会像你那几个姨夫一样，干些偷鸡摸狗的事，被关进监狱。一辈子在那里面待着，只有风从南方吹过来的时候，才能站在牢房窗口，听听弗莱明顿赛马场跑道上传来的马蹄声。”

詹姆低着头，什么也没说。我知道，他努力忍着，不让自己流泪。于是，我很礼貌地请求比尔·福罗斯特不要吓唬他。

他说：“詹姆理解我，他知道我是开玩笑。”

我看了一眼詹姆。他的眼睛溢满泪水，可是他使劲摇了摇头。他不想让我和比尔打架，怕我再被他们送走。

“不管怎么说，”比尔·福罗斯特说，“这是我的家。我想和你们这些孩子怎么说话就怎么说。”

“这不是你的家。”我说。

“好了，住嘴。”母亲说。

福罗斯特转过脸，看着我，说：“这儿可不是你的家。你最好在我赶你出去之前，自个儿滚蛋。”

我把一双手放在桌子上，恶狠狠地瞪着他那双懦弱的小眼睛。“这么说，你要把我赶出家门了，比尔？”我把勺子扔到盘子里，要站起身来。

比尔什么也没说。他肯定第一次领教了我的性格。“哦，天哪，”他说，“你就不能老老实实地坐在那儿喝茶吗？”后来，谁也没再提起这事儿，可是我和他彼此都心照不宣。

比尔·福罗斯特把卖奶油的钱统统拿走之后，我们的日子越来越艰难。据说，他用那笔钱买了六十四布去贩卖，可是没见他拿回一个子儿。到九月，奶牛不再产奶，那就意味着，我们只有拿面包、凉水当早餐了。这个多事之秋，发生了许多烦人的事情。这些事情和比尔·福罗斯特或者他在这个家应该处于怎样一种地位，没有太大的关系。

安妮的丈夫亚历克斯·冈被指控偷了别人的羊。事实证明，亚历克斯像一匹犁地的马，既踏实，又善良，对女人、孩子非常关心。人们都知道，为了给一个生病的小宝宝治病，他顶风冒雨，纵马驰骋了两个小时到贝纳拉取药。取好药之后，又是两个小时的驰骋，路上遇到冰雹，打得他浑身青一块紫一块，就像穿了一条花裙子。在贝纳拉的法庭上，我把手放在《圣经》上发誓，羊是他从我这儿买的。可是毫无用处，他们还是把他投入了监狱。

吉米·奎恩因为偷了一个中国人的东西也被关进监狱。紧接着，韦兰警长骑着马来到我家，告诉母亲，说有人揭发她违法出售烈酒，如果不立即停止，他将提起公诉。时隔不久，老奎恩也死了。

有一天早晨，我刚出家门就看见一个下巴瘦长的男孩儿坐在一堆木头上磨斧子。我问他干什么？他说，他名叫贝利·格雷，我母亲雇他来帮我清理树桩。我由此得知，母亲终于认识到比尔贩卖布匹无利可图。我告诉贝利·格雷，用不着他帮忙，他便走了。

比尔·福罗斯特不在家的时间越来越多。母亲身怀六甲，很难像以前那样干重活儿了。但是我们用斧子砍，鹤嘴锄刨，马拉，火烧，一直咬着牙干到春天。母亲甚至从老杰克·代尔那儿借来两头小公牛。在这两头牛很不情愿的帮助之下，我们花了一上午的时间，掘出那些已经松动的树桩。后来，比尔·斯凯林来了。他是加福尼湾的一个矿工，二十九岁，像牛一样健壮。他也是母亲雇来的帮工。我还是不愿意花钱雇人，要辞掉他。不过，和贝利·格雷不同的是，他不肯离开。

河湾里，玛德伊斯——桉树上生的一种飞蛾，一到夜里就绕着灯火飞来飞去。大自然所有的活物都告诉我们，播种的季节到了。我们每天都早出晚归，拼命干活儿。夜里，睡梦中看到的都是树和树桩。我下定决心要拥有一座农场，但是现在看起来完全是痴人说梦。古木参天，满眼碧绿，这儿的地理条件根本不适合建一座农场。一条小河流过干涸的溪谷，没有一堆堆闷燃着的树叶，没有死树和被剥了一圈树皮的树木。我一天到晚在丛林里干活儿。那天，中国人阿福游逛到我们家前面那条小路时，我正好在场，纯属偶然。

亚历克斯要坐三个月监狱，姐姐安妮·冈只好回家和我们住在一起。她一天到晚闷闷不乐，但是这天做了几样菜，请我们一起去野餐。于是，全家人都聚到小河边，背后是通往我们那块地的小路。

母亲坐在河边草丛中一只倒过来放着的桶上。她肚子很大，身体笨重，一双眼睛深陷在眼窝里，目光中充满疑虑。她不时回过头，眯细眼睛看一眼烟雾缭绕的农场。她知道，靠比尔那儿匹布，绝对救不了她。已经是十月，这个月份经常大雨滂沱。但是她感觉到了春天的气息。水洼日渐干枯，树桩四周的泥土被太阳烤得非常坚硬。

母亲最先看见那个中国人在炎炎赤烈日下慢慢地走着。离我们还有五十码远，她就猜出那个人来这儿干什么。后来阿福在法庭上声称他是收购家禽的小贩，实际上根本不是这么回事儿。那时候没有只干一种买卖的小贩。事实上他们什么买卖都做，从女人用的腰带到烟鬼抽的鸦片，再到小孩儿用的铅笔，无所不卖。他还说，他找到我们家，是想要口水喝。这是他做的第一个伪证。事实是，他想要威士忌，母亲没有卖给他。

"我想喝酒。"

"没酒。我现在已经不卖酒了。"

阿福不高兴地嘟囔着，那声音像从嗓子眼儿里挤出来似的。他上下打量着我们，目光落到我身上时。他向前跨了一步，伸出手来。我吓得连头发根儿都竖了起来——他手心上放着六个玻璃球：玛瑙、猫眼儿、血丝儿、螺丝转儿、柠檬转儿、玻璃眼儿。我不知道这个阿福是不是被我们抢过的那个中国人。

"我们没时间做游戏。"我说。

"男孩时间很多。"他结结巴巴地说着半通不通的英语，把手里的玻璃球伸到我面前。我一把推开他的手，玻璃球像豆子一样撒在地上。

"捡起来，"他说。

"你听这个中国人的命令吗？"安妮问。

"不，"我说，坐回到先前的位子上，接过安妮递给我的盘子。盘子里放着几个煮熟的鸡蛋。

“天朝人”看看地上的玻璃球，再抬起头看看我，然后又看了看母亲。“他……很坏的儿子。”他说。

“啊，胡扯！”母亲说，“他是非常好的儿子。”

“他是非常坏的儿子。”中国人边说边揪住我的耳朵，让我把地上的玻璃球捡起来。

这时，我已经相信，他本来想把这几个玻璃球当礼物送给我。可是，现在他想用武力强迫凯利家的孩子做什么事，便大错特错了。我照他的喉咙打了一拳。将打斗继续下去，是这个世界的生存之道。就连桉树枝头的小鸟也逃不脱这个规律。丹朝中国人腿上踢了一脚。詹姆捡起他的竹子扁担，朝他脑袋上狠狠打了过去。那家伙挣扎着站起来。我又踢了他一脚。玻璃球像破豆荚里的豆子，从他身上掉了出来。

他好不容易站起身来，被凯利弟兄包围着，不敢再动。“好了，”母亲大声叫喊着，“好了，住手吧，把他那些玩意儿还给他！”

可是我们不肯住手。母亲捡起那些玻璃球交给它们的主人。

阿福双手交叉，抱在胸前。“我要报告……”他说，“报告警察，你们这些魔鬼！”

“算了，算了，”母亲说，“我家内德没有恶意。”

“你们这些发了疯的爱尔兰魔鬼，你们想杀我。”

“不，不，”母亲说，“他们还是孩子。”

阿福突然从詹姆手里夺过扁担，向后跳了两步。他举起扁担，就像举着一把宝剑。

“孩子们，不要动，”母亲说，“就在这儿等着。”

母亲非常镇定，转身离开那个怒气冲冲的中国人，向我们那座棚屋走去。中国人还举着扁担，似乎非要把我们打得粉身碎骨不可。可是我们并不害怕。我拿着斧子，詹姆拿着鹤嘴锄。我们用这些武器武装着向他包围过去的时候，他一定觉得末日已经来临。

不一会儿母亲就从棚屋里走了出来，手里拿着一瓶掺水烈酒。“放下扁担，酒就是你的。”

中国人把鼻子凑到瓶口闻了闻。“他放下斧子，我就喝。”我哈哈大笑，放下斧子。中国人接过母亲手里的瓶子。他把酒喝光之后，母亲给了他一张十先令的纸币。

你一定觉得这件事处理得还算公平，可是事过之后，这个背信弃义的“天朝人”跑到贝纳拉，向警察局控告我抢了他一英镑。第二天，韦兰警长就带着两个警察找上家门。他翻身下马的时候，我以为他一定像平常一样，来查看有没有偷来的马匹。

“你是内德·凯利吗？”

“是的，我是。”

“你犯抢劫罪被捕了。”

来到贝纳拉监狱之后，韦兰警长打发走两个警察，领我穿过一条昏暗、狭窄的走廊。走廊里有三道漆黑的门，每一道门上都插着黑色的门闩。最后一道门悄无声息地打开了，命运之神把我带进这个散发着尿臊味和男人体臭的阴暗、悲惨的洞窟。迈过门槛之后，我发现泥土地面高低不平，墙上很高的地方开着一扇小窗。

“这是你的新选购的土地。”韦兰警长说。我知道，我终于来到这个从出生之日起便注定要来的地方。眼睛渐渐适应牢房的昏暗之后，我打量着窗户下面放的那张铁床，心里想，这里面的情形不像我想象得那么可怕。

“举起手，小伙子。”听声音他还算友好。

我转过身面对着他。他在一大串钥匙里摸索着，寻找开我手铐的那把。

“你知道为什么被捕吗？”他用找出来的那把钥匙捅了半天也没有打开手铐。看来是找错了。“你听清楚被捕的原因了吗？”

“听清楚了。”

他把注意力集中到手铐上。“哦，是这把。”他说。手铐终于打开了。

他问我是否知道会被处以什么样的刑罚。

“不知道。”

“送你上绞架，吊死你，小东西。”

以前经常听到这样恶毒的诅咒，可是此时此刻在牢房里，我才明白它真实的含义。大路对面的院子里，传来孩子们踢足球快乐的叫喊声。附近的铁匠铺传来有节奏的丁当丁当的打铁声。我一定两腿发软，不知不觉地坐到了床上。好大一会儿我才感觉到铁架子床冰凉、坚硬的三角铁正硌着我的腿。

然后，我听见那个杂种哈哈大笑。昏暗中，我看不清他那张脸，只看见洁白的牙齿和一双亮闪闪的眼睛。他这样大笑的时候，我体会到他的虚弱，感觉到一丝慰藉。

“我知道，你是哈里·鲍威尔手下的小喽啰。”他说，“如果你帮我们抓住他，今天晚上就放你回家。”

我没有吱声。

“站起来！”

我只得老老实实地站起身来。他朝我肚子上猛击一拳。这一拳打得我倒在地上，气都喘不过来了，但是疼痛和窒息之余，我看到一丝希望——如果他打算绞死我的话，就不会这样打我。

“站起来，”他又喊了起来，“回答我的问题！”

“你还什么问题都没问呢。”

他又打了我一拳。我可以忍受更大的痛苦和折磨，绝不屈服。因为我是在这种道德观念的熏陶下长大：爱尔兰人宁死不屈，绝不为了回家而当叛徒。

他说：“我要找人给那个中国人当翻译。在我找到合适人选之前，你要在这儿先待上一两个月。”

“我以为你要吊死我。”

听了这话，他当然又打了我一拳。不过，他全然没有想到，他每打一拳都给了我一分安慰，都提醒我，我不会就此而死。

他锁好门扬长而去。我浑身上下疼痛难忍，挣扎着爬到那张铁床上。借着窗口射进来的一缕亮光，我看见青紫的伤痕正在灰黄色的爱尔兰人的皮肤上慢慢地扩散开来，宛如春天天空中不停变化的云彩。我不由得想起父亲，想起他默默地忍受了多少惨绝人寰的酷刑。

然而，在牢房里，我经受的最大折磨不是挨揍，也不是处我以绞刑的威胁，而是对家人的思念。我无法想象，没有我的帮助，他们的日子怎么过。我知道，我在牢房里吃得比他们还好。我可以吃上新鲜的发面饼、果酱。午饭是大麦面饼、羊肉汤，晚饭是可口的炖菜，而且伙食一天比一天好。

终于，在第十一天早晨，一个面色苍白、穿高领制服的人走进我的牢房。他个子很高，有点驼背，说话的声音又尖又细。

"爱德华·凯利，"他问，在一片昏暗中凝视着我，"看在上帝的份上，你多大年纪了？"

"十五。"

"哦，我是金克，"他说，把手伸到我面前。那只手潮乎乎、软绵绵的。"我今年二十八岁，是你的律师。"

我对他说，我可没钱付酬金。

"啊，你要是有钱，我反倒坐卧不安了。"

"我母亲也没钱。"

"有人告诉我，"他说，"如果到喝茶的时候他们还不放你，韦兰警长就得吃不了兜着走了。"

"是哈里付的钱？"

"嘘，小伙子，我从来不和逃犯打交道，明白吗？"

"明白，先生。"

"你也没和他打过交道。"

"没有，先生。"

"年轻人，一会儿你也这么说。再过半个小时，你的案子就要开庭审理了。"

第四章　十六岁的生活

和第一章用纸相同，印着国家银行字样的信头，四十四张中号股票用纸（大约 8 英寸 ×10 英寸），书写整洁，纸面干净，只有很少几个手指的印迹和污渍。似乎是在家里相对而言比较安宁的环境里写成。

作者坦言，曾经以杀人威胁对手。叙述比尔.福罗斯特抛弃凯利太太之后的情景，以及作者与哈里.鲍威尔再度相逢的经过。骑着骏马在丛林大火中穿行。开枪打伤比尔·福罗斯特。对哈里·鲍威尔栩栩如生的描述。详细阐述为什么抢劫 R.R. 迈克比恩。两个逃犯穿越斯特林山到吉普斯兰的经过。作者对他的“师傅”彻底失望。

我回家的时候，正赶上喝茶。比尔·福罗斯特坐在我的椅子上，面前摆着一大盘子炖羊肉，嘴里还在不停地嚷嚷：给我拿这个，给我递那个。可我正拥抱着姐妹们，谁也顾不上伺候他。她们紧紧地拥抱我，流下喜悦的泪水。母亲微笑着看我，忙着给丹包扎手指。比尔·福罗斯特还在大声嚷嚷：给我拿这个，给我递那个。可是几个女孩子都围着我，他只好自己起身去拿土豆。

我乘他站起身去拿土豆的机会，在本应该属于我的椅子上坐下来。他回来时，别无选择，只得拿起杯子和勺子坐到别的地方。几个女孩子看了特别开心。除了比尔·福罗斯特，别人都快快乐乐地吃饭。他那张嘴巴闲得难受，便开始就我坐牢的事儿说三道四。“你得想一想，内德，”他说，“律师的诉讼费对你母亲来说是一个沉重的负担。”

丹弄翻了杯子，白花花的牛奶顺着桌子流下去，滴在几个小家伙的膝盖上。母亲连忙去厨房拿抹布。

“哦，天哪，”比尔·福罗斯特说，“你坐下来，好吗，艾伦？”

父亲从来不用这种腔调和母亲说话。艾伦·凯利没有责怪比尔·福罗斯特。看见她被这个游手好闲的男人责骂，我心里特别难受。“律师的诉讼费不用任何人操心。”母亲一边说，一边在桶里洗抹布。

“是吗，艾伦？”他说，一副狡诈的嘴脸。“我还从来没有见过你这么大方，一出手就是五畿尼。”

母亲擦干净桌上的牛奶。“是四畿尼，比尔。”

“啊，四畿尼！才四畿尼？”

母亲坐下来，端起锅，发现已经没有茶水，便默默地站起身，把锅底的茶叶倒在门外，再把锅放到炉子上，倒进去刚烧开的水，这当儿，比尔·福罗斯特一食直盯盯地看着她。

“谁付的四畿尼？”比尔·福罗斯特的目光落在我的身上。看着他那副样子，我心里想，真是个狡猾的家伙！我真想揪掉他那根鹰钩鼻子。

“谁说付了四畿尼？”母亲说。茶还没有泡好，母亲就把自己的杯子倒满了。我看出，他把母亲搞得心神不定。

比尔·福罗斯特一双蜥蜴似的小眼睛瞪着那个杯子，说：“希望你不要接受哈里·鲍威尔的礼物。”母亲默默地呷着茶。比尔·福罗斯特斜视着她，就像一只要啄食的鸡。

“快吃饭吧，艾伦。”

母亲一直忙这忙那，还没来得及动勺子，肉汤上结了一层油。她在比尔·福罗斯特的呵斥声中吃了起来。

“我想，你一定以为我是个傻瓜，艾伦。”

福罗斯特话头话尾都流露出一种狠毒。我从椅子上站了起来，母亲连忙把手放到那个家伙毛乎乎的手腕子上，说：“我从来没有把你当作傻瓜，亲爱的。”

我再也听不下去这种谈话，便扔下饭碗，走出家门，想呼吸一口新鲜空气。詹姆和丹也急急忙忙跟我走了出来。詹姆和我教小弟弟如何用棍子击球。丹是个非常倔强的小家伙，玩起来就没完没了，直到夜幕降临，什么也看不见才罢休。

那天夜里醒来，我听见母亲一直在哭，比尔·福罗斯特压低嗓门儿说着什么。我一直告诫自己，凡是和自己无关的事情，不要看，不要听，更不要管。可是，听见比尔·福罗斯特骂母亲是哈里·鲍威尔的婊子时，我再也不能装聋作哑，一骨碌从床上爬了起来。玛吉抓住我的胳膊，不让我出头管这件事。可是，我从帘子后面冲出去的时候，她义无反顾，站在我身边。

“不要用这种脏话骂我的母亲；”她说，“她不是胆小鬼。”

“住嘴！回去睡觉！”

“道歉！”我说，“否则我就打断你的鼻梁骨。”

福罗斯特慢慢地站起身来，跟我们打招呼。这时我才发现他喝得酩酊大醉。我并不觉得遗憾，尽管在这种情况下交流起来更难。“我道歉。”他说，声音含糊不清。他在地上跪下来，抓住母亲的手。

“比尔，比尔，别这样，比尔，求求你。”

“请你原谅，艾伦，”他说，“为我说过的、做过的所有事情……无一例外。”他虽然说的都是醉话，可是言语之间充满了威胁。我无法预料他接下去会做什么事情。“啊，内德，”他边说边向我伸出手。即使和我握手的时候，他目光迟钝的暗淡的眼睛里也充满了敌意。“谢谢你，内德，诚心诚意地谢谢你。”

话音刚落，他便戴上帽子，走进茫茫夜色之中。母亲冲着他的背影可怜巴巴地叫喊着。

“玛吉，玛吉，去把比尔找回来。”

玛吉站在地上一动不动。母亲转过脸望着我，泪水顺着面颊潸潸流下。

“别去。”玛吉说。

“去把他找回来，”母亲叫喊着，“如果你不愿意替我做别的事情，至少把这件事情做好。把他找回来，对他说声对不起。没有他的工资，我们全家人都得饿肚子。”

这时，窗外传来一阵急促的蹄声，很快就在门前那条小路上消失了。

“他是我这个孩子的父亲。”母亲叫喊着，身子一软，倒在地板上。

“好吧，”我说，“我把那个杂种找回来。”

月光如水，我轻而易举就找到了他。他已经不再纵马疾驰，而是朝他打工的那个地方慢慢走着。

我对他说，母亲让我向他道歉，他最好放聪明点儿，让母亲觉得我确实道过歉了。至于我个人，当然无歉可道。我只能说，如果他胆敢抛弃母亲，我就趁他睡觉的时候，开枪打死他。

月光下，我看见他那双爬虫似的眼睛凝视着我。他一句话也没说，乖乖地跟着我，慢慢地向家里走去。

第二天早晨，好像什么事情也没有发生过。天出奇地热，母亲拿来解宿醉的烈酒。福罗斯特却说，他想去打袋鼠。他说，他在附近看见过一只大灰袋鼠。我们有时候也看见一只袋鼠跑到离棚屋不远的河湾喝水。母亲那天很不舒服。她说，大热天儿，打什么袋鼠！可是比尔·福罗斯特执意要去，一双眼睛布满血丝，他径直擦他的猎枪去了。他这样做倒没什么反常。昨天夜里我威胁要杀死他，今天他想表现得好一点，也在情理之中。

詹姆、丹、我和他一起沿法特山山麓走着，枯枝败叶像折断的骨头似的在靴子的践踏下咔嚓咔嚓地响着。一棵古老的桉树洒下一片阴凉。一群袋鼠在阴凉下眼巴巴地看着我们，全然不知在它们的生命历程中，我们将起到什么作用。

回家之后，我帮比尔·福罗斯特用盐腌了许多袋鼠肉。母亲扑闪着一双乌黑的眼睛，显得心事重重，格外忧郁。那天夜里，没有一丝风。比尔·福罗斯特宣布，他的雇主西姆森先生要他赶一群牛到墨尔本干草市场，第二天早晨走，一走七天。这很正常，以前他也经常这样。

每逢星期一早晨送他出远门儿的时候，母亲似乎都很快活。这天，她跑到牧牛场摘了几朵蒲公英，别在他的衬衫上，并开玩笑说，柯林斯大街漂亮女人多得是，他可以大饱眼福了。可是，比尔·福罗斯特踏上通往莱斯巴伊的小路之后，她立刻回家躺到了床上。

我在她身边坐下来。她说，她的生活全毁了。她知道，比尔・福罗斯特再也不会回来了。

我以为，她很快就会恢复正常的。可是日子一天一天过去了，她的精神状态还没有起色。她不吃不喝，一双眼睛在眼窝里越陷越深。我猜不出她脑子里在想什么，更不忍心看她这副痛不欲生的样子。对于我来说，眼看着母亲受苦而无法减轻这痛苦于万一，是最大的折磨，这比在贝纳拉坐牢还糟。

母亲在床上躺了整整七天，手放在肚子上，一言不发。第八天，是比尔・福罗斯特回来的日子。可是终于从小河边传来嘚嘚蹄声的时候，她还是躺在床上一动不动。后来，我跑到门外，看见一个瘦弱的小伙子骑着一匹非常健壮、充满活力的牡马。

他向我疾驰而来，腿瘦的像锄把子。啊，我想，比尔・福罗斯特派人送信儿来了。

“你是内德吗？”他喊道。他的一双赤脚足有十英寸长。我抬起头，想看看这是个何等人物。小伙子一张小脸饱经风霜，一双蓝眼睛没有神采，就像那种年事已高的父亲生下的孩子。

“你是比尔・福罗斯特派来的吗？”我问道。

他没有答话，而是递给我一个牛皮信封。我发现他的手指又长又细，就像小树伸出的枝杈。

信封里装着一封信和一张崭新的一镑的纸币。我以为是比尔・福罗斯特捎来的，看了信才明白，是哈里・鲍威尔派小伙子来找我。信上只有短短一句话：“钱给你妈，跟男孩来。”

天哪！我反感极了，捡起一个破瓶子，扔到院子里。

“离这儿不远。”男孩说。

“如果他在格瑞塔，岂不太远了？”

“比格瑞塔还远。”男孩承认。

“该死的家伙！”

我又打开那封信，看了一遍——“钱给你妈”。我曾经发誓，再也不为哈里·鲍威尔卖命了。

“他找我干什么？”

“我也不知道，”男孩说。“他不是给你写条了吗？”

我又看了一遍——“钱给你妈”。似乎从那一刻起我才意识到，哈里对我母亲很好，他可以不惜一切代价帮助母亲。

“你在这儿等一下，”我对男孩说，“我马上就来。”

棚屋里，母亲还躺在床上，身上盖着一层又一层毯子，捂着一件又一件衣服。我小心翼翼地抽出爸爸留下的那件破旧的棕色油布雨衣，穿在身上。

“妈，我去把比尔给你找回来。”

母亲朝我淡然一笑。她十分虚弱，连笑的力气也没有了。我们家有一支破旧的猎枪，虽然它只能吓唬麻雀，但我还是把它背在身上，用它武装了自己。我还找出一些子弹，四个火帽，一瓶子火药，我把它们统统装进那件雨衣的大口袋里。办完这一切之后，我吻了吻母亲的面颊，把那一镑纸币交给了她。

“这是哈里捎来的，母亲，他打算帮我找到比尔。”

“亲爱的哈里，”母亲喃喃着，“这个老傻瓜……”

我又吻了吻母亲。这时，玛吉走了过来，我把我的计划讲了一遍，便赶快给母亲那匹栗色马备鞍子。这当儿，远道而来的牡马东闻闻，西嗅嗅，喷着响鼻，不耐烦地等待着。男孩对它唠唠叨叨，极力抚慰它。

我跃上马背，立刻奔驰起来。说实话，我是个相当不错的骑手，像任何一个小伙子一样，纵马驰骋的时候无所畏惧。而来接我的这个男孩儿简直是个“神骑手”，他领我走下两道绝壁，那怪石嶙峋的石壁陡峭得让人喘不过气来。想起小时候干的这些事情，真让人后怕。一定是上帝在保佑我们。

我们在滚滚黄尘中穿过格瑞塔、奥克斯莱和塔拉文吉。路上，我用那枝破旧的猎枪打死两只挺大的兔子。男孩儿怪怪的，不怎么说话，但是一个劲儿夸我枪法好。我对他说，我还从来没见过像他这样棒的骑手。两个半小时后，我们来到一座非常漂亮的农庄。农庄坐落在一条小路旁边，院子收拾得整整齐齐的，鸡舍、猪栏、仓房布局合理，篱笆桩都用榫牢牢地连接在一起。这是男孩儿的家，尽管他当时没有告诉我。进屋之后，我看见地板擦得锃亮，还有一个专门用作餐厅的房间。窗户上挂着雪白的窗帘，桌子上放着一个花瓶，花瓶里插满了玫瑰。

第二个房间摆着椅子和沙发。我把兔子交给男孩儿的母亲。她非常高兴，立刻送进厨房，还说晚饭时给我们炖着吃。

我问，鲍威尔先生在哪儿？他们说，他一会儿就回来。可是，等了好长时间，也没见他的影子。男孩儿在桌子四周摆着的椅子上跳来跳去地玩儿。我从来没见过人玩这种古怪的游戏。我看出，他的母亲有点怕他，不敢让他停下。他不时伸出胳膊，用细长的手指碰一下天花板。后来我想，一定是自己看花了眼，因为天花板至少有十三英尺高。

过了好长时间，一个非常漂亮的女孩出现在我的眼前。她大约十四岁，比我小两岁，可是已经发育得体态丰满、曲线优美，活脱脱一个引人注目的大姑娘。看见我直勾勾地看她，她双臂交叉，放在胸前。我自己也有姐妹，知道这样盯着一个女孩儿看很不礼貌，连忙把目光移开了。

过了一会儿，她问我愿不愿意看他们家的牛。她说，她要带我去看一条永远没有干旱的山谷。她留着长长的黑发，一双明亮的眼睛充满活力。我想，那时候我的眼睛也一定神采奕奕，亮光闪闪。我跟着她，走过一条干沙河，爬上一座山坡，攀上一道高高的花岗岩岩架，来到乱石丛生的山顶。脚下是一条非常隐蔽的山谷，山谷里绿树葱茏，芳草青青，让人心旷神怡，我真想一辈子生活在这里。那一群牛个个膘肥体壮，油光水滑。每逢看到这样美丽的风景，我就想，如果殖民地能有平等、公正，我们的生活一定会幸福美满。我问她，她的弟弟多大年龄。她说，那个男孩儿不是她的弟弟。我又问她，鲍威尔先生在哪儿。她说，不要着急，他会来的。她说，她的名字叫凯特琳。

她伸出手，我帮她跳下那块巨石。她的手非常温暖。她领着我爬下陡峭的山崖。她认识路，但是看起来需要我拉着她的手走。我们很快就来到使这条山谷满眼碧绿的源头——从岩石中迸涌而出的山泉。泉水清冽、甘甜，四周的岩缝里长满蕨。我们俩在泉水边并肩坐着，那一刻真是无比幸福。

事实证明，这幢房子的主人非常善良。那位母亲真是一个出色的厨师。她很快就给我们端上蒸布丁、美味的果酱、焦黄的奶油蛋糕。我有生以来第一次受到这样热情的招待。第二道菜刚刚吃了一半儿，门开了，哈里·鲍威尔站在面前。他把胡子都剃了，光溜溜的下巴显得很长，嘴唇紧紧地抿着，难得一笑，看起来非常别扭。他的方形脑袋线条粗糙，刀刻斧凿一般，这样的头颅在监狱里并不少见。

“到后面来一下，”他说，“我有话对你讲，内德·凯利。”

来到后面的回廊，哈里拿出我那双带松紧口的靴子。我最后一次看到这双靴子的时候，上面沾满泥水，脏得不成样子。可是现在，这个老家伙把它整旧如新，真让我大吃一惊。因为我知道，他平生最讨厌干这种鸡毛蒜皮的小事。如果他这样做是表示歉意或者是对我的补偿，他也没有说出口。但他确实把这双靴子刮擦得干干净净，打了油，上了光，皮面柔软得就像贵妇人的钱包。

“给你，”他把靴子扔给我，“我想，你上次逃跑的时候，一定忘了这双靴子。”

他阴沉着那张老脸，不动声色，眉眼之间连一丝表情也没有。

我只得在地板上坐下来，穿上那双靴子。这些日子，我的脚一定又长了，有点挤脚。

“舒服吗？”

“舒服，哈里。”

“你可以穿着再走一走，试一试，把我的马牵过来。”我曾经发誓不再听命于哈里，可现在，在比尔·福罗斯特的问题上，我有求于他，只得忍气吞声，去牧场找他那匹可怜的老母马。找到之后，我又去找他扔在牧场栅栏台阶上的马鞍，按照他的要求，去尽我的责任。

“你的马呢？”我回来之后，他大声问。“天快黑了，我们该走了，小伙子。”

“我还没跟人家告别呢！”

“你告什么别！”他说，“快找你的马去！”

我只得向绿茵茵的牧场走去，找到马，备好马鞍，但是并没有跨上马背，虽然我能感觉到哈里已经为我的磨蹭而发火了。我想，我之所以磨蹭是因为舍不得离开那个姑娘。我慢慢地向那幢房子走去，欣赏着那整整齐齐的篱笆。一头头黑色的、肥壮的牛正从河边向牛栏走去。哈里已经骑在马背上，亮闪闪的手枪别在宽宽的黄褐色的腰带上，嘴里叼着烟斗，先前藏在大胡子下面的长下巴格外触目。

“上马！”他说。

他不明白，我已经长大了，不愿意别人用这种态度和我说话。我站在地上没有动，直到他又要用皮带抽我，才开口说话。

“我母亲需要你的帮助。”

“啊？”他冷冷地说。他身上的一切都发生了变化。

“比尔·福罗斯特逃到墨尔本去了。母亲被这件事情搞得心神不定。”

他几乎笑了起来。“你敢肯定他在墨尔本？”

“当然，他肯定在墨尔本。”

哈里取下嘴里的烟斗，洋洋得意地吐了口唾沫。和平常一样，每逢证明别人是傻瓜时，他就是这样一副不可一世的样子。

“啊，”他说，“最新消息是，比尔·福罗斯特从来没去过该死的墨尔本。”

“他去了，我知道。”

“我敢发誓，他没去过。”

“我敢发誓，他去过。”

“绝对没去过。这个星期，他一直在瓦加拉塔彼得·马丁的‘星星旅馆’。离这儿不过十英里。”

“你见过那个家伙？”

“玛古瑞有幸见到那个混蛋。”

“我不认识玛古瑞。”

“哦，玛古瑞就是你在奥克斯莱丢靴子的那天夜里，想杀死的那个人。可不是嘛，除了这事儿，你对他一无所知。玛古瑞见过我们那位比尔。他说，那小子现在和一个名叫布里吉特·考特的姑娘混在一起，开心着呢。”

“我从来没听说过这个姑娘。”

“那小子不和她鬼混的时候，就泡在酒吧里，逢人便讲，内德·凯利如何威胁他，要开枪打死他。哦，瞧，你脸红了。他把你们娘儿俩都骗了。现在这个故事在瓦加拉塔尽人皆知。”

这是一个春天的傍晚，温馨安谧。但是，我不由得想起月光下比尔·福罗斯特那双蜥蜴似的眼睛，他凝视我的时候目光里充满敌意。

“这就是我派人去找你的原因。”哈里说。

“这也正是我投奔你的原因，”我说，“看来我们想到一块儿去了。”

“恐怕未必这样，孩子。真的，你和我未必想到一块儿去了。”

“他是个该死的杂种，可是没有他，母亲简直就活不下去了。所以，我必须把他弄回去。”

“不对，”哈里说。他的声音听起来几乎很温柔。“那是你们对他的阴谋诡计一无所知时的想法。现在你已经知道，他对你母亲并不忠实，他已经另有新欢。你还知道，他给你造了多少谣言。”

“他是个混蛋。可是我母亲怀着他的孩子，而且用不了多久，那孩子就该生了。”

“我们可以照顾你母亲，”哈里说，“但是，你得先把福罗斯特‘关照’好。你没有爹，没有人跟你说这种话。就让我荣幸地担负起这份责任吧。听我说，决不能让他把你当成傻瓜。”

“可是，我能拿他怎么办呢？”

“难道就没有办法吗？”

“他说的没错儿。我确实说过，他如果胆敢逃跑，我就打死他。”

“可是现在，你在他眼里成了胆小鬼，难道不是吗？你是胆小鬼吗？”

“别这样说话，哈里。你知道我不是。”

“那你就知道该怎么办了。”

我看着他那双目光冷峻的眼睛，心里清楚等待我的将是什么。那是谁也不愿意面对的一种恐怖，但是我已经别无选择。

“是的，我知道必须去做什么事情。”

离开暮色笼罩的山谷，爬上高高的山顶，我们又融入落日的余晖之中。这时，迎面驶来一辆马车。马车拐了个弯，一个个子不高的老头就像表演杂技，站在车座上，嘴里叼着烟斗，啪啪地甩着响鞭，身后留下团团尘土。那尘土像巨大的云朵，推动着马车向前面的大路驶去。我和哈里刚闪到路边，他就认出我们，勒住缰绳，“吁吁吁”地让马车停下来。等到尘埃落定，我才意识到，原来是B先生。就让我用这个首写字母称呼他吧，尽管他的名字的第一个字母不一定就是B。他是我和哈里都认识的一个穷苦农民，妻子前不久刚刚去世。

B先生终于停下马车之后，我骑着马走上前去问候他。可是他没有回应，大概是不想理睬我。他只和哈里说话，而且一口一个“哈里”，一口一个“哈里”，似乎因为和哈里的关系这样亲密友好而骄傲，同时也衬托出对我的轻蔑。他说，比尔·福罗斯特已经离开瓦加拉塔，到比屈沃思去了。当我意识到，B先生扬鞭催马，不辞辛苦，远道而来，就是为了向哈里报告 这个消息时，我才明白，我已经陷入一场来势凶猛的风波。

哈里打开钱包，想给B先生一点钱。B先生朝地上吐了一口唾沫，骂骂咧咧地说，哈里是他的好兄弟，如果为了这点小事就给他钱，简直是对他的侮辱。

B 先生是个穷人。他衣衫褴褛，靴子补了又补，可是摆出一副决不受人恩惠的架势。哈里不听他那一套，坚决要给。最后，这个老农民只好收下，然后吆喝着他那匹老马向来时那条路走去。马掉了一块马蹄铁，它一瘸一拐的，拉着破烂的马车，渐渐消失在夕阳之中。

因为穷人效忠强盗，强盗也效忠穷人。

我和哈里掉转马头向山下走去。现在，我们俩都不急于到达目的地。我的原因显而易见。哈里希望半夜进城，因为比屈沃思有两个警察，都想拿他的脑袋邀功请赏。

从曾经热情款待我的那座农庄门前走过时，哈里问我，那个名叫沙恩的男孩给我留下的印象如何。我说，他马骑得很棒，像我见过的所有男孩一样棒。哈里说，他怀疑沙恩不是凡人，他可能是某个精灵的化身。

这时，山顶依然沐浴在夕阳的余晖之中，山谷里却已是苏格兰人眼里的薄暮时分。乌鸦和噪钟雀发出声声鸣叫，给寂静的山谷平添了几分凄凉。哈里说，爱尔兰提波拉瑞附近有一对夫妇，夜里生了个孩子。这个孩子长得怪怪的，面容消瘦，那双眼睛也让人觉得他已经非常苍老。父母亲怕他，不敢管教他。他摔盆打碗，爬墙上房，没人阻拦。哈里没见过这个孩子，他母亲见过。她说那个男孩有一种法力，可以同时出现在好几个地方。他喜欢缝补，对于一个男孩来说，这种爱好显然非常特别，但是谁也不敢拿他开玩笑。村里人经常惊讶地发现，明明刚才在森林里或者镇子附近见过他，可是几乎同时，他又出现在家里或者地里。他坐在茅屋里炉火边，用一块块布头连缀一件斗篷。斗篷做得不同凡响。谁也无法解释，他从哪儿弄来那么多色彩鲜艳的布头。有一种红色非常特别，像彩色玻璃那种红。他母亲没有这种颜色的衣服，全家也找不出这样一块布，一丁点儿也没有。

人们都来看望男孩的父母，表示他们的敬意，实际上，他们是来看男孩为何缝制这件斗篷。因为他们以前从来没有见过一个男孩会这样飞针走线。他的手指特别长，缝东西的时候灵敏得就像猴子的手指，柔软得就像没有骨头。至于他拼接出来的图案、花样，大伙儿都看不出个名堂，不知道他到底要完成一件怎样的杰作。

随着时光的流逝，他的兄弟姐妹都长大成人，生儿育女，可是男孩总也长不大，尽管有的人说，他眼睛的颜色更淡了。人们无法想象，缝一件斗篷会用那么长的时间。

有一天，母亲去找神父。她说，男孩有个问题希望神父解答，不知道神父能不能在某月某日某时某刻到她家一趟。神父应约前往，男孩正在壁炉前面等他。男孩直截了当提出了问题："我将来能不能上天堂？"

神父看着男孩那双怪异的眼睛和修长的手指，既不想惹他生气，又不想对他撒谎。

后来，他终于开口说道："我无法做出承诺，但是有一点可以告诉你：如果你的血管里有一滴亚当的鲜血，你就和我一样，有机会走进天堂。"

"如果没有呢？"男孩问。

"如果没有，"神父说，"你就进不了天堂。"

那个可怜的家伙听了神父的话，发出一声可怕的尖叫，扔下那条千缝百衲的斗篷，拔腿就跑。从那以后，人们再也没有看见男孩，不过他的父母把他精心缝制的斗篷保存了许多年。那是一幅画——无数色彩鲜艳的布拼接而成的《圣母圣子图》。见过这幅画的人都说它精美无比。

天黑了。我问哈里见没见过这幅画。哈里说，他的母亲被流放前一天的晚上见过。我又问他，信不信童话故事。他说，母亲给他讲过许多童话，那时候，他认为，这些故事唯一的目的就是吓唬年轻人，不让男孩和女孩接近。可是现在他的看法变了，他觉得这些故事有更深的含义。

夜色愈来愈浓，伸向远方的路模模糊糊的。马慢慢地跑着。我问哈里，他的看法为什么会改变？哈里没有回答。我又问他见没见过班西。他还是没吱声。我便闭上嘴巴，不再说话。但是在一路向北，去找比尔·福罗斯特的时候，我心里沉甸甸的，总有一种不祥的预感。

离比屈沃思十五英里的时候，一股桉树燃烧的气味扑面而来。我说，附近的丛林一定起了大火。哈里说我判断有误，火还在很远的地方。走到霍奇森湾的时候，黑色的树叶已经飘然而下，可是哈里还一意孤行，不肯改变方向。直到树叶的边缘已经显露出触目的红色，他才大声叫喊着，让我赶快停下。我松了一口气，至少可以不去杀人犯罪了。

“把手帕弄湿，”哈里一边说一边递给我一瓶子水，“然后用湿手帕捂住嘴和鼻子。”

就这样，我们继续为这一场谋杀而向前推进。你可以说，如果我当时掉转马头直奔格瑞塔，更能证明我男子汉大丈夫的气魄。可是在那个决定命运的夜晚，我只有十五六岁，我的智慧只限于与哈里·鲍威尔结伴而行，除此而外很难做出别的选择。我跟着那个老家伙在黑暗中穿行。烟雾越来越浓，呛得我睁不开眼睛。马儿也被烟熏得浑身颤抖，耳朵前后摆动着，拼命昂起头。我没用鞭子抽它，而是搂着它微微颤抖的脖颈，嘴里轻声安慰它。哈里领着我离开大路，但是我知道，他和我一样，也很难看清前面的小路。我们沿着山梁小心翼翼地前进，爬上马鞍形山顶。从这儿本来可以看见灯火阑珊的比屈沃思，可是现在眼前只有呛人的滚滚烟尘。大团大团的烟雾就像面包房的炉膛，被火光映照成棕色和黄色。虽然看不见腾空而起的火焰，但是我认为风是从东面的方向徐徐吹来的。马颤抖着，仿佛它已经知道等待它的将是怎样的厄运。我伏在它的耳朵旁边，告诉它：“好姑娘，我决不让你受到伤害。”可是事实上，我已经迷路，看不见月亮，看不见星星。我们只能沿着山脊的轮廓艰难地前进。哈里的母马因为害怕，在黑暗中两次用后腿站立了起来。我估计哈里也迷失了方向。不过事实证明，在这个问题上，我冤枉了他。他最终成功地领着我逃脱了大火摆下的迷魂阵。这样的智慧和“技艺”不是每一个丛林人都拥有的。

我们终于从里德湾到达一座未受烟火侵袭的小山。站在山上极目远眺，看得见丛林大火正在东北面的大山上燃烧、蔓延，几乎烧到比屈沃思。松树燃起熊熊大火，桉树和灌木丛也燃烧着，呼啸着，向我们的侧翼包围过来。我们只得退到里德湾旁边的羊毛谷。滚滚浓烟中，我们差点儿撞倒一个农民。

他和孩子们脸上裹着围巾，正在扑打蔓延过来的丛林大火。有个孩子最多不超过五岁，戴着爸爸灰色的大帽子，灯光下，一双眼睛充满恐惧。我对哈里说，应该帮助他们灭火，救下他们的篱笆。

哈里回过头瞥了一眼说，篱笆可以重修，他不肯停下。眼 看着那一家人消失在烟雾之中，我心里非常愧疚。我想起自己的家人，想起此时此刻，母亲一定躺在床上，手放在肚子上，胎儿在子宫里轻轻颤动。上帝保佑，有朝一日，我将告诉这个孩子这天夜里苹果桉[①]在大火里毕剥作响、熊熊燃烧的情景；告诉他，足有一半袋鼠发疯似的逃出丛林，跑进赛巴斯托普尔城。

在这条偏远的山谷里，我们还碰到一群中国人，他们正打着灯笼在洗矿槽里干活儿。这是很早以前白人矿工废弃的矿井，“天朝人”重新淘洗、筛选淘过的矿砂。他们不停地干活儿，连渐渐逼近的丛林大火也无法把他们赶走。周围的土地像一条宽阔的防火隔离带，像一个硝烟未散的战场，又像一头被杀戮了的野兽，剥了皮，被野狗开膛破肚。这儿当然不是我们最初设定的目的地。年轻的谋杀者骑着马就如同穿过一座地狱，头也不回地走着，不一会儿就看见一座简陋的茅屋。茅屋外面，几个中国人正围坐在一块很宽的木板四周打麻将。这些人个个精瘦，就像准备拿盐腌了长期保存的肉干儿。

“啊，这倒是一景。”哈里说。

我以为他是说那些赌博的人。实际上他正凝视着拴在柱子上的一匹灰色母马。那匹马腿有点外八字，看起来眼熟。

“真是匹好马，”他说。可那匹马压根儿就谈不上好。“你认出这匹马了吗？”

“没有。”

“这是他的马。”哈里说，脸上露出一丝微笑。

我说，肯定不是。其实我是撒谎。我也认出了这匹马。

---

①苹果桉：生长于澳大利亚的一种树木，树形高大，枝繁叶茂，形似苹果树。

命里注定的厄运让猎物撞到我们的枪口上了。

哈里说："你去看看马蹄铁就知道了。"

我抬起那匹马右面的后腿看了一眼。其实不看也知道，马蹄铁上有一个非常清晰的 U 字。

我朝哈里竖了竖大拇指，肚子里翻江倒海般地难受。我放下马蹄的时候，中国人凝视着我。我恍恍惚惚，眼前的一切变得不再真实。哈里低声告诉我，让我赶快找一个没有亮光的地方，给猎枪装好弹药。于是我跑到茅屋后面。我出来的时候，看见哈里正给那几个中国人钱。这是我第一次亲眼看见，实施犯罪前行贿。

就这样，我手里端着猎枪，站在茅屋门口，做好了破"第六戒"[①]的准备。

"他不在这儿，在后面。"

我转过脸，看见一个比这座简陋的茅屋还要破烂的去处。那是一顶肮脏的帐篷，肮脏的门帘上一根黄色的绳子上挂着一个牌子，牌子上写着"雅间"两个大字。旁边的竹竿上挑着一盏红纸已经被风吹破的灯笼。

哈里朝我挤了挤眼睛，解开那条黄颜色的绳子，招牌掉在地上。他推我进去的时候，我做梦也没有想到，这儿竟然是个妓院。帐篷外面灰色的条纹和斑斑点点的霉让你无法想象"果皮"里面包藏着怎样的"果实"。

我第一眼看见的是个光屁股女人，我不由得大吃一惊。不过，在这顶小小的帐篷里面突然出现在眼前让我大吃一惊的东西太多了。女人光屁股，比尔·福罗斯特也光屁股。就像教堂里跪在神坛前面的男人一样，比尔跪在妓女面前。听见我走进帐篷的声音，他连忙站起身。我别无选择，只得举起手中的猎枪。

"出去！"我对那个妓女说，"赶快滚出去！"

妓女瞪大眼睛，非常生气，她拿起一件黑缎子睡袍穿在身上，走出帐篷。福罗斯特并不怕我。"过来。"他说，伸出晒得黝黑的手臂，全身的器官

①第六戒：基督教十戒中的一戒。

暴露无遗。“过来，”他说，“把那枝该死的枪给我，免得走火，伤了你自己。”他伸出长长的胳膊要抓枪筒。我觉得脊背撞到帐篷上，明白已经无路可退，随时准备扣动扳机。

“如果你愿意，就朝我开枪。你想坐一辈子牢吗？”

我不知道能不能一枪打死他，但明白必须开枪。我叫喊着，骂他是骗子、无赖。我举起枪朝他瞄准。就在这时，黑暗中响起一个声音。

“不要把这个孩子逼成杀人凶手。”

“是哈里·鲍威尔吗？”

“你知道是我。”

“那就把你这条该死的狗叫回去，哈里。”

“你刚才说的话我都听见了。你不是一片好心，生怕他一辈子坐牢吗？现在我来了。我就是人们说的那种‘替罪羊’。”

哈里·鲍威尔边说边走进帐篷，手里拿着他那支美国造的连发手枪。他把那支让人望而生畏的枪顶在比尔·福罗斯特的太阳穴上。想到杀人的罪行，我一直十分忧虑，此时我松了一口气。哈里左手拿枪，右手抓住那家伙的生殖器。

“这根香肠不错呀，比尔。”

“哦，天哪，哈里！”比尔·福罗斯特说。现在他怕了。这当然无可非议。剃掉连鬓胡子，哈里确实非常可怕。高高的颧骨显露出凶残，嘴角含着愤怒。

“不过这玩意儿给你带来的麻烦可不少呀！”

“别，哈里，你应当公正才对！”

“你知道，有一条很粗的血管把所有的血都送到这玩意儿里了。当然，你知道，比尔，你是学问渊博的人嘛！人们不是管你叫‘万事通’吗？‘万事通’·福罗斯特？你总是说：‘是啊，不过我还知道……’我没说错吧？”

哈里板起科尔特[①]的机头。

①科尔特：美国枪械制造商科尔特（1814—1862）发明的左轮手枪。

“我要是朝它开一枪，就会鲜血迸流，比尔。”

“别，哈里！”

“内德，你把比尔的靴子拿来好吗？”

可是比尔是穿着舞鞋来找这个妓女的，这双鞋又轻巧又漂亮，鞋底薄得像层纸。

“求求你，哈里，真对不起。”

“对这个年轻人说‘对不起’，对我说没用。内德，解下一根鞋带。”

“你要干什么？”我好奇地问。

“比尔，得给你用根止血带，这很重要。”

我不知道“止血带”这个词是什么意思。也许比尔.福罗斯特也不知道。我看见他吓得要命。“什么？你说什么带？”

“你不知道止血带是什么玩意儿？你不是‘万事通’吗？怎么连这个也不懂？没有止血带你就会血流不止，直到一命呜呼！那可是你自个儿的错。所以，你要注意，比尔。把这根鞋带在那活儿上绕几圈，然后牢牢地系好。我本来可以帮你，可我得拿枪。”

比尔·福罗斯特平日里总是满面红光，可是现在说到用那根精致的鞋带系那活儿的时候，他的脸色像死尸一样灰白。

“你一直是个坏孩子，比尔。”哈里·鲍威尔说。

比尔·福罗斯特哭了起来，胸脯剧烈地颤动着，气也喘不过来了。“哦，天哪！哈里，求求你放过我吧！”

“我可以放你一马，可是你得答应我，永远不再说这个年轻人的坏话。”

“我答应！”他嚎啕大哭，泪水顺着胡子流下来。

“答应什么？”

“永远不说他的坏话。”

“好。你能不能答应每星期给凯利太太一英镑，抚养即将出生的婴儿？”

“能！我一定照付不误！”

“那就放你一条生路！”哈里大声说，用手枪柄敲了一下他的脑袋。

哈里后来说，他不该敲这一下子。其实不是这“一下子”引出后来的麻烦。问题还是出在比尔·福罗斯特身上。比尔·福罗斯特是个非常骄傲的家伙。一旦危险过去，他马上想到，这个让他大丢其脸的故事很快就会传遍全区。他无法忍受这种奇耻大辱。低三下四求情的时候，他泪流满面，嘴唇虚肿。可是就在我们走出帐篷的一刹那，我从眼角看见一个高大、粗壮的身影——比尔正在找报仇雪恨用的武器。我大喊一声“哈里”，可是比尔已经握着他那把手枪向我们猛扑过来。

“鲍威尔，你这个杂种！”他叫喊着。

我朝他开了一枪，以为没有打中。可是他踉踉跄跄地撞到那盏灯笼上的时候，我发现他手捂着肚子，鲜血从手指缝里汩汩流出。

那是二月。我到十二月才满十六岁。

这一枪又把我和哈里·鲍威尔打到了一起，我又成了他的“徒弟”。夜里，他的朋友把我们俩藏到马棚里。早晨，他把我叫醒。这时候，他已经在大街上溜达了一圈儿。

“比尔·福罗斯特完蛋了，”他说，“他因为流血不止已经死了。”

现在，许多年过去了。我为当年那个小男孩深感遗憾，他就那样轻信了这无耻的谎言。我居高临下，凝视着他，就像一个死人从天堂俯瞰这个世界。

“警察正到处找你呢，孩子。”

我问他警察局是不是已经发了通缉令。他没说话，打开那把象牙柄折叠刀，又从口袋里掏出一根刚出锅的还热乎乎的香肠，用刀子扎着送到我面前。他目光闪闪，凝望着我，我把他那种复杂的心绪错当成同情。

“吃点早饭吧，可怜的孩子。”

我想起比尔·福罗斯特的那玩意儿，摇了摇头。哈里收回香肠，自己享用去了。

“我虽然不想让你着急，”他说，“但是还得实话实说。他们最近派了不少士兵到十一里湾，以为在那儿能抓住你。”

我并没有表现出多么害怕，只是又问了他一次，警察局有没有发通缉令。

“我向你发誓，”那个老无赖说，“我一定保证你平安无事，否则我也寝食不安。”

我说：“我肯定会被他们绞死。”

“你会平安无事的，”他说，“如果赶快去提一桶炉灰过来。”

看见我又变得服服帖帖，他一定很得意。他用我提来的炉灰抹黑长下巴和脖子，还让我也照他的样子做。他又把脏兮兮的炉灰抹在他的大鼻子和金鱼眼周围，说：“这样一打扮，你就成了个好公民了，我的小伙计。”

当我们都用炉灰在皮肤上涂抹出这样一副面具之后，他又让我用燕麦喂好两匹马，再去打点井水。我已经像一只兔子一样落入他设下的陷阱，只是自己浑然不觉。

整整一个夜晚，灼热的北风吹过小镇。一场又一场噩梦把我搞得筋疲力尽——凶杀，烟火，大路上不停滚动的铁车轮。现在，风终于停了，小镇寂然无声。哈里和我骑着马走上福特大街，一个步行的人一瘸一拐地向我们走来。他扛着一根竹竿，上面绑着一块快要烧光了的麻袋片，那显然是他用来扑火的工具。他的脸被烟火熏得很黑，一双眼睛布满血丝。

“早上好。”哈里说。

“早上好，伙计。”

丛林大火在西面，我们骑着马一溜小跑，假装要到南面去。走到教堂大街，碰到两个女人正赶着马车朝大火燃烧的方向驰去，车上装满了奶桶。

“上帝保佑你们。”她们大声喊道。

哦，上帝保佑我们这两个杀人犯！老哈里摘下帽子朝她们挥了挥，高兴得忘乎所以。不一会儿，我们就走过那座高大、坚固的石头建筑物。比尔·福罗斯特的尸体大概就躺在那儿。我不由得在胸前画了个十字。我没精打采地骑在马鞍上，低着头看微风中轻轻飘拂的马鬃，心里充满了愧疚。

我们很快就走上通往巴克兰的大路，然后沿袋鼠经常来喝水的那条小溪继续向前走。小溪像水银，跳荡着流过干旱的丛林。我们默默地走着，就像血管里流淌的鲜血，“流”向荒野深处，直到终于来到小公牛湾。蕨草丛中兀立着那座没有窗户的堡垒。

“放心吧，到了这儿就没人能抓住你了。”哈里说。

在世人眼里，我是个十恶不赦的罪犯。可是实际上，我还那么年轻，那么容易上当受骗，哈里·鲍威尔可以随心所欲地摆弄我。到了袋熊岭之后，他说我们已经平安无事，我信了他。后来，他又说，瓦比斯更安全，我还是深信不疑。即便他把我带到格棱罗万山后面人口相对而言比较密集的山区，或者身穿制服的警察经常出没的旅馆酒吧，我也没有丝毫怀疑。

哈里知道，这次凶杀把我搞得惶恐不安，心灵深处受到极大的震撼。但是他从来没有表现出丝毫的同情。恰恰相反，这家伙高兴得像只麻雀，一个劲儿地嘲笑已是黄泉路上的比尔·福罗斯特，管他叫“万事通”；还说，“万事通”也好，比尔·福罗斯特也罢，他不过是个玩那活儿的家伙。夜晚，他经常在篝火旁边模仿比尔跳华尔兹，动作拙劣、下流，使劲儿朝后仰他那高大宽阔的脊背。

月光皎洁的夜晚，他经常扔下我一个人背着枪，带两个火帽，翻山越岭，到我不知道的什么地方去了。后来，过了好长时间之后，我才听玛吉说，这个老家伙原来是绕过瓦贝山来我们家找母亲。玛吉特别喜欢月光如水的夜晚。踏着月色一个人散步的时候，她不止一次看见老哈里单人独马，出现在山谷之间。第一个夜晚他就吹嘘，因为比尔·福罗斯特虐待母亲，他把他杀了。他还学比尔的“华尔兹”，逗得母亲哈哈大笑。我必须承认，这个老骗子让缠绵病榻的母亲重新振作起来，然后又和她同床共枕。

他是个撒谎专家，撒谎就是他的嗜好和职业，就像有的人喜欢掏鼻孔或者喜欢拿一块油桉根雕刻点什么一样，那只是为了消磨时间。他轻而易举就让母亲相信，我已经逃到新南威尔士州。回来之后，他又告诉我，十一里湾驻扎着许多警察，专门等着捉拿我。他就这样用谎言编织着一张大网。他说，他会密切注意那些警察的动向，等他们走了之后，马上就告诉我。我当然相信他的鬼话。在我眼里，他是唯一可以使我免受绞刑的人。他抢劫的时候，我心甘情愿地给他看马。为了他，我每天都要打一只袋鼠，或者小袋鼠，或者丛林鸽，而且总是尽量变着花样给他做可口的饭菜。他懒得像条狗，汪汪叫的时候，便把脑袋靠在墙上，连脖子都不想伸。我不抱怨，而是隔一段时间就喂它墨累河的鳕鱼，或者淡水螯虾，或者蛇。我还得劈木柴，照料马，定期给它们换马掌。天气暖和的时候，我就挖两条浅浅的壕沟，然后在上面搭起蚊帐，我们就在沟里睡觉。其实做这一切的时候，我并非真的出于"热爱劳动"的秉性，而是因为一旦手里没活儿干，就会想起那个可怕的夜晚，想起那个一丝不挂的女人，和比尔手指间冒出的黑血。

哈里时不时地宣称，形势越来越严峻，我必须老老实实地待在袋熊岭。我虽然言听计从，但是在小公牛湾度过的时光，让我的心里越来越充满恐惧。因为他经常把我一个人扔在那儿，自己去云游四方。有一次，他居然一走就是两个星期。我曾经想过他也许找我母亲去了。可是不管他上哪儿寻欢作乐，我自己的孤寂都难以排遣，心中的烦恼无处诉说。我用镰刀和锄头清理了棚屋四周的蕨。这样一来，雨水丰沛的时候，牧草就会长得更好。我还去附近废弃的矿井淘金，打了一道篱笆，捉住并且驯服了一匹野母马。可是所有这些无休无止的劳动都无法让我的心灵安宁。我杀了人，而且是母亲肚子里那个孩子的父亲。负罪之感让我彻夜难眠。

然而，事实真相不可能永远隐瞒下去，无论是一个男孩，一匹马，还是哈里·鲍威尔，都办不到，使用阴谋诡计也无济于事。有一天早晨，我们骑着马，穿过迈克比·恩的凯尔菲拉牧场，回瓦比斯山。路上，我第一次发现事情不那么简单。迈克比恩不但是牧场主，而且是一位很有权势的地方法官。因此我早就知道，在他的地盘儿上必须沿河湾和溪谷走。这些低凹之地被士兵们称为"死亡谷"。这一次远行需要两天。第二天早晨，我们已经到达迈克比恩牧场北边。头天晚上我们饱餐了一顿绵羊肉，现在骑着马一路小跑，走出一条深深的、狭窄的山谷。迎面过来一个骑马的人，差点儿和我撞到一起。我跟他离得那么近，甚至闻到了马呼出来的那股蜜糖味儿。我猛地收住马缰，马蹬和他的马蹬碰到一起。他的马蓦地用后腿站立了起来，我的马也嘶叫着打了两个趔趄，幸亏我们俩都没从马背上摔下来。那个骑马人趾高气扬，我立刻断定他是便衣警察。就在我们俩都勒住自己的坐骑各奔东西的时候，哈里用踢马刺使劲踢着马肚子，从后面赶了过来。那个陌生的骑马人和他擦肩而过，刚跑了几步，又掉转马头追了上来。他穿着粗花呢制服，大腹便便，也许是个督察官。“嗨，比尔！”他大声叫喊着，“停一下，比尔！”

哈里本来可以把我继续蒙在鼓里，可他没能做到这点。“比尔？”他骂骂咧咧地说，“你叫谁比尔？”

陌生人耐着性子没有发火，很有礼貌地说：“对不起，伙计。”他脸盘大，鼻子小而尖，一双目光锐利的黑眼睛仔细打量哈里那张脸。

“你长得不像比尔，可是你这匹马和比尔的马没有两样。你认识比尔·福罗斯特吗？人们管他叫‘万事通’。他出院之后，我还一直没见过他呢！”

真相就此暴露，可是犹如闪电，或者像晚上涨潮时跃出水面的鱼，等我定睛细看时，它已经消失得无影无踪，眼前只留下层层涟漪。这时候，哈里已经拔出他那把美国造连发手枪，对准陌生人的胸口。

“混蛋，你多管闲事！”他咆哮着。

“别生气，伙计，”骑马人说，“我并无恶意，你跟比尔一点也不像。”

“伙计，”哈里叫喊着，“谁是你的伙计！我得教教你怎样和一位绅士说话。掏出你的表，下马，把表拴到笼头上。该死的家伙！”

那人只好服从。哈里坐在马背上，绕到那匹马跟前，从笼头上取下那块表，放在耳朵跟前听了一会儿，说：“这块表肯定很贵重。”

“先生，我还不知道阁下的尊姓大名。”

“我是哈里·鲍威尔，你这个该死的傻瓜！”

“那你可是大名鼎鼎了，”那人说，“虽然未曾谋面，我可久仰大名。”

哈里得意洋洋，剃得溜光的脸上露出掩饰不住的微笑。他把金表链攥到手心，然后把表装进外套口袋里。

“人们还说，你是个很公正的人，”那人说，“我听过赞美你的歌儿。”

我从来没听过赞美哈里的歌儿，估计他自个儿也没听过。可是哈里听了那人的话还是高兴得满脸放光。“没错儿，”他说，“我这个人正像你说得那样，公平，公正。”

“这块表是父亲留给我的，”那人说，“你为什么不能到我们家，让我拿钱把它赎回来呢？”

“我很公正，”哈里说，“可我也不傻。我知道，这一带除了凯尔菲拉农庄，没有别的人家。”

“没错儿，我说的就是凯尔菲拉庄园。”

“这么说，你是 R.R. 迈克比恩了，”哈里皮笑肉不笑地说。“这匹被骗了的马就是有名的‘日光’了。”

“正是。”

哈里没想到会是这样。为了掩饰心中的惊讶，他骑在马背上绕着那匹名马转了个圈儿，好像要买它。他知道自己已是欲罢不能，就像船到江心，没有桨也得顺流而下。

“好了，治安官迈克比恩，认识你非常高兴。不过你最好留下马，赶快走人，免得我把铅做的塞子打进你肥大的屁股里。”

“你这样做可不明智。”

“你说得很对，我确实很不明智。”

治安官转过脸望着我，一双乌黑的眼睛宛如两潭深不见底的水，能把你淹死。“你难道愿意把自己和这样愚蠢的行为联系到一起吗，小伙子？”

我什么也没说。

“至少你得把马给我留下。”

“我看不出你为什么非得留下这匹马。”哈里说。

“这么说，你非抢我这匹马不可了？”

“这匹马已经不归你了。”哈里说。

“你真的不想再考虑一下这件事情吗，鲍威尔先生？”

“我从来不会三思而后行。”

“很好。”治安官说。他回转身，怒气冲冲地开始在尘土飞扬的牧场上艰难跋涉。

哈里翻身下马，骑上牧场主那匹名马。

“比尔·福罗斯特是怎么回事儿？”

“没什么事儿。”

“他说，他见过比尔·福罗斯特。”

“没有呀，他从来没说过。”

我听人说过谎话，但从来没有听过一个人能红口白牙说出这样的弥天大谎，我简直不敢相信自己的耳朵。哈里用踢马刺踢着刚抢来的那匹名马，一溜烟向前跑去。我只好跟在后面，又回到被他称为平安之地的小公牛湾。

那天夜里，我们在塔堂宿营。哈里不让我生火，我们只得吃点罐装的甜菜根。睡到半夜，我听见他不停地呻吟。也许他又在闹肚子，也许后悔确确实实干了件蠢事。早晨，喜鹊和铃鸟清脆的叫声把我唤醒。哈里弓着腰坐在行囊上。我走过去的时候，看见他正在给那块刚弄到手的金表上发条。他神情专注，让人看了很不舒服。确信金表滴答滴答运转正常后，他便把金链子穿过扣眼儿，把表装到口袋里。

“走得准吗？”

他头也没抬。

“要生火吗？”

他终于抬起头。我发现，一夜之间他似乎变得胆小起来。

“也许我们得换个地方了。”他说。

“到哪儿？”

“吉普斯兰。”

如果你知道从塔堂到吉普斯兰的山路多么凶险，知道刀丛林立般的悬崖峭壁遍布其间，你就会明白哈里现在对R.R.迈克比恩有多么害怕。事实上，不光他害怕，我的心里也很紧张，因为我已经把自己的面孔暴露在迈克比恩面前。

他说：“我们离开这儿一段时间，他们就会淡忘这件事情。”

这样一来，这天早晨我没有生火。第二天早晨也没生。我们骑着马悄无声息地穿过袋熊岭，来到图姆布鲁普。在图姆布鲁普我们又弄到一匹驮东西的马，然后进入曼斯菲尔德城。他让我去买面粉和砂糖。这阵子我们一直吃甜菜根，连尿出来的尿都像血一样红。

离开曼斯菲尔德城，我们熟悉的那个三角地带便留在了身后。从梅瑞吉戈过代拉塔伊特河后，南风扑面而来，极目远眺，袋鼠草波浪般起伏，无边无际的高原满目荒凉。布勒山像一只布满鳞甲的巨兽跪在大地之上，等待我们的到来。

我们逃亡的第五天是一个晴朗、寒冷的日子。强劲的风在崇山峻岭间呼啸，一棵棵死树咔嚓咔嚓地响着，颓然倒下。我们在崎岖的山路上艰难地跋涉，天黑时来到一座高高的、挡风的马鞍形山坳里。这里的树木都很矮小。无论树干呈白色的桉树，还是一片片土黄色的灌木，都蜷缩在山石之间。

“现在你可以生火了。”

刮风天打猎很容易。我轻轻松松地就打了一只小袋鼠。那个小东西做梦也没有想到这里有人。那天晚上，我们吃的是烤肉。哈里没有抱怨肠胃不好。也许他在怀念和我母亲相伴的日子，我说不上。吃完烤肉后，我们都躺在毯子上，默默地望着一座座巍峨的大山。以前，我从来没有看过这样的山野风光，此刻，宛如走入童话故事之中。晴朗的、长风万里的天空缀满宝石般的星星，连绵逶迤的山岭在苍穹之下映出锯齿状的山影。

“你要骑着马走过这座座高山。”

“我知道。”

他笑了起来。他的话没错儿。我对眼前的座座山岭、漫漫长路一无所知。

“你瞧，”他指着前方说，“那座山叫‘横锯山’，那座叫‘沉思山’，再往前那座叫巴格瑞山，那座叫‘绝望山’。你知道吗？”

“不知道，哈里。”

“你会知道的，而且会伤心难过的。”

在这崇山峻岭风餐露宿自然非常艰难，但是我不怕。我在星光下睡觉，醒来之后去照料那几匹马。也许不习惯一路的艰辛，这几匹马变得暴躁起来，人一靠近就又踢又咬。第二匹驮东西的马不知道跑到什么地方去了，我找了半个上午才把它找回来。然后我们向塔姆波渡口进发。山高路远，千难万险，那是一条只有贼和袋熊才能找到的路。我们走了整整五天。五天里，四天阴雨连绵，寒风刺骨。

我们终于到达塔姆波。我从来没有到过离家这么远的地方。我们很快就找到迈克法莱酒馆。酒馆地板上到处都是泥泞和洒在地上的酒。酒馆里挤满散发着臭气的顾客，他们就像干草车上被雨水浇湿的狗。这些人有的是特意来喝酒的，有的则是因为塔姆波河水暴涨被困在河岸这边，无处可去而在此借酒浇愁的。他们之中有的是满嘴粗话的农民，有的是没活儿干的剪羊毛工人，还有一些被锯末弄得两眼通红的伐木工人。酒店里坐着这样一群心情不畅的酒鬼，你便可以想象出扑鼻而来的是怎样一股又酸又臭的气味。我不想融入这样一个群体，也不愿意显得和他们格格不入。

哈里进去喝酒的时候，我站在门口。这里的空气比较新鲜。塔姆波河的河水咆哮着，裹挟着红色的泥土，奔涌向前。可以说，每一加仑河水里都有农田流失的土壤。河岸这边是一座很小的围场。顾客们的马都拴在那儿，也是拥挤不堪。那些马在蒙蒙细雨中烦躁不安，相互之间又踢又咬。

就这样，我在离十一里湾如此遥远的地方，看见一个骑马的人跑上这条小路。那是一匹灰色母马，跑起来腿有点外八字。骑手戴一顶窄边小帽，英国式长油布雨衣上溅满泥浆，和他胯下的马一样，看起来精疲力竭。他翻身下马，好像打算在这儿停留一会儿，然后牵着马走进遍地泥泞的小围场。他迈开两条罗圈腿，拖着疲惫不堪的身子，向小酒店走来，那样子非常眼熟。

这当儿，哈里已经成了小酒店的中心人物。他敞开熊皮外套，露出腰带上别着的两把手枪。“快！”我悄悄地说，“快过来！”看到我那张紧张、激动的脸，他一定有一种不祥的预感。为了掩饰心里的不安，他掏出那块抢来的金表，摆弄着表链，打开表盖儿，盯着表蒙子看了好长时间。

“是他。”我说。

哈里盖好金表，装进口袋，又把挂在脏兮兮的背心上的金表链弄好。

“我马上过去，小家伙。”他说。

可是，比尔·福罗斯特已经出现在门廊上，谁也无法否认他的存在了。

“这不可能！”哈里·鲍威尔大声说。

比尔·福罗斯特也看见了我们，脸立刻变得像他那英国人的屁股蛋儿一样白。他把手伸到口袋里掏手枪。

“我们听说你死了。”哈里连忙说。

“怎么死的？”福罗斯特的目光一直没离开过我。

“开枪打死的。”我说。哈里的手放在腰带上，紧挨着他的美国造连发手枪。

“哪个杂种告诉你的？”福罗斯特还直盯盯地看着我。

“哈里说你死了，”我说，“他说你挨了我那枪之后，因为流血过多死了。”

“哈里·鲍威尔是个大骗子，”比尔·福罗斯特说，“看在上帝的分上，你虽然是个傻瓜，也该明白这一点。我在医院见过他两次。我去你妈那儿取我的短柄长鞭时，又碰见他一次，他现在还朝我挤眼睛呢！”

我转过脸，看见哈里正像一条狗似的龇牙咧嘴地笑着。

“开玩笑。”

“他一直鞍前马后，为你母亲效力呢！”比尔·福罗斯特说。

“开玩笑。”

“你这个无耻的骗子！”我气得发疯。有生以来，我还从没有被人这样欺骗过。“你这个肮脏的骗子！”我恨得咬牙切齿，不知道该怎样骂他才好。

可是哈里·鲍威尔不能容忍一个孩子这样骂他。他抽出左轮手枪，顶在我的太阳穴上。

四周死一样地寂静。我看着哈里那双眼睛，它们一动不动，像窗帘一般灰白。

“你最好向我道歉。”他轻声说。

“对不起，哈里。”

“大声点儿！”

“对不起，鲍威尔先生。”

“你错了。”

“是的，我错了。”

他把手枪从我头上拿开，扳下机头，脸上露出一丝得意的微笑，顺手打了我一巴掌。可惜这个傻瓜看错了人。我看着他那张微笑的脸，把左手放在他的肩膀上。他虎背熊腰，块头很大，我感觉到他结实的筋腱微微颤动。但是，我已经不再怕他，猛地朝他的肚子打了过去。他打了个趔趄，我趁机朝他的喉咙打了一拳，他哼哼了一声。我拔出他别在腰里的左轮手枪，对准他的后脑勺。我看得见他稀疏的头发下面肮脏的头皮。我的手在颤抖，问他要死还是要活？

著名的哈里·鲍威尔没有回答，但是像墨累河肥胖的鳕鱼一样喘着粗气跌坐在泥水中。我一把扯下他那块金表，表链上还连着从背心上扯下来的一块布。我把表扔到地上。

“我要杀了你！”我叫喊着。

我热血沸腾，可是并不想杀人，而是朝那块金表打了一枪。金表跳起来，炸裂开来，里面的零件全都散落在泥水中。看热闹的酒鬼四散而逃，纷纷钻进昏暗、泥泞的小酒馆。我把枪插到自己的腰带里，转身走进越下越大的冷雨之中。

那天夜里，亲爱的母亲梦见了我。她可以准确地说出，我在迈克法莱酒馆外面骑的马是一匹有深灰色斑点的马。她也知道我正处在危险之中，但不知道危险是来自哈里·鲍威尔。向围场走去的时候，我回转头向小酒馆瞥了一眼，看见鲍威尔从泥水中爬了起来，右手放在他那支美国造连发手枪上。我没动腰间那把科尔特左轮手枪，翻过篱笆，径直向那匹名马——“日光”走去。“日光”正忙着和几匹小母马调情。这匹马非常漂亮，脖颈修长，体态高雅。我准备骑走这匹马，作为服侍鲍威尔所得的酬劳。这时候，那几匹母马已经把它从小马驹旁边赶走。作为惩罚，它们又踢又咬，把“日光”的肚子弄得鲜血淋漓。对于我，这不是坏兆头。我由此得知它的性格。我抓住“日光”的笼头，它将屁股向我转了过来。如果它原想踢我的话，那么现在它很快又改了主意。它想咬我的腿。

酒馆门廊下站着一群人，眼巴巴地看着我。我看见比尔·福罗斯特伸出一只手，抓住哈里的肩膀，哈里把那只手恶狠狠地甩开了。我的心剧烈地跳动着，但是毫不犹豫。我知道，我配得到这匹马。我翻身上马，在雨中走了几步。它喷了几个响鼻，尥了几个蹶子，我便让它知道，我和它一样，也生性刚烈。这当儿，哈里·鲍威尔和比尔·福罗斯特一直直盯盯地看着我。他们俩都像谷仓里狡猾的老鼠，我本来应该保持高度警惕，防备他们随时对我下毒手。但是，此刻无法做到这一点，只能任凭那两双充满仇恨的眼睛盯着我的脊梁骨。我把“日光”拴在篱笆上，找到那匹驮东西的马，它身上驮着我们这次远行的全部“给养”。我抽走鲍威尔最好的一块防雨布，又拿了一些茶叶、几个土豆和一大块奶酪。然后，我把这些东西装到一个麻袋里。这当儿，围场里那些马匹多多少少为我打了“掩护”。

我胳膊下面夹着一块垫在马背上的毯子，肩上背着那条麻袋，纵身翻过篱笆。哈里举起他那把连发手枪，放在一个非常危险的位置——上衣口袋前方。我把毯子在“日光”鞍头上绑好，终于翻身上马了。

这时，再开枪打我已经没有什么意义。不过哈里是个非常高傲的人。事实上，那天河水咆哮，震耳欲聋，离开围场的时候，他是不是真的开过枪，连我自己也说不清楚。反正沿着那条小路，爬上一座小丘的时候，我还好端端地活着。我骑着“日光”沿水位暴涨的塔姆波河一路小跑，雨水不断地从帽檐上流下。现在我可以好好地欣赏、享受这匹声名卓著的好马了。它的耳朵不停地前后耸动，生着灰斑的脖颈在我眼前上下颤动，马鬃随着它的步伐轻轻跳动。所有这一切都让我非常快活。

“驾！”我催马向前。它立刻奔驰起来，而且毫不犹豫地游过奔腾汹涌的大河，爬上已经被洪水冲得支离破碎的河堤，撒开四蹄，在那条小路上驰骋。它不时地喷着响鼻，身上冒出团团热气，显示出它的力量和智慧。我们俩都摆脱了哈里·鲍威尔的控制，现在，可以随心所欲到我们想到的任何地方。可以翻过连绵起伏的山岭，取道哈利特维尔回家，也可以去遥远的泰国，觐见那儿的国王。没有我做不到的事情。

到达医疗中心的时候，雨终于停了下来。我在这儿碰到两个老矿工。这两个无赖活脱脱一对没有洗净的瓷坛子，都留着连鬓胡，不到五英尺高。他们一边抽着黄颜色的烟斗，一边说，我想过河到哈利特维尔简直是白日做梦，因为只有翻过“飞鹰山崖”，前面才有路可走。看到我不听劝告之后，他们便说，我应该在油布雨衣里面写下遗嘱，因为大雨过后必有大雾，悬崖峭壁上到处都是因雨水冲刷而松动的页岩，我和“日光”肯定会摔下山崖，一命呜呼。我不怕，求他们指指路。两个老家伙哈哈大笑着说，我应该走鲍格·杰克走过的那条路，他曾经赶着一群偷来的马，翻山越岭到新南威尔士州去。他们在泥地上给我画了个地图。我按照他们的指点，沿着那条小路纵马向前驰去。

夜幕降临，我骑着“日光”又来到那块高地。凛冽的寒风把鼻孔刺得隐隐作痛。天空非常晴朗，我在一片雪胶桉树中找了个宿营地，在一根掏空的原木中燃起一小堆火。天气非常冷，我把毯子给“日光”披上了。可是睡到半夜，实在受不了彻骨的严寒，我又把毯子盖到自己身上。也许“日光”因此而生气，非要我尝尝它的厉害。早晨我才发现，它竟不辞而别了。

我给它上了马绊，系了铃铛，知道它不会走远，所以并没急着找它，而是烤了两个土豆，煮了点茶水，在冰冷的溪水里洗了一把脸之后，才去找马。可是一个上午快过去了，也没听见一声铃响。我开始意识到现在的情况非常严重。没有多少可吃的东西，前面还有很远很远的路要走，我对这一带的情况又一无所知。大约中午，我爬上一条长长的巨石林立的山脊之后，举目四望，我看见自己置身于一块巨大的碟子似的平原。一条狭窄的山泉从碧绿的草地流过。这一块水草丰美的牧场和十一里湾周围干裂的棕黄色的土地形成鲜明的对比。我顺着小溪寻找“日光”的时候，看到一片雪胶桉树林里有一座牧羊人的棚屋。棚屋的屋顶很高，这样一来，冬天房顶上就不会积太多的雪。棚屋里还有一个石头垒的壁炉。在丛林里，这玩意儿难得一见。棚屋已经许久没人居住，墙壁外面的木板砍凿得很粗糙，可是里面收拾得非常整齐。那位善于居家过日子的牧羊人用泥巴把墙壁的缝隙抹好，然后糊了一层《澳大利亚图片新闻》。这些报纸不是胡乱贴在墙上，而是一张挨一张，贴得整整齐齐。我像在一本书的长卷里漫游，不由得停下脚步看上面的文字。报纸上还刊登着许多照片，都是反映美国佬之间打仗的事情。安装着大炮的军舰，还有作战计划。每一页标注的时间都在八九年以前。棚屋很大，很干燥。床铺能睡六个人，摆布得井然有序。我心里想，要是能住在这个远离尘世的地方该有多好！可是没有吃的，一切都是白搭。显然，我得徒步走很远很远的路才能到达哈利特维尔。

回到宿营地的时候，我的口袋里装满野果之类的东西。漫漫征途，这些玩意儿总能塞塞肚子，充充饥。突然，我觉得灌木丛里有什么东西在动。头天夜里，我听见过袋鼠在附近走动的声音。我连忙给那支左轮手枪装好子弹，瞄准树枝摆动的地方。就在我要扣动扳机的时候，跟我开够了玩笑的“日光”摇晃着长脑袋，脖子上的铃铛丁零丁零地响着，它大张着鼻翼，走出它的藏身之地。

“你这个该死的家伙！”我大声呵斥着。

它好像在说，对不起！对不起！它一边“说”，一边走到林中空地，一跛一跛地——因为上着马绊——绕着我转圈子，脖子上的铃铛不停地响着。虽然难以置信，但是毫无疑问，它确确实实是和我故意捣乱。现在，它耷拉着脑袋，一个劲儿地嗅着我。我不由得哈哈大笑起来。从那时候起，我们就成了最好的朋友。我不停地跟它说话，开玩笑。它带着我走下“飞鹰山崖”。在那陡峭的石壁之上，它从来没有犹豫过，害怕过。

这天夜里，我们在离哈利特维尔不远的地方宿营。我向它表示歉意我只能把它拴在树上让它过夜了。

“日光”已经整整两天没有吃过好草料了。第二天，我舍不得再纵马驰骋。我们沿着弯弯曲曲的小路慢慢走着，经过布拉特镇的时候，也没敢走大路。没多久，我们就踏上哈里喜爱的那几条小路。第三天下午，我们来到格棱莫瑞。我在这儿见到吉米·奎恩。从他嘴里才知道，我这次逃亡并非毫无意义。警察已经逮捕了姨父杰克·劳埃德。他们捏造罪名，说他抢了迈克比恩的传家宝——那块金表和名马“日光”。更糟糕的是，他们正在追捕表弟汤姆·劳埃德，把我在抢劫中扮演的那个角色安到了他的头上。

第五章　与警方的大人物初次接触

普通股票用纸，二十页（大约 9 英寸 ×12 英寸）。从左边装订线参差不齐地撕下。蓝墨水写成，下面页边空白处有污渍。

作者回到十一里湾。家人愿意把抢来的“日光”归还治安官迈克比恩。他被韦兰警长逮捕，关押到贝纳拉。两位警长的到来使凯利的名声越来越大。这部分手稿揭露了警察的腐败和 R.R. 迈克比恩作伪证的罪恶行径。五百英镑悬赏哈里·鲍威尔。作者被押送到墨尔本，与警察署长斯坦迪什会面。在里士满兵站度过的一个夜晚。

汤姆·劳埃德和我同岁。我们曾在洪水退去的河湾一起赛跑、摔跤，有一次还一起参加过从格瑞塔到温敦沼泽的赛马比赛。我决不能让他代我受过。因此，回到我们那个区，我的心情非常沉重。我知道，除了到警察局投案自首，没有别的出路。

我和“日光”经过格瑞塔那座废墟时，已是深夜。那座破 烂的旅馆早已被大火夷为平地。虽然天气并不暖和，但是黑暗中，一股甜腻腻的气味像蜘蛛网一样缠绕着我。死灰的气味早已散尽，只有桉树叶和刚翻起来的泥土的气味弥漫在空气之中。我还闻见迈克尔·奥布雷恩养的那十五口猪散发出来的气味。达纳赫太太刚刚修过回廊，干完活留下的那堆锯末散发出的酸味也扑面而来。没有星星，也没有月亮，半个小时后，我已经走过法特家的牧场。西南风送来一阵绵绵细雨。虽然什么也看不见，但是我听见一只袋狸[1]正用鼻子拱小路旁边的树叶。没有狗的吠叫声，我觉得非常奇怪。

“日光”两次莫名其妙地受到惊吓。我一边安抚它，一边催促它向前。

---

①袋狸：产于澳大利亚及新几内亚，形似鼠，育幼于腹囊。

它不情愿地走着。突然左边一个烟囱冒出许多火星。这时，我才发现离家只有一百码远了。也就在那一瞬间，我看见黑暗中一匹高头大马影子般轻轻晃动着，骑马人穿着白色长裙，原来是母亲正在等我！天知道她怎么能感觉到我正从遥远的天际向她身边走来！起初，我吓了一跳，可是一颗心立刻融入母亲博大的胸怀。我骑马跨过小河，狗还闭着嘴巴没有吠叫。耳边响起母亲熟悉的声音，沙哑中充满了温柔。

“是你吗？”

“是我。”

马嚼子发出哗啦哗啦的响声。天黑得伸手不见五指，我看不见母亲的面容。

她说：“我给你准备了一匹好马，孩子。麻袋里装了一些奶酪和腊肉。”

“警察正在四处找我。”我说。说来也怪，这话一出口，心里轻松了许多。

“有几个傻瓜抢劫了老迈克比恩，”她说，“现在我们这个区的警察像炸了窝的蚂蚁，到处都是。他们驻扎在十五里湾和格瑞塔。每天早晨，太阳还没出来，他们就敲我们家的门。他们在找你表弟汤姆·劳埃德，可是看见谁不顺眼就抓谁。我还听说，他们正在墨尔本周围的深山里找那匹名叫‘日光’的好马。”

“妈，我骑的就是迈克比恩那匹‘日光’。”

母亲半晌说不出话来。

“妈，抢迈克比恩的是哈里·鲍威尔和我。”

“哈里对我说，你在新南威尔士。”

“哈里说的都是谎话，母亲。”

“那你就更应该骑这匹马走了。把迈克比恩这匹马给我，我想办法尽快还给他们。”

“我还有话对你讲，母亲。我回家是要告诉你，是我开枪打了比尔·福罗斯特。我不该打比尔。我非常后悔，不知道说什么才好。”

“哈里说是他打的。”

“哈里是个大骗子。他说的话没有一句是真的。”

母亲好一阵子没有说话。我看不见她脸上的表情，也琢磨不透她心里在想什么。

“马鞍也是抢的？”她问。

“是。那上面有迈克比恩名字的缩写。”

“表呢？但愿不在你的手里。”

“表在哈里手里。”

“你留下马和马鞍，赶快骑上母亲的马到袋熊岭。”

“不，母亲，我不能让汤姆替我顶罪。”

“哦，天哪，内德！你难道认为劳埃德一家真的会为你顶罪吗？”

我翻身下马，把“日光”拴在篱笆上。母亲跟在我身后，走进棚屋。

原先母亲把那两条猎袋鼠犬关在屋子里，免得它们汪汪一叫，把我的行踪暴露给说不定藏在什么地方的侦探。现在两条狗撒着欢跑了出去。进门之后，我一眼就看出母亲非常沮丧。她不愿意让我看出她心中的痛苦，连忙转过身，背对着我站在炉火旁边。

我回家的时候已是夜半时分，可是兄弟姐妹们听到动静，都一个接一个地从帘子后面走了出来。玛吉身上散发着泥土和牛奶的气味，第一个出现在我的面前。她拉着我的手，领我去看刚出生的小妹妹艾伦——比尔·福罗斯特的女儿。桌子上放着的一个装水果的盒子，小东西就在盒子里睡觉。她比一块长方形大面包大不了多少。如果废料能变成黄金的话，她就是其中之一。

母亲知道我难逃惩罚之后，心里充满痛苦，但是她强打精神，让玛吉铺开我们家最好的台布。凯特从床上爬起来之后，她又让她去取平常舍不得使用的那几个柳木盘子，让丹洗干净那脏兮兮的手，剪掉指甲。然后，她点燃四支上好的蜂蜡蜡烛，在每个孩子面前放了一支，就像过圣诞节一样。孩子们打着哈欠，在桌子旁边坐下来。母亲解开麻袋，掏出为我逃跑准备的那些干粮。

玛吉看见给我烙的饼又掏出来摆在桌子上，忍不住流下泪来。格雷斯也抽抽搭搭地哭了起来。凯特看上去好像随时都会加入她们的“大合唱”。我便给他们讲起“日光”的恶作剧和我把它当成袋鼠，差点开枪打死的故事。

凯特和格雷斯很爱听这个故事，吃完葡萄干布丁后便上床睡觉去了。丹说，他不是女孩子，不去睡觉，要为我站岗放哨。可是没过多久，他就耷拉着脑袋，困得睁不开眼睛了。我抱起这个才八岁的小弟弟，把他轻轻放在床上。

詹姆表示，一定把迈克比恩这匹马送到温敦，把它拴到认领栏的栏杆上。我出去和它告别，对“日光”说，我永远不会忘记它，它是我骑过的最勇敢的马。进屋之后，我看见母亲把一个用洁白的薄纸包着的纸包放在桌子中间。起初，我以为那是婴儿的衣服，直到母亲打开纸包后我才认出，那是许久以前谢尔顿先生在埃维内尔送给我的那条绶带。**“送给爱德华·凯利，感谢他的勇敢。谢尔顿全家赠。”**

“戴上它。”母亲说。她目光凶狠，眼睛里充满泪水。我按照她的吩咐，把绶带佩戴在身上，在桌子旁边坐好。母亲在我身边坐下，挽起我的手，轻轻抚摩着我的手腕。就这样，我们静静地等待着残酷的黎明；届时，我们将收获哈里·鲍威尔在这块土地上播下罪恶的种子长成的庄稼。

天亮之后，我被韦兰警长逮捕。他冒着瓢泼大雨把我押解到贝纳拉。对于这股必欲置我于死地的力量有多大，我心中没底。我只知道自己帮助哈里·鲍威尔抢了警察署长朋友的马和表。但是，我对于这个阶级就像对迈克比恩的鹅毛枕头一样一无所知。我像树皮下一条肉滚滚的毛毛虫，不知道笑翠鸟的存在，无法想象它那凶残的喙或者它那愤怒、野蛮的眼睛里暗藏的杀机。

牢房和我以前坐过的那间没有两样。我估计韦兰会像上次那样揍我。事实上，这次更糟。他没收了我的绶带、腰带、鞋带之后，立刻给警察署长斯坦迪什嘀嘀嗒嗒地发电报。眨眼之间，内德·凯利这个名字便在一百英里之外墨尔本的署长办公室里被人们喊来喊去。当天，高级警官尼科尔森和哈瑞便被派往贝纳拉审讯我。高低不平、坑坑洼洼的墨尔本大路上，这两位级别不低的警官坐着马车，飞快地行驶着。他们穿着非常漂亮的制服，与一般警察的区别犹如水和油，粉笔和奶酪，一望便知。驶过大分水岭①的时候，天一直在下雨。两位警官坐在马车里，镶银边的帽子放在膝盖上。我十六岁，对他们的到来毫无准备。

五月十日，星期二，吃了几口面包，喝了点凉水之后，他们便给我戴上手铐，从囚室押解到贝纳拉警察局。看到这两位警官，我非常惊讶。我像闻到一位贵夫人身上的高级香水味儿一样，一下子就感觉到他们拥有的权力。衣冠楚楚、英俊潇洒的哈瑞审问我。矮胖敦实的苏格兰人老尼科尔森站在窗口张望着，似乎对给韦兰警长那匹马锉牙的兽医更感兴趣。

哈瑞肩膀很宽，谈吐优雅。他一本正经地坐在雪松木写字台后面，一双英国人的蓝眼睛瞪着我，一口气说出我和哈里·鲍威尔所犯下的种种罪行，想首先从气势上打垮我。

他问我，还有什么可说的。

我对他说，最好取消对我的表弟汤姆·劳埃德的通缉令。

他用一个很精巧的银子做的小玩意儿清了清烟斗里的烟灰——也许他当过外科医生。他的烟丝装在一个镶着银饰钮的皮荷包里。他说，他肯定要逮捕汤姆·劳埃德，而且如果愿意的话，可以让他一辈子坐牢。他还说，因为我母亲窝藏了汤姆·劳埃德，根据一八六五年颁布的《达菲土地法》，将收回她的土地。

“你没有证据。”我说。

他说，只要愿意，他就可以把我的母亲抓起来，还有我的兄弟、舅舅、表兄弟，他可不在乎我们是不是像兔子一样一窝一窝地繁殖，有多少抓多少，他也有权关押母亲和婴儿。他站起来的时候，你会觉得他像一条绦虫一样

①大分水岭：澳大利亚东部新南威尔士州以北山脉和高原的总称。

在你眼前伸展开来，令人作呕。他有六英尺三英寸高，穿上那双精巧的皮鞋足有六英尺四英寸。

“你们这两个下流胚子，居然打起迈克比恩先生的主意。我会让你们后悔不迭！”他扔下这句话便走了出去。

尼科尔森还在屋子里。他看起来年纪比较大，满脸倦容，态度比那个英国人和蔼得多。他问我母亲有多少英亩地。我很有礼貌地回答了他的问题。他立刻批评起《达菲土地法》，说在这样好的牧场种小麦简直是犯罪。他还问我愿意不愿意去掉手铐。我对他表示感谢。他给我一把椅子，让我坐下，作出一副推心置腹的样子，说哈瑞不是个好东西，我没有必要生他的气。“你应当为保护自己的利益提供点情况，”他说，“说一点儿就够了。我知道，哈里是你的同伙。”

“鲍威尔不是我的同伙，”我说，“他是个该死的杂种。”

“那就更好办了，”他说。

“可我不是一点就着，嘶嘶作响的爆竹，”我说，“我不会出卖任何人。”尼科尔森突然跳起来冲到我面前。我连忙举起拳头保护自己。他猛地回转身来，假装对窗外的景色很感兴趣。我们俩默默地坐着。过了一会儿，他朝我挤挤眼睛。我实在搞不清楚这个老家伙打的什么主意。

“听说你母亲和鲍威尔先生的关系不错，”他终于说。“哈里·鲍威尔是个骗子、贼。我敢向你保证，她再也不会和他见面了。”

他眯细一双惺忪的眼睛看着我。“那么，”他说，“你打算如何否认法庭指控你的那些罪名呢？”

“我已经对韦兰警长坦白交代了所有与我有关的问题。他一一记下，然后我签了名。”

“韦兰警长可是个以丢失文件而闻名的家伙，孩子。”他又朝我挤了挤眼睛。

“他会丢失对汤姆·劳埃德的逮捕令吗？”

“哦，我对此毫不怀疑，”他说，“你只要向我们提供点有价值的线索，他就会‘丢失’小劳埃德的逮捕令。指控你的六条罪状中的第一条也会一笔勾销。你觉得这样做还不公平吗？”于是我向他提供了一点无关紧要的“线索”。下午，他走进我的牢房，当着我的面撕毁了逮捕汤姆的命令。在维多利亚殖民地，法律就是这样执行的。

第二天清早，哈瑞和尼科尔森去找我母亲。她对别人的看法从来都不以为然，可是，正给袋貂开膛破肚的时候被两位警官撞上，她还是十分尴尬。

“我想，现如今，你就是鲍威尔太太，”尼科尔森说，“我们听人家都这样称呼你。”

“那是你听错了。”她把袋貂肉放到冷藏柜里，那是他们目光所不能及的地方。

“这么说，你没和哈里生活在一起？”

“没有。”

“啊，那太遗憾了，”尼科尔森说，“你错过一个发大财的机会。”

“五百。”哈瑞说。

“五镑？”母亲情不自禁地表现出某种程度的兴趣。“你们要给我五镑？”

“是五百英镑，凯利太太。”

“什么条件？”

“介绍我们认识鲍威尔先生。”

哈瑞掏出一份叠得整整齐齐的《警察公报》，递给我的母亲。这个唇边挂着一丝狞笑的家伙明明知道母亲不识字。母亲洗了洗手，接过那张纸。

“哦，上帝帮助我们。”她拿着那张纸直盯盯地看了一会儿，又还给哈瑞。“政府会为那个拖着脚走路的老哈里·鲍威尔给我五百英镑？”

“我无法想象你为什么会拒绝这样一笔巨款？”

“因为你像一堆臭狗屎一样无知。”母亲叫喊着。她的声音那么大，惊醒了小宝宝艾伦。

“凯利太太，家里有孩子，你必须注意自己的形象，想一想会给他们树立什么榜样。”

“我给我的孩子们树立的榜样是，”母亲说，“世界上最卑鄙的事情就是为了钱而出卖别人的性命。快滚！要不然我就放狗咬你们了！我这条护羊狗有个毛病，爱吃马粪。不过我向你们担保，它宁愿咬警察的大屁股。”

哈瑞和尼科尔森又去找杰克·劳埃德姨夫。他前一天刚从监狱里出来。我们虽然不知道他跟这两位警官说了些什么，但是有一点很清楚，那就是他没有让他们滚蛋。

两位高级警官从来没有对我提起过五百英镑的赏金。他们用别的办法引诱我出卖哈里·鲍威尔。他们让迈克比恩到法庭作证。我惊讶地看到这位大牧场主把手放在《圣经》上，信誓旦旦地说，我绝对不是伙同哈里·鲍威尔抢劫他的那个男孩。

尼科尔森说：“你瞧，如果你肯和我们合作，就没有办不到的事情。”

第二天，我又被押上法庭，哈瑞和尼科尔森又玩弄起“司法公正”的把戏。他们横竖有理，最后又撤销了两项对我的指控。

我觉得不说点什么便应付不了那些穷追不舍的家伙，便向他们描述了从大分水岭到塔姆波渡口的情景。我还说，哈里打算从吉普斯兰海岸埃登城逃离这个国家。

他们记下了我的口供。

又过了一天，法院进行司法辩论。具体情况我自然无从得知。最后，治安官对我宣布在押候审，择日移送肯尼顿。可是，警长还给我绶带和腰带的时候，又说要移送墨尔本。他们给了我一个加了咖喱粉的鸡蛋三明治。我在马车里很快就把它吃了个一干二净。哈瑞和尼科尔森一边喝白兰地，一边抽烟。我问他们下一步还会发生什么事情。两个家伙什么也不说。我一直没有在他们面前表现出害怕的样子。

我原以为他们会把我直接送到福兰克林大街墨尔本监狱既潮湿又阴冷

的石头牢房，可结果我被送到图拉克大街一座府邸。天空中弥漫着焚烧枯枝败叶的烟气。尼科尔森推开一扇漂亮的锻铁大门，哈瑞按了一下门铃。一个身穿制服、年轻英俊的警察走了出来，毕恭毕敬的，像个男仆。眼前出现一块很大的土耳其地毯，湛蓝和朱红的图案非常漂亮。我们家没有一个人能想象出世界上还有这样华美的工艺品。我不敢穿着靴子往上踩，还是哈瑞领着我一直走到地毯那头。我们走进一个大厅，那里面有几个身穿黑色长礼服的人正在打台球，他们的礼服上镶着缎带，挂着勋章。我不知道等待我的将是什么。

“这么说，你没抓住那条狐狸，警官？”

“我抓到了这个小崽子，先生。”

“啊，我看到了，”一个高个子先生说。他朝我微微一笑，目光中充满恶毒和敌意。他身材修长，衣冠楚楚，但是尖尖的牙齿歪歪扭扭，就像破旧钢琴的琴键微微泛黄。

“这么说，你就是内德·凯利？”他问。显然他早就知道我是什么人，我觉得没有必要回答。

“犯人必须回答署长的问话！”

“我是内德·凯利，”我说。屋子里变得非常安静。

“你抢了迈克比恩先生的金表？”

“没有。”我说。紧接着，我告诉他，我亲耳听见迈克比恩把手放在《圣经》上发誓，说我没有抢劫过他，我相信像他这样一位德高望重的治安官是不可能作伪证的。

警察署长第一眼看到我就没好气，现在更是气不打一处来。“哦，内德·凯利，”他说，“我想你在十一里湾一定打得一手好球。”他身后那几个人哧哧地笑。我说，没有我不会的游戏。至于台球，任何一个能把飞跑着的兔子打死的男孩，都能手持木棍把那个白球打得团团转。

“无知妄言。”他说。

“不信你可以给我一根木棍试试看。”

“那叫球杆。”

“那就给我一根球杆，看看是谁无知妄言。”

警察署长显然没有想到我会说出这样一番不恭不敬的话来。他扬了扬眉毛，说：“哦，天哪！我们该拿他怎么办？”

“拿鞭子抽他，长官！拿棒子打他！”

“很好，”署长说，“我就让你打一盘台球。你要是赢了，我就撤销所有对你的指控。”

我说，这很公平。署长身后那几个人还在哧哧地笑。他们认为我很愚蠢，没有想到，我也有幽默感。

“你要是输了呢，内德·凯利？”

“我要是输了，就再给我戴上手铐。”

在场的人哄堂大笑。署长并没有因此而感到高兴。“如果你输了，”他说，“就说出哈里·鲍威尔的下落。”

我回答道，我不拿别人的性命做交易。警察署长脸涨得通红，说：“我要狠狠地揍你。”

我说，我不是胆小鬼，如果他愿意，可以一对一比个高低。

他走过来，把脸凑到我的面前，离得那么近，连刚吃过的饭味儿都能闻到。他恶狠狠地说，他真想把我的五脏六腑都打出来，但是身为警察署长，他有自己的尊严，不能和一个罪犯交手。他唾沫星子溅了我一脸，眼里闪着怒火，一望便知，是个外强中干的纸老虎。

这时候，哈瑞警官把刚才在前门看到的那个警察领了进来，宣布他自愿做署长的“替身”。换句话说，这个可怜的警察替长官与我搏斗。那帮人立刻把家具什物推到靠墙的地方，卷起地毯，用粉笔在地板上画了个方形场地。

这个警察比我大六岁，块头很大，手、脚伸出的距离明显占优势。可是他刚走进场地，我就朝他的太阳穴猛击一拳。他的脑袋朝后缩了一下，连我自己都觉得胳膊被这一拳震得生疼。与他的目光相对时，我更清楚地感觉到，他疼得要命。他缩着头，灵巧地拖着步子，可是出手无力。围观的人开始喝倒彩，骂他是个胆小鬼。他生性和蔼，长得也很标致，一看就不是那种打架斗殴的人。当他再次进逼时，我已经进入“伸手可及”之地；像上次打哈里·鲍威尔一样，我朝他的脖子重拳猛击。眼前这位对手踉跄几步，举起手护着刚被打过的地方。我又给了他一拳，他就势倒在地上。围观的那些先生不肯让他罢手。

“起来！起来！打！”

我想尽量让他少受点痛苦，尽快结束这场搏斗，便又向他的太阳穴打了一拳。他倒下来，脑袋重重地撞在踢脚板上，紧紧地闭着眼睛。这次没有人再叫喊着让他起来了。大厅里鸦雀无声，沉闷得让人烦躁不安。你能感觉到那几位先生的尴尬和羞愧。他们有的回转身去喝白兰地，有的突然想起隔壁房间里还有几位漂亮女人等着他们，便匆忙离去。至于我，在他们的眼里不过是一条赢了的狗，不但没有得到任何奖赏，反而立刻被戴上手铐，送到里士满警察局的补给站。这是警察署长的势力范围，他随时可以审问我。

尼科尔森警官让值班警长再给我拿一条毯子。可是他走了以后，我就落到两个爱尔兰警察手里。这两个家伙刀条脸，看起来没听说过我的名字。他们不但没有给我毯子，反而把我推到一个黑暗、潮湿的院子里。我闻到一股草料和马粪味儿，以为他们要把我关在马棚里。

借着马灯的亮光，我看见两间空牢房，不由得舒了一口气。我提醒那两个爱尔兰人给我拿毯子。他们说：“我们不是你的仆人！”说着一把将我推进牢房。牢房里不是泥地，是石头地，散发着一股消毒剂的气味。那熟悉的气味让人很不舒服。过了一会儿，一个看守回来说，没有毯子。因为所有床上用品都送到科博戈消毒去了。我还穿着五天前被捕时穿的斜纹棉布长裤和红衬衫，就像服装店里的木头人体模型，浑身冰凉，冻得牙齿咯咯作响。绿绶带在这儿派不上半点儿用场，更给不了我什么慰藉。

好长时间过去了，门下面的缝隙透进一丝亮光。我大声叫喊着："我冷！我冷！"

无人理睬。

"帮帮我，伙计，不管你是谁。"

"你对圣母玛利亚发誓，决不袭击我。"一个声音说。

"他们答应给我一条毯子。"

"靠后墙站好。"

我以为他们又要打我，浑身的肌肉立刻绷紧，进入临战状态。门开了，白天被我打倒的那个英俊的警察站在面前。他漂亮得像个圣人，四周笼罩着光环，胳膊上搭着好几条毯子。

"你对圣母玛利亚发誓，决不袭击我。"他说。他的脸上留下一片片青紫的伤痕，额头上还有一道口子。

我对圣母发了誓。

"吐两口唾沫。"

我吐了两口唾沫。

"好人儿。"他一边说一边把毯子放到我的床上。我立刻扑了过去。那几条毯子虽然散发着一股浓烈的樟脑味儿，还毛乎乎地扎人，可是紧贴着它们，我感到那么舒服惬意。

"我叫约翰·菲兹帕特里克。"他说。

"内德·凯利。"

"我知道。"他说。他把马灯放在地上，然后小心翼翼地打开包在一个瓶子外面的报纸，拧开瓶盖，一仰脖喝了一大口。然后，他擦了擦瓶口，把瓶子送到我面前。我说，我不喝酒。

"你年纪不小了，喝点酒也说得过去。"

"我不喜欢那种味儿。"

"你可真行！"他把他那宝贝玩意儿轻轻放在床边，然后满脸严肃，抚平那张包酒瓶子的报纸。

“你要是再袭击我，我的差事可就完了。千万别这样！”

“我决不袭击你！”

“吐唾沫。”他说。

我吐了口唾沫。

“吐两次。”

我吐了两次。

“你可真行！”他说，又将那张报纸摆弄了一遍。“我干这差事已经两个月了，当然算不上多好，可是比在埃戈顿山时强多了。我再也受不了那儿的苦日子了。”

他在膝盖上把报纸对折过去，叠成二分之一大小，然后四分之一，八分之一。

“你听说过埃戈顿山吗？”他闷闷不乐地问。

“没有。”

“给你，”他边说边掏出一把刀子，沿折叠好的线裁成小块。我以为这些纸一定和埃戈顿山有关，但我想错了。

“擦屁股用，”他说，“把这些纸穿到那个钉子上面。那样才对。你还能吃点儿公家的肉吗？”

关于埃戈顿山即使他想说点什么，现在也都忘到脑后了。他割断第二个纸包上的绳子，拿出一条烤羊腿。那是警察署长家的美味。他坐在床上，切下一片片粉红色的肉。肉当然是凉的，上面有一层硬硬的油。我寻思，他是我见过的最好的警察，便向他道歉——把他打得鼻青脸肿，心里非常难过。

他说，他从来没有碰到过像我这样厉害的对手。他是次中量级[①]拳击冠军，知道我的打法确实不错。他还说，看到我把斯坦迪什署长搞得那么狼狈，

①次中量级拳击手：体重为63.5到66.5公斤的职业拳击手和体重为66.5到67公斤的业余拳击手。

他很开心。他即使被我打得鼻青脸肿，也愿意看那个老家伙那副气急败坏的样子。

亲爱的女儿，我知道你母亲保存了许多与所谓“凯利的罪行”有关的报纸。如果现在那些报纸还没有被烧掉，你就能找到约翰·菲兹帕特里克的哥哥亚历克斯·菲兹帕特里克的一幅照片。就是这位亚历克斯介绍我识了你的母亲。你从报纸上的照片可以着到，亚历克斯四肢粗壮，大手大脚，可是他的嘴小得像兔子的屁股眼儿。到牢房看我的这个警察性格开朗。他点燃从署长桌子上偷来的一支香烟说，他每天晚上都向上帝祈祷，让他永远离开埃戈顿山。他还对天发誓说，如果我凝视他的那双眼睛，就能看到那个地区可怕的、光秃秃的山岭在他的瞳孔里留下的影像。我当然看不见什么“光秃秃的山岭”，只能看见一个慷慨、善良的年轻人。我只能说，我喜欢他。

我问他，为什么要冒这么大的风险给我送毯子，送吃喝。

“听我说，内德，”他说，“你是个善良、勇敢的男孩。就我所见，你非常正直。可是等这些警官不再需要你的时候，他们就会把你一把捏碎，我觉得这个日子已经为时不远了。”

“你不可能知道这些情况。”

“伙计，明天就是这个日子。我吐口唾沫，对你起誓。”

“你不可能知道。”

“住嘴，住嘴，我吐口唾沫对你发誓。我们这几个警察实际上是署长的仆人，给他们家打杂，侍候他们吃饭，尽管规章制度不允许这样做。可是在殖民地，他们说了算，压根儿就不在乎什么规章制度不规章制度。住嘴，听我说，内德。你和我来墨尔本之前一样，总爱插嘴。要不是我在那些家伙吃饭的时候侍候他们喝酒，我也不会有什么消息。你知道，署长和光屁股女人在一起喝酒，每个女人坐一把椅子。”

“不会吧！”

“我向你发誓，我说的都是实话。你压根儿就不知道那些家伙是些什么玩意儿。”

“一丝不挂？”

正在这时，我听见有人咳嗽。

他压低嗓门儿说，旁边那间牢房里一定也关着囚犯。可我知道那间牢房没人。“住嘴。”他连忙说，一边把那条羊腿包好。

他捏了一下我的胳膊。突然之间，我觉得他又变成一个比我大六岁的血气方刚的汉子，而不是那个被我轻而易举打倒的窝囊废。他把嘴贴近我的耳朵，说：“等他们用不着装模作样的时候，你就会看到他们的真正面目了。”

我不由得往后缩了缩。“住嘴，”他一边说一边又把我拉到他的身旁。“他们将宣布你母亲是‘不适合租种土地的人’，然后收回租约。他们想把你们家从这个地区赶出去。这些话都是他们说的，正好被我听到。内德，你也许不相信我的话。可我不是骗子。”

他不是骗子，可眼下我还弄不明白他是朋友还是敌人。

“后天，哈里·鲍威尔将被人出卖。”

“这可是你说的。”

“听我说，这是真的，没错儿！他们答应给一个名叫杰克·劳埃德的人五百英镑赏金。那个人已经上钩了。他们很快就会抓到哈里·鲍威尔，把他关进监狱。你本来也能得到赏金。他们并不想让你作证，只是想让你帮他们抓到哈里。”他提起瓶子和马灯。“把瓶子从那个小窗口递给我。”

牢房里一片漆黑，我把瓶子从小窗口递了出去。

“我不是骗子。”他说。他走了，留下几条毯子和一股酒味儿。

“令人难以置信的墨尔本。”报纸上经常这样说。

我们爱尔兰人历来最鄙视叛徒。我很小的时候，人们就极力让我痛恨父亲，因为他们说，父亲是“那种人”。

在贝弗里奇天主教学校里，我们对叛徒的了解远比对圣人的了解多。

五岁时，我就能背出一大串“叛徒”的名字：约翰·冈凯因、爱德华·艾比，甚至还有可怜的安东尼·佩里。英国人用沥青和火药点着他的脑袋，他终于出卖了造反者。我还知道铁匠汤姆·默里和欧文·芬的英名。他们遭受非人的折磨，痛苦的叫喊声全城都能听到，但始终没有出卖起义造反的弟兄。

虽然哈里·鲍威尔对我的态度恶劣，但我并不想出卖他。在里士满看守所的漫漫长夜，我一直在想，因为拒绝向警方提供捉拿哈里·鲍威尔的线索，我一定会和他一起受到严厉的惩罚。可是寒冷的黎明降临之后，没有人来找我的麻烦。我暂且松了一口气，顾不上想其中的蹊跷，也没有为此而惶恐不安。

两天之后，我被送回贝纳拉，对我的指控全部撤销了。承蒙英国女王“恩准”，我又可以自由地行走在通往我们那块土地的小路上。雨雾蒙蒙，寒风刺骨，那条路总共有十三英里。我坐了三个星期的监狱，可是母亲看到我回来，没有表现出一丝一毫的高兴。她正手持漏勺撇出深平底锅上面那层鲜黄的奶油，倒进一个棕色小碗里。

我问她怎么了？我身上有味儿？

她没说有，也没说没有。我只好推开门，走到游廊。玛吉正从奶牛场往回走。我朝她招手，她却假装没有看见，翻身上马，径直向秃山奔去。

游廊里放着许多工具，包括我那把大锤。大锤的锤柄十分光滑，我像熟悉自己的皮肤一样熟悉它。我还找到装楔子的帆布口袋，它吊在房顶上。我知道有许多活儿等着我，便带着这些东西向牛栏后面走去。不出所料，因为懒惰和疏忽，这里杂草丛生，没过了放在地上的原木。

不一会儿，我就听见蹄声嘚嘚，由远而近。是九岁的丹和十一岁的詹姆回家了。我虽然站在一片没遮没拦的开阔地，他们俩却视而不见。我恍然大悟，家里人一定认为我做了什么大逆不道的错事，所以才这样躲着我。我从杂草丛中推出一根原木，把一个只有一英寸长的楔子砸了进去，砸得十分到位。

过了一会儿，詹姆一个人扛着爸爸那把六磅重的大锤子走了过来。我往后退了几步，好让他把楔子砸进去。

“我不想责备你，内德。谁也不该责备你。”

“为什么要责备我？”

我从他那双乌黑的眼睛里看出，他非常激动。

“你自己知道。”

“我什么也不知道。”

“我们知道，你出卖了哈里·鲍威尔。”

直到此刻，我才听说，鲍威尔终于落入法网。他是被老尼科尔森在奎恩家那边的藏身之地捕获的。

“人们说，你被抓到了墨尔本，内德。”

“没错儿。可我从来没有出卖过老哈里。”

“他们说你被带到警察署长那儿好一顿审问，后来你就带着警察抓哈里去了。”

“这是谎话！”

“凯特姨妈事先就知道要发生什么事情，她特意跑来告诉我们你的打算。她说，他们要放你，条件是带警察去抓哈里。后来哈里被捕，你也果然像她说的那样被他们释放回家了。”听到这儿，我拔腿就跑。刚刚踏上门廊，我就朝母亲大声喊：她应该责备她的妹妹，而不是儿子。母亲根本不听我解释，甚至连看都不看我一眼。

“你的妹妹凯特是个该死的骗子。是她把哈里出卖给警察，不是我！”

母亲抡圆了胳膊，使劲扇了我一个耳光。我不由得倒退了几步。“滚！”她叫喊着，“滚出去！我不想见到你！”

我退到门廊，她还步步紧逼。

“犹大！”她叫喊着。

“犹大？”我随手拿起一把铁锹。

“是的，你就是出卖耶稣的犹大！”

第六章 哈利·鲍威尔被捕引发的事件

共十二页（大约 8.5 英寸 ×9.5 英寸）实际上是六个拆开的信封。邮票已经撕掉。信封上收信人的地址是：维多利亚殖民地，格瑞塔，M. 斯凯林太太。字迹娟秀，显然不是出自凯利之手。

人们普遍相信凯利出卖了哈里·鲍威尔。这件事在他们这个大家庭引起冲突。他承认曾经诱使帕特·奎恩、吉米·奎恩舅舅和警察霍尔打架，结果给帕特·奎恩造成很大的损害。和警察霍尔的争吵。作者给迈克科米克先生和迈克科米克太太送去一个字条和包裹，被指控侮辱了这对夫妇。霍尔将其逮捕，判刑三年。

这是我听到过的最恶毒的咒骂。“站住！”我叫喊着，“不要再往前走一步！”她怒气未消，我紧紧地握着铁锹。那是她最喜欢的武器。我不止一次看见母亲威风凛凛地挥舞着它，打退来犯之敌。我像一匹野马一样浑身颤抖着，无法理解母亲怎么能相信妹妹，却不相信自己的儿子。

“出卖哈里的是杰克·劳埃德姨夫！”我大声说，“我可以对天起誓！”

母亲摇了摇头。她的不信任像一股风，呼地一下吹旺我心中那团怒火。我举起铲子，用尽平生力气，向墙壁砍去，红色的桉木柄断成两截。我捡起那两截木棍，每一根都像锋利的矛，又像铁轨下面坚硬的枕木，闪着暗红的光。

“你真该死！”我对母亲说。

格雷斯哭喊着，抱住我的腰。“别伤着母亲！”

“劳埃德出卖了哈里，得到五百英镑的赏金！”

“哦，天哪！”母亲一屁股坐在台阶上，用手捂着嘴。谢天谢地，她知道警察局悬赏的金额。

我从格雷斯手里挣脱出来，拿起大锤去干活儿。但是再苦、再累的活儿也无法平息我心头的怒火，恰恰相反，我越想越生气，母亲居然这样看待我。我双手颤抖，一颗心像煎锅上的熏肉片一般痛苦地跳动。我砍倒的这些树木已经在露天里躺了一年，尽管树皮又湿又滑，但里面已经干透，纹理也很清晰。整整一下午，我都没有吃东西，饿得要命。

但是，我更渴望的不是食物，而是希望你的祖母能为她的不公正向我道歉。直到傍晚，母亲才来看我，夸奖我栏杆做得不错。

“你是个好孩子，”她说。我们并肩坐着，眺望冬天寒风习习、绿草萋萋的牧场。奶牛在篱笆旁边挤作一团，因为没人挤奶，乳房憋得难受。

母亲相信我不是叛徒。但是在众多的兄弟姐妹中，她势单力薄。心怀鬼胎的凯特·劳埃德当然也知道事实真相。不过正是她和她的丈夫杰克不遗余力地散布谣言。很快，我便成了姨妈、舅舅们的眼中钉。而最恨我的是吉米·奎恩舅舅和帕特·奎恩舅舅。他们坚持要用鞭子抽我。

亲爱的女儿，请你理解，我为什么把你这几位了不起的舅舅说得很坏。他们粗野，经常喝得酩酊大醉。他们偷鸡摸狗、打架斗殴，经常恶毒地咒骂我。但你也必须记住，你的祖先从来不向任何人低头。而在我们这个殖民地，统治者最大的嗜好就是让穷人跪在地上任他们宰割。这样一来，你这几个舅舅的“宁折不弯”的品质便成了十分罕见的品德。

假如我是个儿孙绕膝、脑满肠肥的牧场主，我就会有时间给你讲讲奎恩一家那些让人心酸的故事，讲讲他们的出生和婚姻。都柏林人帕特坐在母亲没有执照、非法经营的小酒店里拉着手风琴，吉米舅舅伴着琴声歌唱，他的嗓子非常好。他唱 Shan Van Voght[1]时，会让你伤心落泪。就是这个恶

① Shan Van Voght 是一首歌，被认为是爱尔兰的《马赛曲》。

毒咒骂我是叛徒的人，在我童年时对我非常好。

不过，关于他们的故事，还是留待以后风和日丽时再讲。眼下月黑风高，吉米和帕特认为自己的亲戚出卖了大名鼎鼎的哈里·鲍威尔，羞愧得无地自容，便开始没完没了地折磨我。不管什么礼教习俗，都认为罪犯的马油光水滑，而且是黑色的。他们都是盗匪之王，或者自认为是。吉米的个子比较高，长得也英俊，眼窝很深，喜欢眯缝着眼睛看人。帕特没那么潇洒，连鬓胡子像一团乱草，嘴唇很薄。这两个人经常坐在奥布雷恩旅馆的门廊下，看见我骑着马从门前走过，就开始叫喊："内德·凯利是个不要脸、说谎话的叛徒。应该用铁丝网把他裹起来，扔到温敦沼泽。"

直到哈里被捕，我在这个地区名声一直很好。可是现在，人们一见我，就赶快躲到大街对面，更没有人雇我干活儿。家里一天到晚静悄悄的，谁也不来母亲那个小酒店喝酒，也没有亲戚来看看我们怎样苦熬这一段穷日子。我在无声的痛苦中煎熬，连压低嗓门儿对谁诉说我所谓罪行的机会都没有。我那么孤独，便给警察菲兹帕特里克写了一封感谢信。我感谢他送给我毯子和羊肉，还向他抱怨：不是警察，而是家里人因为我拒绝那笔赏金惩罚我。

没有地址，我就去柯里维斯大街新建的警察局打听。在那儿，我见到警察霍尔。霍尔是个胖子，十六英石重，他坐在办公桌后面，像我一样是个不受欢迎的人。他在一个公用信封上写下菲兹帕特里克的地址，把我写的信装在里面封好。他可以免费邮寄。

他说，听人说我在找工作。

我说，没人雇我，连掏厕所也没人要。

"哦，我想，我们可以想想办法，"他说。他雇我给马场建一个围栏，每天的工钱是五先令。这个报酬还算优厚。

给警察干活，拿警察局的工钱，我自然罪加一等，成了被人唾骂的对象。不过想到在大伙儿的眼里，我早就是个可耻的叛徒，名声不会因此更臭多少，我便破罐子破摔，随它去了。可我又想错了。我去警察局干活那天，正巧哈里·鲍威尔被判了十五年苦役。消息传开后，我又一次成为众矢之的。

星期一下午，狂风大作，天阴得像寡妇丧服上滴下来的黑水。帕特·奎恩和吉米·奎恩身穿棕色大衣，帽子低低地压着眉毛，又出现在柯里维斯大街上。他们俩一肚子坏水，专门来找茬儿。起初，他们没有到篱笆这边，而是坐在马背上看我干活儿。下雨之后，他们转身向小酒店走去。我希望事情到此为止，可是几个小时之后，他们又骑着马来了，在柯里维斯大街上跑来跑去。这叫在"公共场所纵马驰骋"，是一种违反治安条例的行为。十六英石重的警察霍尔站在门廊下眼巴巴地看着，后来似乎突然想起有紧急公务要办，匆匆忙忙进屋了。

看见警察不敢管他们，吉米和帕特抬起门口的栏杆，从容不迫地走进警察局关马的围栏。我正用凿子开榫眼，他们像等待着将猎物杀死的楔尾雕一样，向我包围过来。

我无法相信霍尔能容忍这种对警方公然蔑视的行为，可是警察局里确实没有动静。吉米和帕特的胆子越来越大，包围圈越来越小。他们奚落我是叛徒、奸细。帕特说，作为惩罚，我必须到酒馆接受鞭打，休想逃脱。任何一个嫁给酒鬼的可怜的女人都会知道，这两个步步紧逼的家伙给我年轻的心带来怎样不祥的预感。不是对疼痛的恐惧，而是无法进行自卫的无奈，让我一时间手足无措。不一会儿，警察阿切迪肯巡逻回来，看见我这两个舅舅，什么话也没说，一边抬起门口的栏杆，一边从枪套子里拔出手枪。两个舅舅也没有说话，从他身边傲气十足地走过，又回到小酒店去了。

风平浪静之后，警察霍尔才走出来付给我工钱。他浑身酒气，连应该付我多少钱都算不清楚。

他问我，是不是要到奥克斯莱饭店跳舞。

我说，我得去奥布雷恩酒馆和帕特·奎恩、吉米·奎恩打架，因为他们恶毒地污蔑我。

霍尔拉下百叶窗，安坐在办公室里，一直边吃饼干边喝酒，现在还昏昏沉沉，无精打采的。可是听说我要和奎恩兄弟打架，他立刻像变了一个人似的精神起来。

“不行，”他大声说，“这不公平！”

暮色中，他那双湿漉漉的眼睛闪闪发光。这天下午，因为害怕，他一直把自己关在办公室里。他心里那种感觉我完全可以想象出来。他不止一次跑到门口，心痒难耐，却不敢面对奎恩兄弟的挑战。

“哦，内德！”霍尔叫喊着，“我们不能让这种事情发生。”

我知道他是个骗子，看风使舵是他的拿手好戏。可是他说的这话，我爱听，而且相信了他。

他说：“警察阿切迪肯回来了，这样我们就有两个人了。如果他们敢动你一个指头，我们就逮捕他们。我向你保证，一定！”

我知道，他在酒馆没法儿抓他们，那一帮人不会轻易让他们得手。他和我想的一样，便说：“你得先做点儿什么，下面的事情就好办了。”

“我不是已经做了吗？”

“你先激怒他们，然后就往这儿跑。我对你没有别的要求。奎恩兄弟横行霸道，这回可要兵败滑铁卢了。”霍尔以前对待我就像对待他的仆人一样，现在却拿起我的斧子，把我送到门廊下面。

“阿切迪肯！”他叫喊着。

他对我说：“哦，我们要好好教训教训这两个小子，内德。决不允许他们侮辱了女王，然后拍拍屁股走人。”

他回办公室为这次行动做准备去了。我骑着马，沿着坑坑洼洼、积满雨水的黄土路向奥布雷恩酒馆走去。天黑了，酒馆门前挂着一排防风灯。我一眼看见吉米舅舅和帕特舅舅站在路边和一个名叫肯尼的家伙喝酒。我骑着马径直向吉米冲过去，猛一转身，使劲给了他一拳。他没有倒下，只是打了一个趔趄，手里的啤酒瓶子掉在地上。

“以耶稣的名义，你为什么打我？”

“想想看，为什么不该打你？”

吉米扑过来，把我从马背上一把拉下来。但我从他手里挣脱，又跃上了马背。肯尼抓住马笼头，我朝他的耳朵踢了一脚，然后放开缰绳，向警察局驰去。

肯尼和两个舅舅拼命追赶，叫骂着要揪下我的蛋，要拿我的肠子作袜带。我翻身下马，跑进警察局。霍尔和阿切迪肯并肩站在院子里，拇指插在腰带里。

“跑，”霍尔说，“往里面跑！”

我按照他的命令向里面跑去，可是不想错过这场好戏，我又跑到前面的门廊观战。警察霍尔已经把吉米从马背上拉下来，要给他戴手铐，两个人扭作一团。帕特向霍尔冲过去，像挥舞狼牙棒一样挥舞着刚刚解下来的一个马镫。我大喊一声，但是为时已晚，马镫打在霍尔的脑袋上。他像屠场上一头被宰杀的小公牛，重重地倒在地上。阿切迪肯试图尽快铐住吉米，帕特又挥舞着马镫向他冲了过来。

“砸烂他的狗头！”吉米叫喊着。

我跑到帕特身后，马镫在我耳边飕飕地响着。

霍尔挣扎着从地上爬起来，对阿切迪肯喊道：“放他们走！让那两个家伙滚蛋！”他边喊边抓着衬衫领子把我揪回来。于是，我们三个人都退到里面。这时，警察局门前吵吵嚷嚷，挤满看热闹的人。两个警察手忙脚乱地找子弹和火药。鲜血顺着霍尔那张胖脸流下，滴在地板上。等他们找到钥匙，打开放弹药的柜子时，两个舅舅和他们的朋友肯尼已经跑了。

“没关系，让他跑吧，”霍尔说，“这次他们可是大罪在身，插翅难逃了。”

星期二，吉米和帕特被带进贝纳拉法庭。那是一座散发着霉味儿的红砖房子。我被传唤到庭作证。母亲也来看我怎么当这个证人。她左面坐着焦急不安的玛格丽特——“都柏林人”帕特的妻子，右面坐着叛徒杰克·劳埃德的妻子——脾气暴躁的凯特。血浓于水，该我作证的时候，我觉得自己无论如何也不能把家人出卖给警察，即使这两个杂种罪有应得。于是，我对法官说，是警察霍尔要我去挑逗奎恩兄弟，以此为由逮捕他们。我以为这样一来就可以撤销对他们的指控。

可是法官一口咬定我作伪证，还威胁要把我抓起来。他说，舅舅帕特是个蓄意杀人的蠢猪，罪不容赦，必须绳之以法，给他一个教训。

凯特姨妈站起来，大叫着说，这场打斗是警察挑起来的。“住口！”法官说，“不然我连你也一起送到佩恩特里奇监狱！”

她坐下之后，法官宣布：因为打破霍尔的脑袋，判处帕特·奎恩有期徒刑三年。听到宣判，玛格丽特放声大哭。凯特姨妈又站了起来，但是不等她开口说话，法官便宣布：判处她的弟弟吉米三个月的监禁。

阿拉代尔大街上，人们见了我便四散而去，连母亲也从我的眼前消失得无影无踪。最后，只有警察霍尔与我为伴。我说，对不起，为了家里人，我不得不出卖你。

他笑着拍了拍我的肩膀。后来我才意识到，因为这件事，朋友和家里人越来越恨我。他压低嗓门儿悄悄地说，没关系，换了他也一样。可是这一年还没有过完，他就将把我送进了佩恩特里奇监狱。

就这样，我们家的日子越来越艰难。听到由远而近的蹄声，母亲不再满怀期望地抬起头，向那条雾霭笼罩的小路张望。过去，比尔·福罗斯特、吉米·奎恩或者哈里·鲍威尔会出现在这条小路上，有时候会给她带来一条蓝颜色的新裙子，有 时候口袋里揣着被啤酒浸湿的钱。过了午夜，两三点钟的时候，我不会再被跳舞声、风笛声吵醒，也听不到身穿油布雨衣、喝得烂醉的男人们在黑暗中夸赞自己坐骑的声音。劳埃德家的人不再来看我们。土地没有收成，钱包空空如也。许多个夜晚，我们饿着肚子，坐在炉火旁边，除了我打回来的猎物，再也没有什么可吃的东西。母亲又像父亲坐监狱时那样，给我们讲故事消磨时间。

我已经开始留胡子了，但还是爱听康纳尔王、代德瑞乌、梅布德和库丘林的故事。库丘林的战车安装着许多置敌人于死地的武器，还有能折断敌人的长矛、箭杆的装置。我多么希望也有这样一辆既能保护自己又能与这个充满邪恶的世界相抗争的战车啊。母亲讲这些故事的时候，眼睛里映着火光。小小的棚屋里，我们几个孩子都全神贯注地听着，心激烈地跳动着。我们从来没有这样快乐过。

一天早晨，我从棚屋窗户望出去，看见一个个子矮小的、穿着一双粘满泥巴的橡胶靴子的人沿着门前那条小路向我们这边走来。他大约五英尺，矮妖精[①]也比他高。可是他的肩膀很宽，额头也很高，留着铲形胡须。他虽然步履蹒跚，但你知道，用这种步态走一百英里也不成问题。他使劲跺着两只脚，把橡胶靴上的黄泥巴弄掉。这时，我才认出，来人是本·戈尔德。他是个小贩，手上有个烙印——字母T。大车上装着一匹匹布、裙子、帽子，从六码到十二码的带松紧口的靴子。现在，大车陷在我们家的地里，动弹不得。他问我能不能让车先停在这儿，等地干了之后，再把它拖出来。在此期间，停一天他就给我们六便士。危难之际，这可是不小的一笔收入！

刚拿到第一笔钱，我们就让詹姆到格瑞塔买回一磅砂糖。或许你觉得奇怪，为什么糖成了最当紧的东西？是的，在我们的生活中，糖确实至关重要。但愿你永远不要过没有糖的日子。看见糖，我们总是欢呼雀跃。这次也不例外。戈尔德人很好，很滑稽。他带来眼下我们最需要的活力和热情。他眼角布满皱纹，一笑就闭上双眼。

如果对本·戈尔德深入研究的话，就能看到，在他的灵魂深处埋藏着我们早已熟悉的那种狂暴。尽管他不是爱尔兰人，但是心中同样燃烧着英国政府在穷人心里一手点燃的愤怒之火。戴着镣铐被流放的穷人越多，火焰越旺。

第一天晚上，他就显得特别随和，对我格外友好。但是最让我兴奋、甚至不可思议的是，他又一次把母亲逗得笑出了眼泪。就连丹也一改平日里那副一本正经的样子，脸盘儿仿佛圆了许多。詹姆眉头舒展，唇边挂着微笑。被支气管炎折磨的小凯特也从帘子后面的小床上爬起来，亲昵地偎依在我的怀里，将小脑袋贴在我的胸口。

---

①矮妖精：爱尔兰民间传说中的妖精，将其捉住后，可令其指点宝藏所在。

第二天早晨，乌云散尽，阳光明媚，满眼碧绿的大地像蒸笼一样，蒸腾起团团水雾。我被本·戈尔德的笑声吵醒。他站在门廊，身穿汗衫、背带裤，破袜子露出了脚趾。

“起床，”他大声喊着。“起床！”

我还没有生火，当然也没有开水。母亲心情很好，已经起床了。孩子们也都叽里咕噜爬了起来。

“起来，你们这些小凯利！”

我走了出去，看见弟弟妹妹们身穿睡袍冷得瑟瑟发抖。他们都伸长脖子，透过蒙蒙水雾，看那条泥泞的小路上发生了什么有趣的事情。篱笆那边，有一匹筋疲力尽、脊背凹陷、生着疥癣的老母马。这匹马大约五岁，一匹年轻的骟马正在挑逗它。母马一扫龙钟的老态，十分轻快地跳来跳去，好像它是世界上最风流俊俏的马儿。

“你们瞧，”戈尔德说，“那是老迈克科米克家拉车的马。我认识它。”

我们从来没有听说过迈克科米克这个人，可是很快就弄清楚了，他和他的老婆跟戈尔德先生一样，也是小贩。

“那匹糟糕透顶的母马，”本·戈尔德说，“真是应了一句老话——‘马如其人’，我是指像迈克科米克的老婆。”

我知道，我该赶快去生火，可是本·戈尔德脸上的表情发生了变化。我等待着，想看个究竟。

“迈克科米克在范迪门地当过看守。”他说。

他的意思是，迈克科米克曾经在范迪门地野蛮凶残的监狱里当过狱卒。他说，迈克科米克太太是德文特人，那时候是迈克科米克管的犯人。

他转过脸看着我，说：“小伙子，你最好赶快把这匹马送回去，要不然他们会让警察阿切迪肯找到这儿，诬赖这匹马是你们偷的。”

我说警察还算了解我，不会相信我能偷这样一匹半死不活、浑身疥癣的老马。

“别总和我争论，小伙子，赶快把这匹该死的马送到城里。迈克科米克就住在那儿。你很容易就能找到他们那辆马车，车上写着他的名字。”

“他不能去。”母亲说。

“是吗？”

“让詹姆去，”母亲说，“眼下，内德离格瑞塔越远越好。”

“啊，我明白了。”他说。他把我上上下下打量了好一阵子，看得我很不自在。

詹姆骑着那匹马到城里去了。母亲和格雷斯在挤奶，我生好火，好让玛吉做早饭。第一张饼还没有烙好，我就听见两个骑马人溅着水花，冲过河湾，气咻咻地向我们家驰来。快到棚屋门口的时候，他们像歌中唱的骑兵那样，翻身下马。

是迈克科米克夫妇!

戈尔德先生一个箭步跨过去，挡住他们的去路。他矮小但很壮实，堵在门口，大有一夫当关万夫莫开的气势。我在他的身后站着。

“很好，你把马还给了我，”男人说。他是个个子细长的爱尔兰人，一双眼睛充满责备，嘴巴小得像鱼屁眼儿。

本·戈尔德说，我们家的人的确很好。他慢慢地向前逼进，使迈克科米克夫妇一直退到泥泞之中。

“你是用过之后，才把它还给我们的！”迈克科米克的老婆大声叫喊着。

“没有人用过你那匹该死的马！”戈尔德说。“那孩子一个子儿也没要，专程把马给你们送回去，你们居然忍心让他步行回来。这倒给他上了一课——好心未必就有好报。”

“你用过那匹马，”迈克科米克太太说。她很年轻，细小的牙齿像墨累河鲈鱼的牙齿。“你用过，别转移话题。”

“我为什么要用你的马呢？不管好坏，我们这儿至少还有二十匹马呢！”

“鲈鱼牙”转过脸看着我：“我们知道你是什么人。”

“太太，我可从来没有见过你。”

“你是哈里·鲍威尔的同伙，你出卖了他。从这儿到瓦加拉塔，没有人不知道你是个贼。你用了我的马，你这个该死的无赖！”

本·戈尔德取下挂在门口的牛鞭[①]。“好了，”他说，“真是太不像话了！请你们赶快离开这里！”

“偏不！”迈克科米克太太大声叫喊着。

戈尔德一下子变了个人，布满鱼尾纹的眼睛睁得老大，冷冷地、直瞪瞪地看着迈克科米克夫妇，将牛鞭的鞭梢顺着那条小路铺展开来。“当心我揍扁你们！”他叫喊着。话音刚落，他飞身跃起，随着一声脆响，鞭子的皮条呼啸着，掠过屋顶。小石子儿、碎木片雨点般落在旁边的鸡舍上。一群鸡拍打着翅膀，咯咯咯地叫着，羽毛满天飞。

“我们不走！”迈克科米克太太说。丈夫比她理智一些，他拽着她的胳膊把她拉到他们的坐骑跟前，两个人翻身上马，跑开了。

弟弟妹妹们觉得挺好玩儿，可是迈克科米克夫妇似乎在戈尔德的心里激起阵阵波澜。他在门廊里踱来踱去，嘴里不停地嘟囔着，咒骂着。过了一会儿，他包了一对小牛犊的睾丸，还写了一张字条，意思是，迈克科米克与他老婆性交之前，应该先把这两个牛蛋绑在自己身上。

“拿着这个，”他说，“替我送到城里。”

我曾经答应过母亲，不到格瑞塔冒险。可是这一次我还是去了那个是非之地。迈克科米克不在他们的住处，我便把这份“礼物”留下来，放在他们能够找到的地方。

这里有几座地势平坦、温馨安谧的牧场，主人正派、体面，住在安装着风雨板的农舍里。其中一家的主人达那何太太是个年长的爱尔兰妇人。她喊我，说要给我母亲捎个话儿。我便进屋和达那何太太坐了一会儿，喝了一杯很浓的红茶，吃了一块略带苦味儿的糕饼。

我要骑马回家的时候，那两个德文特人正好站在奥布雷恩旅馆门廊下

---

①牛鞭：旧时赶牛人用的鞭子，辫索长达 15~25 英尺。

面。

“我们要去告你。”迈克科米克叫喊着。

他和一群酒鬼站在一起，胆子壮了许多。

“为那包该死的东西，我们要让法院传唤你！”

我毫不示弱，大声说，如果愿意，我也可以让法院传唤他，因为他造谣生事，恶意污蔑别人。我还说，戈尔德和我都没有偷他那匹母马。

这时，迈克科米克太太手里挥舞着从地上捡来的一根牛腿骨，冲下台阶。迈克科米克先生紧随其后，叫骂着，说我在这个区臭名远扬，还说我是藏在母亲裙子里的胆小鬼。

我忍无可忍，翻身下马。迈克科米克太太用手里的牛腿骨使劲打了一下马肚子。马猛地朝前蹿去。我手握缰绳，被它带着打了个趔趄，一只拳头正好撞在迈克科米克先生的鼻梁上。他失去平衡，跌了个马趴。我拴好马，正准备结束战斗，警察霍尔就像从蜘蛛网中心爬下来的一只亮闪闪的老蜘蛛，从酒店走了出来。

他问我为什么吵闹。我说，他们造谣惑众，侮辱我。

迈克科米克夫妇拿出戈尔德让我送来的“礼物”，霍尔警察打开纸包，看见那两个牛蛋，读了那张纸条，脸上现出我永远不会忘记的微笑。“这是你写的吗？”他问。我不能出卖本·戈尔德，只好什么也不说。

我立刻被捕，关在格瑞塔拘留所里，没有面包也没有水。第二天，我被送上法庭。杰克·劳埃德出庭作证说，他亲眼看见我骑马撞倒迈克科米克先生。就这样，我的姨夫——曾经出卖哈里·鲍威尔的叛徒——为吉米·奎恩和帕特·奎恩报了仇。他们始终认为，是我把这两个人送进了监狱。

我因为打了迈克科米克先生，被判三个月的监禁，牛蛋的事儿判三个月，为维护治安，合并执行一年。从人头攒动的法庭望过去，我看见母亲那双悲伤的眼睛。她比我更清楚等待我的将是什么。

我出狱的时候已经十七岁，六英尺二英寸高，膀大腰圆，两只拳头像我们在比屈沃思监狱的大墙里抡着干活儿的铁锤一样结实。我留着大胡子，已经不再是少年人了，尽管说实话，我压根儿就不曾有过童年和青年时代。即使真有那么一点儿可以称之为“童年”“青年”的东西，它们也终于像脂肪和骨髓一样，在监狱那口“炼油的大锅里”彻底熬干了。

三月里一个阳光明媚的早晨，我被释放之后，来到福特大街。没有马，我得步行回到十一里湾。可是法院命令我先到格瑞塔警察局报到。这样一来，我必须再一次面对警察霍尔。走进警察局，我看见他正在大嚼加了咖喱粉的鸡蛋三明治，桌子上乱扔着一些切成小块的莴笋。

“我能为你做点什么呀？”他终于抬起头。

“我是来你这儿报到的。”我说。

“你是谁呀？你不是在自个儿家里吗？”

这时，我才明白，监狱使我发生了多么大的变化。连曾经逮捕我的警察，也认不出眼前这个成年人，就是当年被他抓走的那个小伙子。

“我是内德·凯利。”

他胡子上粘着莴笋叶，苍蝇在肮脏的桌子上爬来爬去。我心里想，自己怎么那么傻，曾经相信这样一个无耻的家伙。他说：如果我认为已经逃脱惩罚的话，那可就太愚蠢了。他保证，一有机会就会再把我送进监狱。

“说完了？”

“是的，你可以走了。”

我下决心以后尽量躲他远点儿。我沿着小路向母亲租的那块薄田走去。没多久，我碰到姐夫亚历克斯·冈的朋友“野人”赖特。“野人”有一匹非常漂亮的栗色母马，白脸，秃尾，马身上烙着一个显眼的印记M，清晰得就像钟楼上大钟的指针。没过几天，这匹马突然丢了。我跟他花了整整一天的时间也没有找到。后来，“野人”说，他想借我们家那匹马用一下。如果他那匹马找到了，可以先寄养在我这儿，等他什么时候过来，再换走。他一直没有告诉我，说那匹马是别人的财产。

时隔不久，我去瓦加拉塔，在路边看见他那匹马，便把它捉住了。几天之后，我骑着这匹马到格瑞塔，恰巧被警察霍尔看见。他朝我大声叫喊着，说有几份与我的保释金有关的文书需要我签字。我翻身下马时，被这个大笨蛋一把抓住。他想把我摔倒，不成想脚下一滑，自个儿摔倒了。我本该一脚踩住他的脖子，夺过他手里那支左轮手枪，可我没夺，而是径直去抓那匹撒开四蹄向远处飞奔而去的母马。

霍尔举起手枪，抠了好几下扳机，可是这支"科尔特"发火装置失灵，没有打出子弹。听到噼噼啪啪扣扳机的声音，我想这一次必死无疑。我直挺挺地站着，直到霍尔走到面前，手枪在他手里不停地颤抖。我怕他再扣扳机，便一个箭步冲过去，一只手抓住左轮手枪，一只手揪住他的衣领。

直到这时，他才叫喊着说，那匹马是我偷来的。他说，我犯了盗马罪，所以要逮捕我。我不相信他的话，把他摔倒在地，让他吃了一嘴土。我本来还可以把他收拾得更狠一点，但是生怕再犯扰乱治安罪，没敢下手。霍尔手里还握着枪，但我在比屈沃思监狱学会了几手防身术，所以我紧紧地抱住他，在地上打滚。就这样我们一直扭打到奥布雷恩太太在旅馆外面用树枝扎起的那道篱笆旁边。我把这个块头很大、胆子很小的警察猛地推到篱笆上，朝他的肚子打了一拳，然后骑在他的身上，刺马针紧紧抵在他的大腿上。他像一头被几条狗咬住的牛犊一样号叫着。我把他的两只胳膊扭到脖颈后面，想夺过手枪，可是他紧抓不放，就像无情的死神抓住一个被索命而去的死鬼。

他叫喊着，让围观的人帮他。我因为"戴罪在身"，不敢打他们中的任何一个人。他们用绳子捆绑我的手和脚，胆小鬼霍尔举起那把可以装六发子弹的左轮手枪，朝我的脑袋砸了下去。

母亲和妹妹玛吉四处找我。来到柯里维斯大街之后，她们顺着血迹，一直找到兵营，因为兵营亮光闪闪的门柱上也粘着我的鲜血。那天夜里，哈斯廷斯医生在我的头上缝了九针。

第二天早晨，我被戴上手铐，一根绳子穿过手铐的铁环绑住我的两条腿，再绑到马车的车座上。

在瓦加拉塔法庭上，他们编造了一个又一个的谎言指控我。霍尔声称，他从《警察公报》上获悉我骑的那匹马是偷来的。可是事实上，直到四月二十五日，警察局才发出这样的通报，比霍尔企图杀死我晚五天。

他们在法庭上指控我盗马。可笑的是，那匹马被盗的时候，我还在比屈沃思监狱服刑。因此，那时也好，后来也罢，他们都不能以盗马给我定罪。

然而，欲加之罪，何患无辞。法庭以窝藏盗马罪判了我三年苦役。就这样，青年时代的最后一缕希望之光被扼杀了。等我再走出铁门的时候，还没有亲吻过一个姑娘，就早已到了结婚的年龄。

没有一个人比我受到的惩罚更重。那匹马是“野人”赖特偷的，可是只判了他十八个月的监禁。至于霍尔，虽然法庭认定“蓄意谋杀”，可是他没有受到任何惩罚，只是把他调到了另外一个地区工作。

我又回到比屈沃斯监狱的牢房。看守一边恶狠狠地咒骂我，侮辱我，一边剥掉我的衣服，剪掉蓬乱的头发，尽管伤口还在流血。然而，即使发绿的树干，只要温度高，也能燃烧。许多个夜晚，雨不停地下着，我坐在奔腾咆哮的大河旁边，嫩绿的树枝、树干噼噼啪啪地响着，喷吐出明亮的火焰。没有雨水能够将它扑灭。

第七章　走出佩恩特里奇监狱之后的生活

亚麻布面袖珍日记本（大约 3 英寸 ×4.75 英寸），五十页。扉页上有六幅画着人、树、篱笆的画，介乎于“信手涂鸦”和“认真作画”之间的“艺术品”。日记本的边缘被尘土弄得很脏。地址栏上贴着一个小小的出版商的标签：“J·盖尔，杰瑞尔德瑞”，注明这些文字是一八七九年二月之后写下的。

作者虽然满怀留恋之情，回忆了受雇于凯拉瓦拉锯木厂那两年的生活，并以此结束这章，但是这一部分主要记述了从一八七四年他走出佩恩特里奇监狱的大门，直到与“野人”赖特进行一场远近闻名的拳击比赛那几个月动荡不安的生活。

我坐牢期间，母亲咬着牙，克服了一个寡妇生活中的种种困难和不便。铁窗生涯的第一年大约熬过一半的时候，母亲手里拿着锤子站在一把椅子上，往后门上方钉一块遮挡风雨的铁皮。锤子第一次砸在手指上，这时，她发现有个陌生人站在马围栏旁边看着她。那个家伙年纪不轻，衣衫褴褛，母亲以为他是个流浪汉，怜悯之情油然而生。她朝他招招手，让他过来，自己转身进屋盛了一杯面粉，寻思那人什么时候饿了，可以做个硬面包[①]充饥。她把面粉包在报纸里递给他，这时候才发现她施舍的对象是个浑身散发着臭气的老头。他的羊毛外套上有一块块棕黄色的尿渍，经雨水一泡，散发出刺鼻的臊味儿。可是老家伙就像一位骄傲的王子。他让母亲收起那点面粉，说他要那玩意儿没用。

“那你要什么，大叔？”

“如果给我一杯白兰地，我不会感到遗憾，”老头咬文嚼字地说。

“一杯白兰地三便士呢！”母亲说。

①硬面包：澳大利亚一种未经发酵、在热炉灰上烘制的面包。

“可我连两便士也没有。”

“如果你想喝茶，”母亲说，“喝多少都行，我还可以给你加点糖。”

老头说：“事实上，我是‘鼠王’。”

“很好。可你到底要不要这点面粉？我不能一直站在这儿和你讨论这件事情呀！”

“我给你两便士，”老家伙说，“还可以替你灭灭鼠。”

“我们家里没有老鼠。”

“有没有我知道。”

“你这个臭气熏天的老家伙！这话是什么意思？难道你认为我连自己家里有什么东西都不知道吗？”

“别介意我的话是什么意思。我的名字叫凯文，雅号‘鼠王’。这个名字你不会轻易忘掉。我会给你这个无照经营的非法小酒店带来鼠疫。”

“你会吗？”

“老天作证，我会！你将向圣母玛利亚祈祷，为你爱钱如命而忏悔。”

说完，他转身就走。如果他带着行囊，那它也一定藏在小路那边的什么地方，因为母亲一直没有看见他身上背着什么东西。如果他的口袋里装着小老鼠，那它也一定藏得很巧妙，因为母亲没有看见他身上蹿出任何东西。他只是个身穿羊毛外套、散发着臭味儿的老头。他沿着泥泞的小路向河湾走去，然后抄近路，直奔温敦城。从那以后，母亲再也没有看见他，但是，他说得没错儿，她好长时间无法忘记“鼠王”凯文的名字。

就在这天夜里，鼠疫跨进了我们那座棚屋的门槛。面粉里，墙壁上，孩子们的身上，到处都是老鼠。这些可恶的家伙吱吱地叫着，十分可怕。老鼠带来痢疾，可爱的小宝宝艾伦——她的父亲是比尔·福罗斯特——一病不起。

母亲派孩子们四处寻找“鼠王”。她给每个孩子带了一瓶白兰地。不管谁，只要找到那个老家伙，就把白兰地送给他，以弥补母亲的过失。他们去了三个镇子。丹去比屈沃思，詹姆去贝纳拉，玛吉和凯特去瓦加拉塔。

可是尽管“鼠王”凯文大名鼎鼎，无人不晓，但是没有一个人能够说出他住在什么地方。

那天晚上，他们回到十一里湾，看见母亲正在对圣母玛利亚祈祷，旁边的筐子里躺着已经冰凉的小妹妹。第二天，我们从迈克比恩的凯尔菲拉大牧场请来一位木匠，给小艾伦做了一口棺材。詹姆和丹在柳树下面挖了一个墓坑。可怜的小东西只有十四个月，为了不让野狗刨出尸体，坑挖得很深。

事情并没有到此为止。

詹姆头疼得要命，母亲赶着一辆小马车把他送到格棱莫瑞。玛格丽特·奎恩舅妈把他的头发剃光，敷了一层芥末做的膏药。从那以后，他就无法忍受别人摸他的脑袋。还有许多令人苦不堪言的疑难杂症也不肯离开我们的家门。这个长了瘤子，那个长了疖子，没钱看病，只能拔拔罐子了事。紧接着，已经结婚的姐姐安妮的马又被人偷了。这件事情引出的结果是，她落入警察富拉德之手。

后来，母亲看到这个警察的所作所为之后，一边念叨他的名字一边问自己，富拉德是不是也是一种瘟疫？富拉德个子很高，眼睛总是布满血丝。人们说，渡鸦交配时眼睛流血。我的姐姐已经是安妮·冈太太，可是丈夫正在坐牢。警察富拉德的眼睛很快便像渡鸦一样“流了血”——没多久他就把我姐姐搞得怀了身孕。

与此同时，她的丈夫和我在比屈沃思监狱外面的大院里砸石头。他眼圈发黑，弯腰曲背，好像肩上扛着沉重的磨盘。神父告诉我们，姐姐死于难产，但是没有叙述具体细节。可是母亲一直认为，安妮也是被那个浑身散发臭气的老家伙诅咒死的。安妮撒手西去之后，给我们留下富拉德的孩子。母亲把这种种不幸都算到自己头上，心里充满负疚之感。后来，詹姆也被关进监狱。母亲说，这也是那场瘟疫造成的灾难。

一八七二年夏天，母亲四十二岁。她的两个儿子、一个弟弟、一个叔叔、一个妹夫都被关进了监狱，两个亲爱的女儿常眠在大柳树下面。只有上帝知道，前面的路上还有多少灾难与痛苦等待着她。这是一个北风呼啸、尘土飞扬的早晨，她和玛吉正给西红柿搭架子，一个陌生人来买白兰地。这个人是个美国人，细高的个子，小胡子，半张半闭的眼睛，嘴角挂着一丝时隐时现的微笑，好像觉得这个世界那么古怪、有趣，又不能毫无顾忌地告诉你什么地方可笑。和那个浑身散发着臭气的老头一样，他也说没钱，只有一张支票，到贝纳拉才能兑换成现金。

玛吉开始冷嘲热讽。母亲突然对她发起火来。“你这些话如果让别人听了，”她说，“一定认为我们没有同情心。去吧，给这位先生拿酒去。”

“让我给他拿酒喝？”玛吉惊讶地说，一双粘着泥巴的手放在背后。

“有什么不方便吗？”

“好吧，”玛吉说，“只要你不介意，我有什么好说的？”她按照母亲的吩咐去给那个人拿酒，母亲又去搭西红柿架子。好长时间母亲都相信，自从玛吉送给乔治·金那杯掺水烈酒之后，该死的老鼠才离开我们的家。

三年过去了，我刑满释放，又一次回到这个世界。我很想看看自己能否做点什么。没有马，我从比屈沃思出发，跨越勒戈平原，走过二十英里干旱的土地，八个小时后，终于回到承载了我先前生活的十一里湾。这里的变化让人心灰意冷。河流改道，干涸的河床变成一个个水坑。那株盘根错节的老金合欢树已经被人砍倒，可是小路尽头的红桉树又长了二十英尺。我们那个小院又用劈开的树干围起一道围栏。木头泛着微黄，一望而知，砍下来的时间不长。母亲怀里抱着一个出生不久的孩子。起初我以为一定是宝贝儿艾伦，后来突然想起艾伦早就死了，埋在柳树下面。

母亲见到我之后，第一句话就是：

“你可别再惹麻烦了，内德。”

我朝她怀里瞥了一眼，想不出从哪儿跑出这么个小东西。

“别为我着急。”我说，转过脸朝马围栏看了一眼。围栏里有几匹非常好的马，还有一个个子挺高的小伙子，看样子不过二十多岁。这个人一直直盯盯地看着我，甚至把鞍具从马背上取下来，放到围栏最上面那根栏杆上时，目光也没有从我的身上移开。

“我们家遭了一场鼠疫，”母亲说。她的头发已经变得灰白，身上穿着一件与她的年纪很不相称的鲜艳的新裙子。

我问她：“那个年轻人是谁？”

“乔治·金。”

“他是谁？”

“你不回家，我就没法和他结婚，内德。我让他等你回来之后，再办这件事情。”

我看见乔治·金翻过篱笆，不知道上哪儿去了。他比我大不了几岁，可是竟然要和母亲结婚。一想起这事儿我就想吐。

母亲给乔治·金的小宝宝喂奶，十年前我就是这样吸吮着她的乳头渐渐长大的。那时候，她还很年轻，是父亲见过的敢于骑马驰骋的最漂亮的女人。现在，她坐在窗户旁边的一把小椅子里，那位“新任”情夫坐在桌子旁边，细长的腿一直伸到壁炉搁架旁边，脚上穿着美国佬喜欢的那种半高跟靴子，更像时髦女郎的高跟鞋。小宝宝吃饱之后，母亲轻轻拍着她的背，让她打嗝，然后把她递给乔治·金。乔治在胸前垫了一块毛巾，生怕小东西吐出奶，把他那件漂亮的黄色羊毛套衫弄脏。母亲坐在那儿，傻乎乎地笑着，看他怎样满怀柔情地玩小宝宝的脚趾和手指。

丹看见我从监狱回来非常高兴。他十三岁，已经长成大人，或者自认为已经是大人了。他的上嘴唇生出一抹淡淡的髭须，鼻子上长出青春痘，头发蓬乱，衣服艳俗，衬衣外面又套了一件衬衣，草帽上拴了根带子，套在鼻子下面。他刚和我握完手，就想让我和他一起骑马去瓦加拉塔，去看他的小爱人。我告诉他，我想平平静静地过日子。他说：“那你可找错地方了！”说着，端起乔治·金的酒杯喝了一口白兰地。乔治朝他挤了挤眼睛。我看出，在这个秩序混乱的“王国”，他们以为自己就是“国王”，而且这两个家伙似乎相处得很好。

喝完茶之后，我很有礼貌地请金出去和我一起散步。夏日的天空，余晖未尽，暮霭渐浓，我们俩坐在金在我们这块土地上建起的围栏上面。我告诉他，比尔·福罗斯特抛弃母亲之后，我差点儿开枪把他打死。

他摸着胡子没有说话。

我问他，打算怎样养活他的孩子。

他龇开满嘴白牙说，他打算生许多孩子，他有一个非常好的计划，有多少孩子也不愁养活不起。他说："你想听听我的计划吗？"

我没说话。暮色笼罩了辽阔的田野。

"你是不是宁愿开枪打死我？"

我不由得悲从中来，一句话也说不出来。

"内德，你知道牧场主迈克比恩吗？"

"当然知道。"

"他有不少漂亮的马，对吧？如果你和我把这些马赶到墨累河那边，在新南威尔士州转手倒卖一下，就能赚大钱。"

看来母亲又给自己找了一个夸夸其谈的家伙。他比想贩卖布匹赚钱的比尔·福罗斯特强不了多少。

"你愿意帮助我吗？"他问，"你要是不愿意，我就只好找丹帮忙了。"

"你要是敢让丹参与这件事情，我可真的要开枪杀你了！"

"哦，我可不急着找死！"

天黑了，星星在夜空中闪烁着，三年来，这是我第一次看到满天繁星。阵阵热风从北方吹来。

"如果你想听我一句忠告，"我说，"你最好不要干这种蠢事。至于我自己，绝不和迈克比恩先生打交道。"

"公平合理，"金说，"你刚回家嘛，不想尽心竭力可以理解。"

这天夜里，弟弟妹妹们睡着之后，他像一只想进鸡舍的巨蜥一样，蹑手蹑脚地向我走了过来。他摸着胡子，一个劲儿地笑。母亲看他像钓鱼人准备收绕钓丝钓起我这条“大鱼”时，一双眼睛闪烁着赞许的光芒。

我对她说：“你出来一下，我想和你谈谈牧场的事儿。”

夜已很深，周围一片漆黑。我在前面走，她顺从地跟在后面。快到河湾的时候，我转过脸望着她。离家三年，我有许多话要说，特别想和母亲好好谈谈拯救我们这块土地的计划。“母亲，你变了。”

“我很快活，”她说，“不过，如果这种变化不对你的胃口，我也很难过。”

“你为什么要把我和迈克比恩扯到一起？你知道，他会再次把我送进监狱。”

母亲没有说话。过了一会儿，我才意识到她在轻声啜泣。我伸出胳膊搂住她。她把我甩开了。

“你根本不知道我过的什么日子，”她说，“你忘了那些可恨的牧场主怎样霸占我们的鸡鸭，抢走我们的牛犊。警察隔两天就敲门，想抓走我的孩子。只因他偷了一个该死的马鞍。”

“谁偷了马鞍？”

“丹，那个傻小子！他想给母亲弄点儿钱。在这儿待下去实在没有出路，”她说，“我靠卖酒养活不了这个家。现在，他又偷了人家的马鞍子，警察迟早得把他抓走。”

我告诉她，我打算养马。可她好像什么也没有听见。我还说，等乔治逃走之后，我就回十一里湾。

母亲扇了我一个耳光。“住嘴！”她大声说，“睁开眼睛四处看看。篱笆都是他修起来的。如果他准备离开我，能这样辛辛苦苦干活儿吗？”

“他打的围栏桩子都是灰皮桉。用不了三四年就会从里到外变成朽木。我父亲从来不用灰皮桉。他只用铁皮桉或者红桉。”

“我受不了！”她叫喊着，弯下腰，捧起一捧土就往头发和脸上擦。“我宁愿死也不和你那个宝贝老子再过一分钟！”

她跑回到她那个小丈夫那儿。我独自一人在灿烂的星空下又待了很长时间。关在那间灰蓝色的石头牢房里，我无数次在梦中回到这里。可是那些曾经给我慰藉的梦想现在却变成了踩在靴子下面的粪土。

第二天吃午饭的时候，我就在J. 萨乌恩德斯先生和R. 茹尔斯先生合办的锯木场找到一份工作。锯木厂在凯拉瓦拉附近，离家二十英里。下午我就搬进了锯木场旁边的工人宿舍。

远离威胁、争吵，自由自在地呼吸，真是一件令人惬意的事情。

我这一生，最大的希望就是能有一个家。可是，从佩恩特里奇监狱出来之后我才发现，我辛辛苦苦开垦、耕耘过的农田已经成了一个陌生人的土地。母亲愿意乔治·金料理这块地，我没意见。可是还有三十匹纯种马，是属于我的合法财产。因此，发现这些马不翼而飞之后，我立即捎话给母亲，问她那些马都哪儿去了？母亲说，马被偷走了。盗马贼不是别人，而是奥克斯莱的警察富拉德。世道不公气得我七窍生烟，我恨不得做出什么危险的事情，久久无法平静。我渴望报仇，就像酒鬼渴望威士忌一样。

完全是命运作祟，我找到了可以发泄这种愤怒的工作——伐木。伐木非常危险。下雨天，树干像镜面一样光滑；刮风天更是险象环生。我们先在树干上凿出凹槽，然后嵌入八英寸厚的木板，做成一个个的“台阶”，在距离地面十二英尺高的地方干活儿。我的工友名叫J. 奥赫恩，已经结婚。树快倒的时候，他就跳下来，跑到安全的地方，把最后也是最危险的几斧子留给我这个单身汉。危险使我暂时忘记心中的愤恨。可是一旦砍倒的树木躺在林地上，我就会又变得烦躁不安。我总是想，我怎么走到了这步田地？我的土地怎么落到了别人手里？就这样，我像一个白痴，无论白天还是黑夜，绞尽脑汁，沉思默想，久而久之，我的所有愤怒和痛苦化成一个活生生的人——“野人”赖特的形象。这个家伙粗脖子，宽肩膀，两条眉毛一高一低，一副嘲弄人的样子。我真想朝他的下巴猛击一拳，把他打翻在地。就是他，故意把一匹偷来的马丢给我，让我蒙受了不白之冤。我很快就明白，看不到他被惩罚的那一天，我就不会有安宁的日子。于是，我开始到处打听他的下落。

对十一里湾，我依然敬而远之，可是母亲还惦念着我。没过多久，她就带着一饭盒奶油甜酥饼来看我。我知道，为了给我烤这些好吃的饼子她消耗了多少奶油。我们俩坐在工人宿舍门口的台阶上。我问她，最近见没见过“野人”赖特。她听出我的意图，撒谎说，他去新南威尔士州去了。

母亲目光敏锐，一双眼睛又黑又亮。她足智多谋，笑声爽朗，喜欢和我争论马的血缘。这个话题能把我们带到古罗马之前遥远的岁月。母亲对马的血统和饲养有许多独到的见解，这是我们通常谈话的内容。这天下午，她却把话题扯到迈克比恩那些纯种马高贵的血统上了。她向我坦白，她无法把那个充满诱惑力的念头从脑海里赶出去——如果把迈克比恩的马偷到手能换回多少钱！

我对她说，如果她是为这事儿来找我，最好还是赶快回十一里湾去吧。

她抓起我的手，贴着嘴唇轻轻吻着说，她是来看儿子，她非常想念我。

我不相信她的话，对她说，丹也是她的儿子。

“你说这话是什么意思？”

“别挑唆丹偷人家的马！”

“天哪！你把你妈看成什么人了？”

“就我所知，你现在是该死的金太太。”

她心烦意乱，留下那盒奶油甜酥饼，骑上马走了。我又去想“野人”赖特，想我坐监狱期间家里遭遇的灾难。

心平气和的时候，“野人”是个很友好的人，可是一旦谁惹恼了他，他就变得像条疯狗，恨不得把你一口吃掉。他的弟弟“哑巴”赖特名如其人，是个哑巴。如果有人敢嘲笑他，“野人”赖特就非跟你拼命不可。于是，我开始在锯木场和工友们嘲弄“哑巴”赖特。这是我为了让“野人”上钩而投下的钓饵。睡梦中，我和赖特搏斗，拼命撕扯他的嘴巴、眉毛、鼻子，自己的一双手粉碎了，但是一点儿也不觉疼痛，只是感觉到一种狂喜。汤姆·劳埃德一直是我最好的朋友。我对他讲了这些梦让我感受到的快乐。他说，幸亏是做梦，如果真打，“野人”赖特非把我整死不可。他至少比我重五英石。

汤姆是我的姨夫——那个叛徒的儿子，可是他本人清清白白，为人也很正派。汤姆对我说，我们应该从头开始，养殖一群真正属于自己的马，代替偷来的那些马。这样就可以光明磊落、堂堂正正地做人，谁也拿我们没有办法。就是这些马，使我慢慢地重新开始生活。上帝创造的生物没有一种比马更完美，也没有一种感觉像纵马驰骋在辽阔的草原上那样更令人惬意。我对十一里湾发生了什么事情一点儿兴趣也没有，但是，没有不透风的墙。没过多久，我就听说，乔治·金给我母亲弄来一匹阿拉伯母马。我不大相信这事儿。第一，阿拉伯母马只能把一群纯种马变成繁殖周期很长的劣马。第二，这匹马肯定是偷来的。我担心母亲和她的小宝宝会被送进监狱。

我觉得还是赶快离开这个地区为好。于是，我和锯木场打了个招呼，一口气走了两百英里，到吉普斯兰找了个类似的工作。不过那儿的森林更潮湿，条件更恶劣。我的心情更糟，怒火更旺。每天晚上，父亲、母亲都在我的睡梦中出现。父亲脸上伤痕累累。我知道，那是我的“杰作”。我仿佛回到贝弗里奇，又看见放在那个神秘铁箱子里的女人的裙子。我吓得大叫起来，惊醒了同屋的工友。

回到东北地区之后，我发现汤姆·劳埃德养的马里有两匹母马都怀了小马驹。好长时间以来这是最让人高兴的一件事情。我渐渐地振作起来，又开始琢磨未来的事情。一个星期六，我在莱斯巴伊一望无际的牧场上驰骋。这块平坦的土地正好在凯拉瓦拉和十一里湾中间。冬日，天低云暗，远处在下雨，光线越来越暗。在这满目悲凉的背景之下，有个女人骑着一匹撒开四蹄的阿拉伯马，在草原上狂奔。方圆百里，还没有一个女人比我的母亲更会骑马。看见她挺直腰板，踩着马镫，裙子在风中飘起，露出膝盖，我心里充满喜悦。在凯拉瓦拉赛马会上，她会让所有姑娘自惭形秽。

母亲喜欢赛马。我追着她，跑过平展展的牧场，跑进垂枝相思树丛。她在那儿掉转马头，径直向瓦比斯山驰去。跑到山脚之后，她突然消失在乱石丛中。我知道，那儿是野兔出没之地，到处都是野兔打的洞。骑马人没有放慢速度，马踩塌洞穴，一下栽倒在地。阿拉伯马摔倒之后，脑袋一拱，脊背一挺，利利索索地站立起来。它不等骑马人从地上爬起来，就一溜烟跑回家吃饭去了。可是母亲没有爬起来。

我翻身下马，向前跑去，心突突突地跳着，几乎断定，由于我的原因，她已经摔死。

可是，摔倒在地的不是母亲，而是一个黑头发小伙子。他穿着一件裙子！这个家伙最多十八岁。他气喘吁吁，胸膛急促地起伏着。要不是他那么瘦小，黑不溜秋，罗圈腿，我真想狠狠地揍他一顿。我把他拽起来，扇了一个耳光。他把连衣裙套在衬衫和斜纹棉布长裤外面，裙子的胸部和下摆粘着泥巴。

我骂他是个丢人现眼的下流胚子，说着又扇了他一个耳光。小伙子一点儿也不怕，还朝我吐了一口唾沫。除了身上的裙子，他没有再下功夫把自己打扮成一个女人。事实上，他在努力让自己的胡子快快长长。他的腰带上别着一把老式燧发枪①，袋貂似的小眼睛恶狠狠地瞪着我。我想，最好在他对我们彼此都造成伤害之前，先下了他那支枪。

我问他，为什么要穿一条该死的裙子？他看上去丑得要命。然后，我不由分说，拔出那支枪扔了出去。

他说，枪是他父亲的，我不该这样做。

我说，如果他父亲看见他打扮成这副样子，一定会揍他个半死。

他朝我的脚上吐了一口带血的唾沫，用嘲笑的口吻问："是不是还在到处吹牛，找'野人'赖特打架？"

"闭上你那张臭嘴！你这个下流胚子！你又不认识我是谁。"

"你是丹的哥哥，"他说，"你在瓦加拉塔赛马会上还和我握过手。"

我一下子想起这个黑头发小伙子名叫斯蒂夫·哈特。

我对他说，因为他是丹的朋友，这次就放他一马。如果下次再让我看

①燧发枪：旧时用燧石发火的枪。

见他这副打扮，我就把他剁成肉泥。

他看起来一点儿感激之意都没有，捡回燧发枪又别在腰带上。

“会有人被剁成肉泥的，”他说，“那就是你。剁肉的人是‘野人’赖特。我等着瞧好呢！”

“‘野人’赖特跑到新南威尔士州了。”

“‘野人’赖特在比屈沃思皇家旅馆等你呢！你说人家‘哑巴’的那些坏话，他都听到了。”

听到这个消息，血管里以前一直沸腾着的、泛起痛苦泡沫的血液一定悄悄改变了性质，变成一种平静的、黑颜色的东西。我帮小伙子找他骑的那匹马。还好，马没跑远。不一会儿，我就将他送上马背。不过，他还没有从我的视线里消失，就已经被我忘得干干净净的了。那时候，我满脑子只有“野人”赖特，只想着如何为自己被毁了的生活去惩罚这个杂种。

爱德华·罗杰斯先生是皇家旅馆的老板，大名鼎鼎，我以前见过。让我惊讶不已的是，他居然也认识我。我的马还没有从他的石槽子里喝一口水，他就亲自跑出来迎接我。

“内德·凯利。”他说。

“爱德华·罗杰斯。”我说。

他为我这个爱尔兰人和他的教名相同而吃惊，但很快就恢复了平静，握住我那双粘满树液的黏糊糊的手，就像那是一位格洛斯特①公爵的手。

“听我说，内德，”他说，脸上一副懊丧的表情，“我不允许有人在我这儿打架。艾赛亚·赖特是我的顾客。我相信，你们可以像绅士一样解决这件事情。”爱德华·罗杰斯不肯松开我的手，而是翻过来掉过去地看那粗大的关节，就像有一次一位中国草药医生把母亲的手放在他的小缎子枕垫上，十分轻柔地抚弄一样。

“我没打算在这儿和他打架。”

---

①格洛斯特：英国英格兰西南部港市。

“你没听明白我的意思，”老板说，一双蓝眼睛闪烁着兴奋的光芒，至于为什么，我自然不清楚。“我是说，在我这儿打架不行。如果按照昆斯伯里规则拳击，就是另外一码事儿了。”

“我可没听说过什么昆斯伯里规则，”我说。

“你们不按伦敦拳击规则比赛？”

“我们只在地上画一条线，也就是从前人们角斗时常说的‘起始线’，然后打就是了。如果你认为这是打架斗殴，那也没办法。我就想和他这么干一仗。”

“赤手空拳，不戴拳击手套？”

“如果你能把他叫出来，我不会踏进你的酒楼半步。”

爱德华·罗杰斯捻着胡子，说：“我想，你肯定知道我这个人名声很大。”

我只知道，他在盛夏还穿着三件套西装。

“你知道，我非常喜欢运动。掷环套桩，撞柱游戏，摔跤，我都喜欢。毫无疑问，你知道那场和马戏团的板球比赛是我组织的。你看过吗？”

我没答话，他也没有在意，而是拽着我的胳膊肘子，似乎要把我拉到酒馆旁边那条小巷。他是有钱人，比我大二十岁，我不想违背他的意志，只好说，我的马还没有饮完水。

“丹尼斯，”他喊道，“给凯利先生的马喂点燕麦。”

一个小伙子拉着我的马沿大街朝那边走去。我被罗杰斯先生连拉带推朝相反的方向走着。他毫不留情地朝我的耳朵打了一拳。“我知道你认识一个名叫贝尔纳斯的小伙子，”他说，“你在奥克斯莱展览会上和他比赛过拳击。十二个回合，连战连胜。我听说，他对你崇拜得五体投地。”

“是乔·贝尔纳，”我说。

“你当然知道，艾赛亚·赖特是个没有理智的家伙，而且，他的体重明显占优势。不过，乔·贝尔纳说，以你的情况，不必过分计较体重。跟我来，从这儿走，我想让你看看我这个建议怎么样。”

走过旅馆的垃圾箱、厕所、鸡舍，终于来到一块绿草如茵的高地。高地下面是泉水湾。

“这个地方怎么样？两位绅士在这儿一决高低还说得过去吧？”

“很好，”我说，“很僻静。”

这也许是我说过的最不动脑子的话，可是爱德华·罗杰斯挺认真。

“日子就定在八月八日，好吗？”他问，“下个星期。”

我说，没问题，一切从命。离开那儿的时候，我从酒吧敞开的窗户看到赖特那张丑陋的大脸。他竖起大拇指，示意进去喝一杯。我虽然没有接受他的挑衅，但是很奇怪，他怎么不出来追我。我们俩都耐着性子熬这一个星期。我什么都不想，只是在心里体会把这个家伙打倒在地时那种无比的快乐。

八月八日，我准时来到比屈沃思。皇家旅馆挤满了人。乔·贝尔纳在门口迎接我，把我护送到楼上。罗杰斯先生正在等我，手里拿着一块像是手帕的绿色缎子。

“给你！”他把那玩意儿朝我扔过来。

原来是一条女人穿的内裤，或者我以为是这样。

“这是你拳击时穿的短裤。”

他从房间那面向我走来的时候，我向窗外瞥了一眼，看见草坪四周熙熙攘攘，到处都是人，有的站着，有的坐在从餐厅搬来的椅子上。

罗杰斯从我手里拿过那条丝绸短裤，在自己身上比画了一下。不过，如果他想让这件行头衬托出自己的“阳刚之美”，那可是大错特错了。他看上去像个傻瓜。

“我就穿这件衣服和他打。”我大声说。

“看在上帝的分上，这可是‘伦敦规则’要求的运动服。赖特也穿同样的衣服。”

“那是他的事儿。我可不想光屁股和人打架。”

罗杰斯先生咂了咂舌头，阴沉着脸朝窗外的人群看了一眼。

“怎么是光屁股呢？”他说，“真无知。难道你不为自己穿这样颜色的运动服骄傲吗？”

这时候，我才意识到，他们在场地周围挂了许多绿色、黄色的缎带。说实话，我已经忘了赖特是个新教徒。

“穿上吧，小伙子。”罗杰斯说，“你必须让大家看到你是‘绿方’。你衬衫下面穿着什么？”

他伸出令人讨厌的手指解我的扣子。我不由得向后缩了缩。

“背心！”他叫了起来。“这可不行，胸背是拳击的范围。你得脱掉。”

“不！”

“哦，得脱掉，”他说，“这是规则。”

突然，窗外传来一阵欢呼声，赖特蹦蹦跳跳地出现在草坪上。他赤身露体，只穿一条橘黄色短裤，脚上穿着一双靴子，两条腿像围栏柱子一样结实，粗大的膝关节非常难看。他趾高气扬，绕场一周。这时，我万分惊讶地看见母亲艾伦·凯利坐在观众席最好的位置上。“野人”故意在她面前挥了挥拳头，展示他健壮的体格。看见他那么大的块头，那么宽阔的肩膀，大腿一样粗的胳膊，我不由得有点沮丧。为了报仇雪恨，苦思冥想时，他在我的脑海里可不是这副样子。

这时候，我已经顾不上什么体面不体面、害羞不害羞了。我脱掉身上的衣服，只剩下羊毛长裤，把绿绸短裤套在外面。虽然我自己也知道这副样子一定像个傻瓜，可是此时此刻，别无选择。

乔·贝尔纳一定觉得我很滑稽，忍不住想笑，可是目光和我相遇时，他连忙收起笑容，变得满脸严肃。

“很好，”我说，“就这样吧。”

出门的时候，有人告诉我，不能光脚。我只好穿上他们递过来的一双便鞋。鞋小半号，但也只能将就着穿了。

雨雾蒙蒙，我们从鸡舍旁边走过。“野人”赖特正在吃橘子，看见我出现在细雨之中，他把橘子吐在地上，朝我走过来。

“你死定了，”他一边说，一边朝我头上猛击了一拳。我毫无防备，晃了几下，倒在地上，听见母亲大声叫喊："犯规！犯规！犯规！"我踉踉跄跄地爬起来，正好看见乔·贝尔纳踢了赖特一脚。爱德华·罗杰斯和妹妹玛吉抓着母亲的胳膊，不让她冲过来。

"血！"有人大声叫喊，"流血了！"

鲜血迷住了我的一只眼睛。"起始线"已经画好，比赛正式开始。

关于这场生死搏斗，我什么都记不起来了。但是乔·贝尔纳讲过不下一百次。下面就是我从他那儿听到的事情经过：你刚走过鸡舍，"野人"就朝你的脑袋狠狠地打了一拳。你跌倒在地，还没来得及爬起来，走到"起始线"，我们就觉得，这次你肯定完蛋了。这是一家新教徒开的酒馆，谁都不会关心一个爱尔兰人的死活。恰恰相反，他们巴不得喝你的血！"野人"听说你嘲笑他的弟弟，这次非把你整死不可。

"野人"打破了你的额头，你母亲扯开嗓门儿大声叫喊。不等你从地上爬起来，"野人"又朝你走了过来。不光是我，谁都看得出，这一拳很不公平。我朝裁判叫喊着，让他采取措施。可裁判是爱德华·罗杰斯。他身兼二职，既是裁判员又是记分员。他把赌注都押在"野人"身上，当然希望他赢。我是你唯一的帮手，便叫嚷着说："野人"犯规，该由我打他一拳。这就是为什么我踢他膝盖的原因。天哪！你真该看看"野人"那双凶光毕露的眼睛。这小子无法相信，我居然敢在他头上动土。人们发疯似的叫喊。你母亲也为我大声喝彩。那时候，比赛还没有开始。罗杰斯用他的手杖在地上画了一条"起始线"。你们俩隔着那条线对视着。鲜血已经流到你的眼睛里。"野人"比你高出一英寸或者更多，体重当然更是远远超过你。毫无疑问，他是那些前来赌博的新教徒心中的偶像。

"野人"像一条发了疯的蛇，为了赢得这场比赛，没有他不敢干的事情。他当然非常强壮，但是说实话，他有点笨，动作不够敏捷。

罗杰斯把他那块带花点的手帕扔在地上。按规矩，你要在短短几秒钟内，连打三拳。赖特被你打得酿跟跄跄倒退几步。哦，你该听到"英雄"倒地时，那些新教徒们声嘶力竭的呐喊声。那是一场真正的战斗。老罗杰斯在场地四周挂满了绿色和橘黄色的彩带。他坚信，赢家是橘黄色这方。你母亲发了疯似的朝人群大声叫喊。她说，她的儿子将把他们统统打败。比赛中，你朝她笑了笑，她的脸颊顿时泛起两朵红云。你向赖特接近时，依然面带微笑看着母亲，然后，就像打倒一头熟睡的母牛一样，打倒了“野人”赖特。

比尔·斯凯林高兴得差点儿尿了裤子，他抱起你的母亲就往空中抛。

“野人”挣扎着爬起来，一把推开助手，回到“起始线”。你又进入他伸手可及的范围之内。这次，他一头撞向你的下颏，只听你的下巴咔吧一声响，你倒下了，但是一直大睁着一双眼睛。你们俩一起倒在地上，先起来的是你。

赖特的弱点是速度不行，你的弱点是“伸出量”不够。第四个回合，你朝他公牛般粗壮的脖颈猛击一拳。但是，由于“伸出量”的缘故，力量不足。他反过手朝你的眉心打了一拳，你倒了下去。

每一个回合之间可以休息三十秒钟，双方都倒在地上精疲力竭。雨越下越大，但是没有一个人进屋。没有多久，你们俩都需要助手帮忙才能站立起来。你靠在我的怀里，那么重，羊毛衬裤已经湿透。是浸透了汗水还是雨水，谁也说不清。“野人”赖特也不比你强多少。我从来没有见过，人能累成这副样子。

爱德华·罗杰斯两手背在身后，围着你和赖特转来转去。他伸长脖子，眯细眼睛，就像你们俩是一张“资产决算表”，他想弄清这次是赔了，还是赚了。

“野人”赖特伸长两条胳膊向你走来。手臂像埃尔多拉多大炮一样上下移动，意思是要把你砸成肉泥。你警惕地注视着他。

你有三四次非常敏捷地躲过他的拳头。“野人”朝四周的人群大喊，说你害怕了。“哑巴”一直在人群中挤来挤去，现在又在吱哇乱叫，制造出一片混乱。你母亲不甘落后，朝你大声叫喊，要你打死“野人”赖特。

这场搏斗进展缓慢，草坪被踩成一片烂泥。你们俩好像都陷入泥潭，无法自拔。我把你抱起来。你的手沾满血迹、鼻涕，又黏又滑，好像一只刚被剥了皮的野兽的爪子。不一会儿，冷风送来细雨。“野人”弯腰曲背，彻底垮了下来。但是对于你，细雨宛如甘露，使你精神倍增。

“野人”动作缓慢，十分笨拙，你却依然身手敏捷，对准他的脑袋重拳出击，他倒了下来。你又朝他的眼睛打了一拳，他又倒了下来。新教徒们的欢呼声越来越小，“哑巴”呜呜咽咽地哭起来。你的母亲看起来非常高兴，腰板儿倍儿直，坐在比尔·斯凯林为她撑起的雨伞下面，一双手交叉着，放在膝盖上。

“野人”的助手把他扶到“起始线”前面，但是除了站在那儿晃晃悠悠的，他已经没有出拳之力了。

你说：“现在，我们两清了。”

似乎为了重申你的观点，你又朝他打了一拳。“野人”直挺挺地倒在地上。

就是瞎子也能看出，“野人”赖特已经被彻底打败。可他的助手是个新教徒，硬把他拖到“起始线”前面，将这个十六英石重的大汉扶了起来。比尔·斯凯林叫喊着，要你把他打倒。可你只轻轻一推，“野人”赖特便像一根木头桩子似的倒了下来。

这时候，人群中发出一声刺耳的怪叫。“哑巴”冲进比赛场地，挥舞着手臂朝你冲过去。他好像疯了一样，眼睛里充满疑惑和恐惧。后来，他趴在哥哥身上，直挺挺地趴着，全然不管泥水浸透衣裳。谁也不敢靠近他。

那天，汤姆·劳埃德在场，还有比尔·斯凯林、你母亲、玛吉和斯蒂夫·哈特。不过那时候，我还不认识他。我们没下赌注，所以也没因为你打败赖特而赢了什么。但是我们高兴极了，大家簇拥着你，走过比屈沃思一条条大街，来到瑞安恩旅馆。那天，你简直是全能的上帝，连达菲神父也来表示对你的敬意。

赢得这场生死搏斗的结果是，我的名声越来越大。可是这比被人当作叛徒憎恨更糟。尽管在许多情况下，表现形式几乎完全一样。现在，每个酒鬼都认为，必须打败我这个了不起的拳击冠军，摘掉我头上这顶桂冠。

与酒鬼或满脸青春痘的小伙子们打架斗殴实在没有什么意思。我决心过一种平静的生活。我在锯木场勤勤恳恳地干活，每个星期领取自己应得的工资，从来不去酒馆，也不去赛马场赌马。如果你问我的工友，他们一定会说，我是个离群索居的家伙。但这并不意味着我是一头“不合群的羊”。

事实上，我和汤姆·劳埃德一起度过许多快乐时光。我们俩买卖马匹。为了避免麻烦，我们非常谨慎，每一笔交易的收据都妥善地保存着。后来，我甚至和“野人”赖特也成了朋友。不过，没有过多久，他就被警察抓走判了三年徒刑。

乔·贝尔纳也经常来看我。有一次，他觉得我独自过这种日子太清静、太寂寞，便给我带来些烟草。我说，我不抽烟。他便送给我一本书。如果你在比屈沃思酒馆里看到乔·贝尔纳，绝对不会认为他是个挺有学问的人。恰恰相反，你会注意到他手脚不停地动来动去，没有一会儿安静的时候。一双充满野性和危险的眼睛四处扫视，像刀子一样，一眼能看透你的五脏六腑。然而，就是这个乔·贝尔纳和我一起坐在原木上，打开他的书，伸出坚硬的大手，十分轻柔地翻着书页。

“不要说话，内德，仔细听着。”

就这样，我认识了《洛纳·杜恩》[①]这本书的主人公约翰·瑞德。我坐在凯拉瓦拉锯木厂剥了树皮的滑溜溜的原木上，仿佛亲身经历了几个世纪前发生的故事，亲眼目睹了约翰·瑞德和另外一个小伙子那场殊死搏斗。约翰战胜了对手，却发现父亲已经被杜恩一家杀害。

约翰·瑞德失去父亲的年龄和我失去父亲的年龄一样。他也是摔跤冠军，但他讨厌别人这样叫他，希望能更“渺小”一点儿。就这样，在我见到洛纳之前，我便像喜欢冰淇淋一样喜欢这本书。由此可见，乔·贝尔纳虽然被叫作“罪犯”，但实际上他是一位比欧文先生强得多的“校长”。欧文

①《洛纳·杜恩》：英国小说家和诗人布莱克默（1825—1900）的代表作，是一本历史小说。

先生只能教我如何制作墨水，却没有教会我使用墨水的乐趣。

在那平静、安宁的两年里，我读了三遍《洛纳·杜恩》。我还读了《圣经》和莎士比亚的诗歌。除了家人，我对这个世界毫无兴趣。乔治·金靠盗马为生，日子过得还挺红火。我对他们敬而远之，和十一里湾保持一段距离。直到那年春天，看到弟弟丹变成那样一副样子，我才迫不得已，又向那块土地走去。丹到底出了什么事儿，我下次告诉你，但是有一点可以肯定，我的平静安宁就此结束了。

第八章　二十四岁

八十页没有装订的四开大股票用纸。颜色泛黄，污渍斑斑，被水浸过，但字迹依然清晰。

这些材料主要叙述怀蒂先生就牲畜被盗一事散布的谣言。描绘丹·凯利的变化，他和警察富拉德的冲突，以及随后在袋熊岭逃亡的生活。一帮逃犯潜藏在那里。关于斯蒂夫·哈特异性装扮癖的背景。凯利与菲兹帕特里克邂逅，菲兹帕特里克介绍凯利与玛丽·赫恩相识。第二章卷首所言赠爱·凯·笔记本者 M.H. 即为玛丽·赫恩。凯利太太对玛丽·赫恩的敌意。作者对乔治·金早些时候的行为做出强烈的反响。描写警察菲兹帕特里克开枪射击的几页被人做了很大的改动，估计是乔·贝尔纳所为。

母亲日复一日年复一年地忙于照顾一个又一个丈夫，拉扯一个又一个孩子，根本无暇顾及丹的成长。他像一棵无人照管的小树，就那样一个人慢慢长大，很快就找到年轻人的第二个“家”——人称“格雷塔帮”。他抽烟、喝酒，和一帮吵吵嚷嚷的家伙混在一起，一天到晚在尘土飞扬的平原上窜来窜去。我不知道他的钱是从哪儿弄来的，因为他从来就没有干过挣工钱的活儿。他当然没钱买衣服，只穿我不要了的破衣服。有时候，他央求玛吉或者凯特给他缝短袖口，或者剪短袖子。可是时间一长，她们也烦他，等到我开始注意这个小弟弟的时候，他已经变得像个衣衫褴褛的稻草人。

那是一个发工资的日子，我站在奥布瑞恩旅馆二楼阳台上，给了汤姆·劳埃德两英镑。这是他照顾几匹母马应得的报酬。不一会儿，我就听到一阵急促的马蹄声。眨眼之间，一群骑马人从莫埃乎方向沿大街飞驰而来。他们在酒馆门口停下，一个个吆五喝六，又笑又叫，胯下的坐骑也喷着响鼻，引颈长嘶。这几个骑马人穿得花里胡哨，帽带系在鼻子下面，腰间缠着彩带，就像一帮土匪。他们的“吉祥物”不是别人，正是刚满十六岁的丹·凯利，他的腰间系着他们给他弄来的一条红色新缎带。

我居高临下看着这群小混混，只见弟弟从马鞍上滑下来，就像一个衣衫褴褛的玩具娃娃就势倒在地上。周围立刻爆发出一阵欢呼："好样的！丹！好样的！老丹！"丹剧烈地呕吐起来，似乎以此向他的"赞赏者"表示敬意。我从楼上跑下来，他正骂骂咧咧，摇摇晃晃，一个劲儿地吐唾沫。

这时，他看见了我。

"大凯利和小凯利对打，"他叫喊着。"快来看呀！现在是凯利家两兄弟对打！"

如果他想借我们兄弟之间的打斗继续引起伙伴们对他的兴趣，他可是白费力气。因为就在他画"起始线"的时候，他的那些狐朋狗友已经牵着马走进奥布瑞恩旅馆后面的大院。

看到他那副被糟蹋被丢弃的可怜相，我的心都碎了。

我向他走去，心里充满对这个弟弟的同情和怜悯。可是刚走到他画的那条"起始线"，他就挥舞着拳头向我扑过来。我虽然轻而易举地躲过他的袭击，但是被他的无礼和愚蠢激怒了。我牢牢地抓住他那瘦骨嶙峋的肩膀，拖着他向大路那边走去。我打算把他带到达那何太太家教训一顿，那儿是安全之地。可是路过警察局的时候，他突然从我手里挣脱，东躲西闪，左冲右突，和我兜起圈子。在警察局门前玩这种把戏实在是找错了地方。我看到一双擦得锃亮的靴子放在不到十码远的游廊的栏杆上。霍尔已经调离此地，可是接替他的人现正在窥视周围的动静。

"我能把你揍扁！"丹叫喊着。"过来呀！过来呀！"

他突然挥舞着拳头向我扑过来。我一把抓住他瘦得皮包骨的手腕。"嘘！"我说。我看见警察已经把栏杆上放着的那双靴子拿了下来。"警察正在看我们呢！"

"你这个笨蛋！"他叫喊着，"你还在乎我出什么事儿吗？为什么不滚回你那个该死的锯木场？"

我怕警察把我们俩都抓走，便用外套蒙住他的脑袋，退到一棵桉树下。他像一条滑溜溜的大鱼浑身瘫软，站立不稳。

我听见警察法瑞尔喊了几句什么，贺加恩警长走出大门，大拇指插在裤子的背带里，上下打量着我们。脖子很粗的法瑞尔用手指拢着姜黄色的头发。他让我想起旅馆里的一头总是不停地摇着尾巴的猪。“我们在这儿干什么呢？”丹说。

“住嘴，老老实实地待着。”

“这句话母亲也常说。”弟弟说。他似乎清醒了点儿，把注意力集中到树皮上爬来爬去的蚂蚁。过了一会儿，他慢慢解开腰间缠着的那条彩带。

“哦，内德，”他说，“我真是个傻瓜。”

我这才意识到，他不是为袭击我表示歉意，而是因为看到他那条宝贝带子被呕吐物弄脏而懊恼。他眼泪汪汪地解开那条足有六英尺长的缎带，就像一个姑娘因为心爱的舞裙被弄得一塌糊涂而悔恨不已。我对他说，如果能让他高兴，我可以给他洗干净这个倒霉的玩意儿。

“你有女朋友了。”他哧哧地笑着说。

看见警察法瑞尔咧着嘴笑，我把弟弟拽起来，向大街那边走去。

“我知道，”丹说，“你终于给自己找到一个该死的娼妇，所以，总也不回家。”

“住嘴！”

“你有情人。”

“你知道我从来没有碰过女人，丹。”

“没错儿，”他说，“谁都知道，妈就是你的情人。”

“住嘴！”

“好极了！没的说！母亲是你的情人！”两个警察站在身后听得津津有味。不到明天早晨，丹说的这些屁话就会在全镇子传得家喻户晓。

“因为乔治娶了你的情人，你就对他怀恨在心。”

警察虽然离我们还有一段距离，但是弟弟公然宣称乔治·金是个比我强得多的盗马贼时，他们听得一清二楚。

我连忙捅了捅他的肋骨，他把那张刚刚呕吐过的臭嘴凑到我的耳朵跟前，说：“别在乎那几个警察，他们听不到。”

“闭上你的狗嘴！”

他又把嘴巴凑到我的耳朵跟前，我一点儿也不喜欢那种又黏又滑的感觉。他说：“乔治自己不动手，就可以一次偷二十四马。有人帮他干。”

我从他身边挣开，可是丹像一只饿猫一样缠着我不放。

“乔治·金偷了五百匹马，也没有坐牢，甚至连拘留所也没有进过。”

我对乔治·金的事毫无兴趣，连忙领着喝醉了的弟弟走过达那何太太的果园。那两个掩嘴窃笑的警察又回到他们的歇息处。我们抄近路走过霍兰家的牧场，又回到酒馆旁边那条大路。

我对丹说，赶快离开那帮坏小子，找一个正当的职业。尽管他那乌鸦般又黑又亮的头发耷拉在他眼前，但我知道，他很用心地听我说话。我对他说，我很愿意带着他，作为合伙人，和汤姆·劳埃德一起，做买卖马匹的生意。

“真的，内德？”

“当然是真的，丹。”

“先借给我十先令，好吗？”

我真想一拳把他打倒在地，可是我却打开工资袋，给了他一张十先令的票子。

“不要都花了，留一点儿给母亲。”

这天，他第一次对我笑了笑。“谢谢你，内德，非常感谢！过几天我就还你。”

我眼巴巴地看着他跌跌撞撞地走进酒馆的门廊，去找他的那帮小伙伴去了。他长长的袖子像翅膀一样扇动着，破旧的裤子拖在泥土之中。他进门的时候，酒馆里爆发出一阵欢呼声。

这帮小混混说的都是他们自己创造的“黑话”。虽然他们满嘴污言秽语，但还不是罪犯，只是一群骑着马到处乱跑，消磨时间的年轻人。从这天起，我和汤姆都清楚地认识到，牧场主容忍弟弟这帮朋友的时间不会太长了。

年景不好的时候，最有钱的农民也得砍小树喂牲畜。他们自己不堪重负，便比平常更加凶残地欺压贫苦邻居。牧场主怀蒂通过在政府工作的朋友，租下大片公用土地。结果，穷人在干旱肆虐的平原找不到一块放牧牲畜的地方。如果你的马在公路旁边吃草，怀蒂手下的喽啰就会把它当作走失的牲畜牵走，关到“待赎所”。据我所知，他一天就扣押过六十匹马。这些马都是穷苦农民的命根子。他们靠它们犁地、收庄稼、到奥克斯莱办事。马被扣押之后，没有钱去赎，只好低价卖出，或者借钱去赎。而那时候借钱比登天还难。

大牧场主的恶行激起穷苦农民的怒火。有的人便放火烧他们的燕麦地作为报复。我依然待在锯木场，老老实实地干活儿，像脑袋埋在沙土里的鸵鸟，对周围的事情不闻不问，直到丹被告上法庭。他的罪名是偷了别人的马鞍。我不敢说丹没有偷过马鞍，但这一次他是清白的。于是，我去格瑞塔警察局为他辩护。

我向警察约翰·法瑞尔解释，为什么不应该把偷马鞍的罪名强加到弟弟头上。可是我刚开口就被他打断了。

“警察局烦透了你的罪行。”

“谁的罪行？我的？”

“这屋里还有别人吗？”

“一定是你搞错了吧？”

“你难道不是格瑞塔的爱德华·凯利吗？”他打开一份《警察公报》，证明我是他们要捉拿的盗马贼。《警察公报》上说我偷了移民亨利·莱德克一匹母马。

我说，我从来没有干过这事儿，就像丹没有偷过马鞍一样。我还指责他，身为警察，不该总是和穷人过不去，相反，应该去看看那些有钱的大牧场主如何玩弄法律，强占最好的土地。我还特别指出怀蒂先生如何不择手段，把十五里湾大片大片的良田据为己有。

“哦，我想，我们是偏偏跟你过不去了。”他嗤笑着说。那时候，我全然不知这个警察是怀蒂先生的女婿。因为这次“诬告”，我不得不到奥克斯莱警察局接受讯问，结果被锯木场扣了三天工资。后来我到贝纳拉出庭受审，又损失了一天的工资。莱德克先生在法庭上一口咬定偷马的人不是我，他们没有办法，只好把我放了。

我非常感谢莱德克先生在关键时刻为我说了公道话。后来，我在灌木林里发现一头无主的公牛，把它捉住后，便作为礼物送给了莱德克先生。怀蒂听说这件事情之后便认定，如果凯利能把这头牛送人，就会再偷一头，而牛的合法主人一定是他——怀蒂先生。于是谣言四起，许多人都说我偷了怀蒂家的公牛，很快就会被送到法庭。

我还在锯木场干活儿，不知道哪天就会被法院传唤。可是一直没有动静。

丹被审判那一天，我陪他出庭。法官宣布他无罪之后，我们俩一起去莫伊乎赛马场看赛马。有人告诉我，和迈克比恩以及另外几个有钱人站在一起的那个家伙就是怀蒂先生。

我走到他跟前，做了一番自我介绍。

“听话音儿，就好像我认识你似的。”他边说边瞥了我一眼。在他看来，我不过是个流浪街头的补锅匠。

“哦，你当然认识我，怀蒂先生。”我很有礼貌地说。

“不，”他说，“我根本就不认识你。”

这个胆小鬼十分粗鲁地转过头。我毫不留情地继续说：“可我听说，你到处散布谣言，说我偷了你的牛。”

怀蒂的双眼露出野蛮的凶光，就像一匹生格子马第一次感觉到有人在它的背上放了马鞍一样。“一定是你听错了，凯利。”

“啊，我可不这样认为，怀蒂先生。”

他承认，他丢了一头牛，但后来找到了，而且从来没有说过是我偷的。他说，是他的女婿——警察法瑞尔对他说的。法瑞尔的原话是：“内德·凯利偷了那头牛，又转手卖给别人。”

澄清这件事情之后，我很高兴。可是刚过一个星期，就有人告诉我，怀蒂又四处造谣，说我偷了他一群小牛犊。我本该教训他一顿，可惜没有。

后来，我们那几匹怀了小马驹的母马闯入“公用地”。怀蒂那个杂种便把它们关到“待赎所”。为了养这几匹马，我和汤姆花了许多钱。后来给它们配种，又投入不少资金。怀蒂把它们关起来之后，我便决定给他点颜色看看，让他知道，他并非“公用地”的主人。我没有烧他的燕麦地，也没有干别的事情，而是砸开奥克斯莱“待赎所”的锁，夺回我合法拥有的马匹。那时和现在，我都不认为这是犯罪。

第二天，我的弟弟丹骑着马缓步走过奥克斯莱镇。他没招谁也没惹谁，就被警察富拉德一把拉下马来，然后反剪双手，押到警察局的洗衣店。这个胆小鬼吓唬丹，要把他的脸按进滚烫的开水里。就是这个富拉德诱奸了我的姐姐安妮，现在又折磨我的弟弟丹。丹求他饶命。警察富拉德不但烫伤丹的胳膊，还将左轮手枪顶在丹的肚子上说，要逮捕他，因为他偷了“待赎所”里的马。

丹说，他没偷过谁的马。

富拉德：“说明天早晨，我要亲眼看到这些母马好好地关在‘待赎所’里，否则，这儿就要爆发一场恶战。第一个送死的就是你。”说完这番话，他便放了丹。

那时候，我还不知道这事儿，然而，靠劳动赚钱养活自己的日子将就此结束。中午，锯木场开饭的时候，我端着一杯茶坐了下来。厨师在地上铺开一块帆布——我们的饭桌——准备开饭。就在这时，一团黄色的尘土由远而近，弟弟丹飞马而来，马蹄溅起的树皮和尘土落在刚出炉的面包上。在丛林里，这是最让人恼火的事情。

我连忙站起身，把丹和他的马领到离“饭桌”稍远一点儿的地方。丹还没有开口说话，我就看见他不但胳膊又红又肿，起了好多水疱，眼睛也受了伤。水疱里的水已经出来了，伤口看上去很吓人。

他解释了受伤的原因，还把富拉德的威胁又叙述了一遍。我纳闷，这些人为什么这么愚蠢，以为他们可以伤害我的家人而不受惩罚。丹是我的小兄弟、亲骨肉。我让他坐在一根原木上，给他的伤口抹了点黄油，又拿来一块面包，厚厚地抹了一层金黄色的糖浆，还让他饱餐了一顿炖羊肉。

五点钟，我给锯木场留了一张字条，辞掉工作便向这个世界上唯一可以依赖的地方奔去。我们一路向南，经过母亲那块土地。土地周围那些已经死了的和剥掉一圈树皮即将死去的树木是埋葬真诚希望的坟墓。那天夜里，我们露宿在四里湾。这是迈克比恩先生的凯尔菲拉牧场。牧场坐落在大山深处。虽然外面都是干旱之地，我们的马还能在这儿找到草吃。第二天，神不知鬼不觉，我们便穿过了这座绵延起伏的牧场。牧场主看不到我们，不知道我是蹿入他血管里的一条蛇，是带着疫病钻进他肠子里的老鼠。

中午时分，我们剪断这位治安官牧场上最后一道铁丝网，进入还没有卖出去的土地和山林。桉树的气味越来越浓。我们用了整整一个下午，翻过那座森林茂密的大山，直到晚上，才终于听到小公牛湾潮湿的草地传来潺潺的流水声。借着月光，我看见一片银光闪闪的欧洲蕨，旁边就是哈里·鲍威尔那座碉堡式的棚屋。屋顶有一根从大树上落下来的树枝。那张用树枝、树干搭成的小床歪歪扭扭，树皮早已腐烂，不过绷在床上的麻袋片还算结实，弟弟睡在上面不会有什么问题。夜里，我辗转反侧，难以成眠。我下定决心，在丹伤好之前决不离开他。可是第二天早晨，我就想马上教训教训那些折磨他的人。这些家伙偷了我的牲口，还欺负我的亲人，我不能让他们不接受任何惩罚，不付出任何代价！

袋熊岭地势险要，山脚下那块乱石丛生、钢铁般坚硬的楔形土地直插怀蒂和迈克比恩富庶的牧场。我现在已经进入治安官的领地。两个星期后，我独自一人走过怀蒂的默尔西牧场。这里虽然也久旱无雨，但是大牧场主遭受的损失远比贫苦农民遭受的损失小。他那一望无际的土地与母亲巴掌大的土地形成鲜明的对比，母亲那块地连草根都让牲口啃得精光。快到十五里湾的时候，我看到两匹养得非常好的夏尔马在月光下闪着幽幽的光，还有非常健壮的纯种马，其中几匹是怀了马驹的母马。这些马和我第二天回家之后看到的情景简直有天壤之别。我们家的奶牛瘦得一根根肋骨清晰可见。我数了一下，死了五只羊，它们的眼睛都被乌鸦啄得只剩下一个个黑窟窿。

我先在牛栏后面喊了一声，看到棚屋的时候，又喊了一声。

过了几分钟，母亲走出门廊，手搭凉篷看着我。

“你有什么事情要办吗？”她问。自从她和金举行结婚仪式以来，我已经两年没有回家了。

“我想见他。”

“他到贝纳拉看医生去了。”

我把头转向围栏里那头脾气暴躁的栗色母马，说：“他的马在这儿干什么呢？”

“这匹马不能骑了，生了掌骨疣。”

我翻身下马，走进游廊。这时，妹夫比尔·斯凯林出现在门口。“哦，哦，内德，”他说。但他还没来得及再说什么，惊恐的目光就从我身上移开了。我回过头，看见母亲手里端着一支猎枪向我冲过来。我让她放下武器。她用那只扎着绷带的手抱住了我。别人的母亲，一双手因为抹了雪花膏，或者因为整天吃烤牛肉，柔软细嫩，可是我母亲那双大手像从格瑞塔干旱的平原挖出来的树根，干枯得没有一点儿水分。

“不要伤害他，”她哭着说，“我不能再蒙受一次损失了。”

“蒙受损失的是怀蒂。”我说。接着我给她讲了他们折磨丹以及偷走我的马的事。“现在该是他们受点儿疼痛的时候了。”

“你千万不要惹是生非了，”她说，“赶快回锯木场干活儿去吧。”

“我已经把那份工作辞掉了，妈。你不是想让我偷马吗？我回来和你们一起干这活计来了。”

母亲怪叫一声，扑到我的怀里。她浑身颤动着，不停地抽泣。

“我从来都不想害你，不想让你偷任何东西！”

“嘘，嘘，别哭。”我说。只有当我把她这样抱在怀里的时候，我才知道我是多么爱她，我的母亲。我们像一棵紫藤上的两根枝杈，永远不会分离。

“我能为你做点什么，内德？”

乔治·金站在墙角，手里端着卡宾枪，手指抠在扳机上。但是就凭他端枪的架势，恐怕连毛鼻袋熊的屁股也打不着。如果我愿意的话，一拳就能把他打倒在地。

“丹一直替你吹嘘。他说，你只要一声召唤，就能让一大群马跟着你跑。他还说，这本事你是从美国亚利桑那州的野人那儿学来的。”

乔治露出一口又白又大的牙齿。“你认为我是吹牛，内德，是吗？”

我需要从乔治那儿学到这手绝活儿。

母亲说，他们手里还有一点剩余的钱。她宁愿把这点钱给我，也不愿意我因为干这种勾当，再被警察抓去坐牢。

我对她说，关键不是钱，我是想扣押大牧场主那些最好的马。

“我没有时间听你的废话，”乔治·金说，“你到底想干什么？”

“默尔西牧场有怀蒂先生的一大群马，这群马喂养得非常好。”

乔治脸上露出微笑，但既不友好，也不温柔。“艾伦，”他说，“去把水壶放到炉子上。”

我注意到母亲对这个美国佬唯命是从，不由得感到恶心。不过，这不关我的事，我和他一起走向围栏，靠在栏杆上，看了一会儿他那匹瘸马。

“我刚来这儿的时候，内德，原本准备和你交个朋友。而且在你出狱之前，我并不打算和你母亲结婚。那时候，你本来可以是我的合伙人，可是事过境迁，现在什么都谈不上了。”

“没错儿。”

“你要是想偷怀蒂几匹小马驹，用不着得到我的允许。”

“不是几匹，我要弄一大群！”

“找丹和詹姆帮忙吧，或者汤姆·劳埃德。”

“我不想牵连任何人，只想求你教我从野人那儿学的绝活儿。”

他什么话也没说。我们倚着栏杆站了好长时间，默默地看着他那匹想咬开马绊的母马。过了一会儿，母亲站在门口喊，茶已经烧好了。

“很好，”乔治终于说，“我们合伙儿干！一晚上就能从怀蒂先生那儿借五十四匹好马。”

“我们可以把马群赶到袋熊岭。”

“不，赶过墨累河，到新南威尔士州。收入对半分。现在，去吧，我看见你的女朋友已经给你烧好茶了。”

他翻身跳过围栏，我回到棚屋，和母亲一起坐在那张破旧的桌子旁边。

“以后和乔治和睦相处吧，”她说。一天到晚干活儿，她的指甲都劈了，手指的关节红肿粗大。

我抓起她的手，贴在面颊上。

“乔治是个好人。”她说。

我也不能说他不是好人。

我从小和马打交道，对马的习性可以说了如指掌，可是现在居然需要一个美国佬指点。马这家伙很倔，如果你朝它走去，它会拔腿就跑，可你一转身，它又忍不住跟你走。乔治·金不用母马，或者种马，或者燕麦、鞭子、笼头“威逼利诱”，就能让一群马乖乖地跟着他走。他什么都不用，只是利用马的好奇心，吸引它们离开默尔西和凯尔菲拉牧场。我以前从来没有见过这样的景象，五十四匹纯种马跟在乔治·金那匹阿拉伯马身后，低着头，排成一行，一溜小跑，进入崇山峻岭。

我以前从来没有做过贼，也没有体验过偷富人的东西是一件多么快乐的事情。轮到牧场主蒙受损失的时候，他们便立刻像挨了刀的猪似的尖叫着，召开群众大会，声讨盗马贼的罪行。这当儿我便站在他们家门口看热闹。我不止一次骑着马，远远地看着迈克比恩坐在家里喝茶。他的狗向荒野跑去的时候，他只能眼巴巴地看着殖民地茫茫无际的蛮荒之地出神。这个国家不是他的，永远都不是。

没多久，又有一些贫苦农民被吸引到山林之中，和我们一起住在小公牛湾。他们来这儿，不是为了逃避诚实的劳动，恰恰相反，如果想跟我和丹一起干，就得戒掉酒和别的恶习，从早到晚辛勤劳作。这样一来，我们在深山老林中开垦出一块块土地，种上了庄稼。我们在建设一个不受干扰的世界。

乔·贝尔纳现在是政府通缉的罪犯。他在小公牛湾做的第一件事情，是建了一座淘金用的水闸。换句话说，他想开发所谓的“第二产业”，这也是政府现在一心想做的事情。他衣着服饰、行为举止都很时髦，摇来晃去就像一匹尾巴甩来甩去的、脾气暴躁的马。不过，对圣人似的怀蒂先生，你也可以用这样的话语做一番评价。乔还带来一位名叫艾伦·谢里特的朋友。他们俩从小一起长大，好得就像一个人。晚上睡觉的时候，两个人也要一起蜷缩在炉火旁边，就像两条牧羊犬。这两位朋友经常用只有他们自己才听得懂的话谈论“那个地方”“那个家伙”“那事儿”。他们肩并肩坐在炉火旁边抽“黑烟”，老练得就像两个年长的中国人，性情也变得格外平和。

有一天早晨，我十分惊讶地发现斯蒂夫·哈特找到我们这儿来了。上次我看到他的时候，他穿了一条裙子，难看得要命。现在，他骑在马背上，仿佛来视察我们在这片荒野所取得的成果。

“这些马真棒！”

我拣起一块小石子扔过去，正好打在他那匹骟马的屁股上，马一惊，尥了个蹶子。

“你干什么呀！”他叫喊着。“我走了两天才找到这儿。你忘了？我是丹的朋友。”

“你可以再走两天回去。如果警察找到这儿，我就知道是谁报的信儿了。不管你藏到哪里，我都会找到你，拧断你那根鸡脖子。”

“你把我想成什么人了？你以为我是个胆小鬼？可我不是！”

“我压根儿就没有想你是什么人。”

“那么，好吧，我是斯蒂夫·哈特，”他说，“我的马走不动了，我也整整一天没吃东西了。”

斯蒂夫边说边抬起一条罗圈腿，翻身下马。他的自信和他的年龄、个头、体重都很不相称。

“我不是胆小鬼。”他又说了一遍。

他身上似乎有一种魔力，深深地吸引了我。因此当他说要把马拴到我的围栏里的时候，我没有反对。那是一匹相当漂亮的枣红色骏马，长长的脖子，高高的个子，非常强壮。我无法想象，他小小的年纪，到哪儿弄钱买这样一匹好马。他的马鞍是那种式样很老的匈牙利马鞍，已经很破旧，中间还有一条裂缝。

我两手插在口袋里，看着他把马鞍放在围栏上。

“我是克莱尔夫人的孩子。”他说。

我把手又往口袋深处插了插。

他很聪明，没有靠近我。“以后再告诉你我是什么样的人。”他说。

我对他说，我可不愿意向他敞开这扇大门，我可以请他喝杯茶，吃点东西，然后走人。

我连自己也不清楚，为什么能容忍他那双透过烟雾，偷偷地、火辣辣地盯着我看的眼睛。我那天没有赶斯蒂夫·哈特走，第二天也没有。这也真是奇迹。我很快就发现他是个滔滔不绝的“话匣子”。对马，对历史，他都能谈出一大套。他似乎无所不知，从奥布瑞恩失败到用生牛皮编鞭子，他都能说出点名堂来。

乔·贝尔纳是我们之中的学者。他会写诗，会唱歌，可总是谨言缄口，不到关键时刻从来不发表自己的意见。与他相比，斯蒂夫·哈特简直就是个大学教授。他似乎对爱尔兰的情况非常了解，能一口气数出一大串心目中的英雄：罗伯特·埃米特[①]，托马斯·米戈，史密斯·奥布瑞恩……他当然没见过这些人，可是他像一个生活在浪漫故事和历史故事中的姑娘，总是希望更美好、更壮观的时刻出现。

对于这个世界，乔和我都保持清醒的头脑。我们都知道，穷苦农民的日子之所以这样艰难，都是怀蒂和迈克比恩造成的。他们在政客和警察的默许下，横行乡里，无所不为。在这股恶势力面前，这个古怪的小伙子的理想主义纯属痴人说梦，无济于事。他心目中那些爱尔兰英雄无法给我们一块好地种，甚至无法帮我把母牛从奥克斯莱“待赎所”赎回来。第二天早晨我对他说，他最好早点儿离开。

“小伙子不坏。”乔·贝尔纳说。

“太爱说话了。”

“有的话很有道理，对我们也是一种教育。”

“你不烦？”

“他又没做什么坏事，”乔说，“再说，他是丹的朋友。”

于是，我给了丹和斯蒂夫五先令，打发他们到贝纳拉买点燕麦片和土豆。谢天谢地，他们俩走了，我们能清净几天了。

三天后，我在小河旁边剥袋鼠皮。皮子刚刚扯下一半，露出紧绷绷、亮闪闪、略带蓝色的肚子，就听见一阵树枝折断的喀嚓声。生活在这条峡谷中，就像住在班卓琴里，喀嚓声发出共鸣就像有人在打枪。我猛抬头，看见两个骑马人从白蜡树投下的条纹似的阴影中飞驰而来。起初，我以为是凯特和玛吉。可是等前面那个女人被明亮的阳光完全笼罩之后，才看出原来是丹。离开袋熊岭只有短短三天，可他完全变了个样儿——他穿了一条鲜艳的蓝裙子，脸颊两边都涂成了黑色。后面紧跟着斯蒂夫·哈特，他也把嘴唇涂得污渍斑斑、一塌糊涂。

①罗伯特·埃米特（1778—1803），爱尔兰民族主义领袖，一八〇三年在法国支援下举行反英起义，失败后被捕，被处以绞刑。

弟弟和那个古怪的男孩骑着马在离我一码远的地方停下了。我掏出袋鼠的内脏扔在地上，命令斯蒂夫·哈特下马。

丹似乎为了代斯蒂夫受过，连忙翻身下马，一边呵呵呵地傻笑，一边抚平身上那条皱皱巴巴的裙子。那是一条崭新的蓝缎子连衣裙，胸口的标签还没有撕掉。丹向我伸出一只手，手心渗出一滴殷红的血。他那副"庄严肃穆"的样子，就像圣像里的圣人。斯蒂夫·哈特也伸出手，掌心也有血迹。由此可见，他们俩刚刚立下同生共死的誓言。斯蒂夫·哈特目光明亮，而又高深莫测。我把他从马背上拉下来，一拳打倒在地。他挣扎着爬了起来。

"你没有理由打我！"

我朝丹咆哮着，让他立刻把裙子脱下来。

斯蒂夫·哈特让丹不要听我的话。他说，他可以对我解释。我让他闭上狗嘴，然后转过脸问丹，他从哪儿弄到的这条裙子？花了多少钱？他回答我说，他们从温敦古德曼太太那儿来，并承认裙子是偷古德曼太太的。弟弟干了这种蠢事，我气不打一处来，狠狠地踢了他一脚。

哈特向我猛扑过来。我一手抓住他的手腕，另一只手使劲扇了他个耳光。他倒在地上，爬起来的时候，毛茸茸的嘴唇流着血，眼睛里溢满泪水。我对他说，我要离开营地，希望回来的时候，不再见到他。

我扔下剥了一半的袋鼠，顾不得人吃它还是狗啃它，急忙包好那两条裙子去温敦，希望在古德曼太太告到警察局之前，能把这件事情摆平。我纵马疾驰，夜里也没有睡好，第二天一早赶到了镇子里。我四处打听古德曼家在什么地方。有人指着七里湾上面一幢破破烂烂的房子告诉我，那就是小贩达维斯·古德曼的住处。古德曼那座房子建在垃圾场中间，周围到处都是破车轮、烂木头、生了锈的弹簧，上面布满了鸭子粪，散发出一股难闻的气味。我提着包袱，向那座房子走去。

我的靴子还没有踏上门廊，门就吱呀一声开了。一个满头红发、皮肤白皙的女人挺着两个硕大的乳房，一扭一扭地走出来问我要干什么。我对古德曼太太说，我来归还她丈夫的货物。就在她查看包袱里的东西时，一个警察突然出现在门口。

“就是他！”她喊了起来。“把他抓起来，菲兹！”

我对警察说，我什么也没偷。

“你们这些该死的凯利都一样，”女人叫喊着说，“一窝贼，没一个好东西！”

“你是哪个该死的凯利？”警察问，说话很有点幽默感。

“我是内德·凯利。”

听说我是内德·凯利，警察非常热情地握住我的手。不但古德曼太太看了惊愕不已，连我也莫名其妙。“我弟弟给过我‘手谕’，让我请你跳舞呢！”

“天哪！菲兹！”古德曼太太喊道，“等一下。”

警察没理她。“我是亚历克斯·菲兹帕特里克，”他说。“你在墨尔本警察署长家把我弟弟约翰打得落花流水。那天夜里，他还到里士满监狱去看你，给你送去烤牛肉。”

“是烤羊肉。”

“对。今天晚上，你和我好好喝上一顿酒。”

“菲兹，这家伙是个贼。”

“住嘴，阿米丽亚，”菲兹帕特里克说，“先看看这几条裙子。”

我们一起走进古德曼太太家前面的客厅。客厅里放着很多酒，还有一条吃了一半的煮羊腿。警察菲兹帕特里克解开我带来的包袱，用手里的马鞭拨拉着裙子，先挑起一件看看，再挑起另外一件看看。我觉得他和他弟弟一样，是个很有心计的人。

“这条挺漂亮，阿米丽亚。”

“值两英镑呢！”

“这条呢？”

“三畿尼。”

“哦，”警察朝我挤了挤眼睛，“古德曼太太开始用畿尼定价了 。”

我说，我来只是还裙子，没有钱买东西。菲兹帕特里克把裙子递给古德曼太太，说她应该穿上让我们看看怎么样。我又一次惊讶地看到她乖乖地走到一道屏风后面。菲兹帕特里克给我倒了一杯雪利酒。可我更想吃羊肉，我已经两天没有好好吃一顿饭了。他说，他弟弟经常提起我。

不一会儿，古德曼太太就穿着一条鲜艳的红裙子出现在我们的面前。那条裙子的撑架很大，显得雍容华贵。她也变得和蔼可亲，夸我是个英俊的小伙子，应当和她跳舞。

“来呀！”菲兹帕特里克大声说，“跳一圈儿。”

古德曼太太伸出胳膊笑盈盈地向我走来。我不好意思，又不怎么会跳，没有接受她的邀请。她满脸不悦，放下胳膊。我看出，她觉得自己受了侮辱。

“凯利先生不是来跳舞的，”菲兹帕特里克说，“他是来买东西的。”

古德曼太太又从库房里拿出几条裙子让我们看。不过从那一刻起，她又沉着脸把我当成敌人了。

“很好，”菲兹帕特里克说，“把那条蓝色的和那条红色的裙子包起来。”他有一种本领能把女人哄得心花怒放，受了侮辱还得领情。这本事在别人身上我可没有见过。古德曼太太把两包衣服递给菲兹帕特里克，说她相信他会付钱的。

“当然，我会加倍给你。”

“哦，加倍？你会吗？”

“会，当然会。”

我想回十一里湾住一宿，便开始找借口脱身。警察菲兹帕特里克朝我挤了挤眼睛，说我只有两种选择，要么找个喜欢的舞伴去跳舞，要么进拘留所。我们俩走进茫茫夜色，将古德曼太太“丢弃”在家里。后来我才知道，正是因为这次“丢弃”，她怀恨在心，将丹·凯利、汤姆和杰克·劳埃德告上法庭，说他们“夜入民宅，蓄意强奸，偷鸡摸狗”。

《比屈沃思广告报》曾经发表这样的文章：

> 许多年来，格瑞塔邻近地区住着一帮小流氓。他们从小就游手好闲，打架斗殴，偷鸡摸狗，在邻里间不断制造麻烦。他们中

的某些人虽然因为盗马——对于他们来说这是轻车熟路、小菜一碟——被判入狱，刚刚刑满释放，但是星期日又故伎重演，为非作歹，扰乱治安。

关于盗马，多多少少总算有点根据，可是他们并没有提到古德曼太太为什么恨我。由此可见，这一段历史的真面目只能由我来揭穿了。

每个穷苦农民的孩子都知道，比屈沃思是我们可以去跳跳舞的地方，温敦镇则不在此列。因此，我和这位警察骑着马一溜小跑，行走在七里湾旁边那条漆黑、肮脏的小路上时，我对他说，最好改日再来尽情欢乐。

“走吧，老伙计！难道你没听见乐队已经奏起华尔兹了吗？”

除了从洪泛区传来的声声牛颈铃，压根儿就没有什么音乐。可是丹的命运就攥在菲兹帕特里克的手心里，我不敢得罪他。走上那条车辙很深、人们称之为贝纳拉路的大道时，警察把他那张散发着掺水烈酒臭味的嘴巴凑到我的耳朵旁边悄悄地说：要想顺顺当当地把古德曼太太的裙子还给她，就得有一份官方的介绍信。

我不知道“介绍信”是什么玩意儿，但是当警察掉转马头要去贝纳拉的时候，我还是与他并辔而行，没有甩掉他的 打算。

“我看见过各种各样官方的简报，”他说，“现在办公桌上就摞着一大堆。”

“简报”这个词儿对我来说太深奥了点儿，我不大明白它的意思。

“说你坏话的简报我都看过。不过，现在你又有了一项新的罪名。”

“什么罪名？”我惊讶地问。

“什么罪名？”他大声说，把胯下那匹骟马吓了一跳。“什么罪名呢？”他说，似乎忘了要说什么。“我跟你说的都是肺腑之言，”他终于说，“慢慢地，我会当上贝拉纳的警长，那样的话，警察局里就会有一个了解你的朋友，内德·凯利。你就不会再是那些简报里经常提到的‘该死的无赖’了。明白我的意思吗？”

“不明白。”

“哦，天哪！我是约翰·菲兹帕特里克的哥哥。我会关照你和你的弟弟。”

“怎么个关照法儿？”

“你弟弟偷裙子的事儿不予起诉。这算是一个良好的开端，怎么样？”

我立刻明白，这两天鞍马劳顿、艰苦跋涉太值了！我紧紧地握着他的手，舒了一口气。

“好了，”他在马背上大声说，“我先跑，你要是有本事就追上我！”

警察里能有他这样的好人吗？据我的经验，没有。他两腿一夹马肚，胯下的骟马便在树林里奔跑起来。尽管我这匹母马已经疲惫不堪，但它生性争强好胜，看着前面那匹骟马，紧追不放。就这样，两匹马踏着枯枝败叶，在桉树间左冲右突，跑过八英里高低不平的林地，然后，马蹄在大桥上发出轰轰的响声，驰过布罗肯河大桥。阿拉代尔大街那边是监狱，我曾经在那儿受尽折磨。不过，菲兹帕特里克现在对那一间间牢房并无兴趣。他解下包着古德曼太太那两条裙子的包揪，把马拴在大路对面鞋匠家的围栏栏杆上。

“给马饮点儿水怎么样？”

“这就饮，内德，这就饮。”

我跟着他那轻快的脚步，穿过一扇大门，踏上宽阔、漆黑的游廊。他使劲儿敲门，大声叫喊着。我曾经在屋子里面多次听到过这种喊声：“警察！开门！”

主人立刻遵命，一个女人尖细的声音盖过菲兹帕特里克的笑声，然后，两个人一起磕磕绊绊走进那座房子。灯亮了，女主人面带微笑。她很结实，头上包着一块方头巾，好像正准备睡觉。她端出一个盘子，盘子上放着酒和酒杯，菲兹帕特里克迫不及待地喝了起来。

不一会儿，两个年轻女子走进客厅。即使她们刚才还在睡梦之中，现在也睡意全无。两个人的眼睛都清澈明亮，头发梳得整整齐齐。其中一位个子很高，金发碧眼，胸脯丰满，体态优美，生性活泼。她立刻和菲兹帕特里克跳起华尔兹，尽管没有任何伴奏。

第二个姑娘个子不会超过五英尺，但是长得非常漂亮，秀丽端庄，温文尔雅，她的头发宛如乌鸦的翅膀一般亮光闪闪，仿佛能映出天空的颜色。她杨柳细腰，肩膀挺拔，高昂着头。她走过来要跟我跳舞时，我闻见她身上散发着一股肥皂和松树的气味。她大约十六七岁。

我老老实实地承认不会跳舞。她说，她可以教我。于是， 她像一阵夏日的轻风拥入我的怀抱。她眼睛淡绿，皮肤白皙，远渡重洋刚从老家来这儿的姑娘大都是这个样子。因为夜已很深，不便再叮叮咣咣地弹奏钢琴，她便和她的朋友一边跳舞，一边晃动着唱起歌来。

她说，她名叫玛丽·赫恩，去年才从泰姆普尔克罗尼村来。她还说，我这个学生棒极了，她还从来没有见过这么快就能踏上舞步的人。突然之间，我觉得自己长这么大，还从来没有这样快乐过。

我骑着马跋涉了两天，浑身上下脏得一塌糊涂，因此我连忙对她说，我本该换件干净衬衫，梳梳头，把头发上的蒺藜弄掉。但是她说，没关系，她父亲是个铁匠，还给马钉马掌，他回家后身上总是散发着一股马味儿，所以她对这一切都非常习惯。她满头秀发贴在我的胸口，搂着我在客厅里转着圈儿地跳呀跳呀，鲁滨逊太太坐在椅子上编织一条粉红色的长围巾。

不论菲兹帕特里克后来搞了多少阴谋诡计，给我们造成多么惨重的损失，不论事实证明他是一个多么可恶的骗子、胆小鬼，我至今仍然认为，那天晚上在鲁滨逊家和乳峰高耸的比琳达跳舞时，他对我并无恶意。

我们都气喘吁吁地倒在漂亮的沙发上。沙发面是昂贵的天鹅绒，红、黄两色玫瑰组成雅致的图案，靠背上苫着几块洁白的小方巾，免得沙发面被头油弄脏。

菲兹帕特里克把那两包衣服递给两个姑娘。她们都非常高兴，明明知道里面包着什么，还一个劲儿地问："这是什么？这是什么？"

谁都知道，菲兹帕特里克是个穷警察，不过他似乎还在一家服饰用品店干活儿，用诚实的劳动换取一份儿报酬。他把一条裙子送给比琳达，我把另外一条送给玛丽·赫恩。两个姑娘都高兴得叫了起来。玛丽吻了吻我的面颊。两个姑娘试裙子的时候，鲁滨逊太太拿出冷羊腿，切下大片大片的肉让我们吃。我虽然很饿，但是知道必须先去照料马，它直到现在还没有饮上水呢。饮完马回到那幢房子，我听到有人喊我："内德·凯利！内德·凯利！"

我顺着喊声，沿着黑洞洞的走廊向前走去，拐了一个弯儿，看到一扇敞着的门。玛丽·赫恩站在烛光下，一只手抓住裙子的后背。

"内德，帮我扣一下后面的扣子好吗？"

她转过脸，松开手，裙子滑落在地板上。她身上有一股黄油甜酥饼的味道。我夸她那么漂亮，那么可爱。她伸出手，捂住我的嘴，一张脸紧紧地贴着我的胡子。

女儿，我不知道此时此刻，你读这些文字的时候是多大年纪。如果还小，就等以后你自己有了孩子的时候再读。即使那时，你也许还和我一样，不愿意往父母的房间里多看一眼。但你不要把这一部分烧了或者把接下去的部分毁了。我要用这些文字记下恋爱有多么美妙，我要把这些文字化作永久的记忆。

然后，我们就开始做被人们称之为"游戏"的那种事情。你永远也想不出，她的衣服上怎么会有那么多钩子，那么多扣子。我们摘开钩子，解开扣子，脱去一件件散发着甜丝丝香气的小衣裳，直到她赤裸裸地躺在床上。我们没有丝毫负罪之感，上帝把她创造得如此完美：白皮肤，黑头发，绿眼睛，红嘴唇，幸福的微笑在我眼前荡漾。对于我，她是一位水平极高的好老师。她在我的怀里风情万种，像一头鹿，秀美而又结实。她的乳房虽小但很丰满。她使劲向后仰着头，把雪白的脖颈伸给我。我把她的乳房捧在手里，含着乳头吮吸着，不知道偷吃了谁的奶水。她快乐地叫喊着，抓着我的头发。这是我一生中最快乐、最美好的时刻。

我们紧紧地搂抱着躺在一起，幸福地微笑着看着对方。直到她的小宝宝醒了，我那种幸福之感才化为乌有。我做梦也没有想到她已经是一个孩子的母亲，顿时为自己的行为羞愧得无地自容。

天不亮我就离开了玛丽，跨过那块肥沃的平原，向遥远的袋熊岭飞驰而去，把贝纳拉的大街小巷远远地甩在身后。两天之后，我回到小公牛湾，眼前出现一幅我不曾预料的景象。

丹和斯蒂夫·哈特在溪谷里开出一条路。这条蜿蜒曲折的小路沿着陡峭的石壁向上攀援，然后沿着到处都是毛鼻袋熊洞穴的山坡向下延伸。看到斯蒂夫还赖在这儿没走，我本该大发雷霆，可是我没有发火。我不是已经二十四岁了吗？而且刚接受了迈克比恩先生送来的礼物——他慷慨解囊，捐赠了一匹名叫“音乐”的母马。这是一匹标准的高头大马，知道如何满足我的每一个愿望，它很快就和我成了亲密的朋友。它不会错过任何挑战。我刚刚远行归来，它就感到我心中的躁动不安，立刻兴奋起来。于是，眨眼之间，我便骑上它在平原上奔驰起来。我俯身在马鞍上，用牙齿叼起一块手帕，然后，跨过一道用树枝粗粗扎起的篱笆，跪在马背上做出一个又一个惊险的动作。这当儿，我在心里一直想着那个苗条的姑娘和她的小宝贝。我渴望见到她，根本就没时间去想斯蒂夫·哈特的事儿。夜里，我躺在床上翻来覆去怎么也睡不着，心里想，那个和这样一位年轻漂亮、信奉天主教的姑娘生下一个孩子、又抛弃她而去的家伙该是怎样一个胆小鬼！

第二天，我对大家说，我要到贝纳拉金属化验所化验一下金砂的纯度，全然不管别人会不会相信我编造的谎话。

那是一个寒冷的、霜花遍地的早晨，我出现在温敦镇古德曼太太的家门前。有一个孩子已经起床，正在喂鸭子。可是古德曼先生好半天才听见我的敲门声。我对他说，我要从他太太那儿买条裙子。

他告诉我，古德曼太太还没有起床，不过我可以自己先看看货。他把我领进屋，我看见桌子上还放着那块羊肉，只是旁边多了一个流着鼻涕喝粥的小男孩儿。沙发上乱扔着好几条裙子，其中有一条红裙子前面装饰着闪光的金属片。戴维斯·古德曼要价三英镑。我说只给他两英镑，不卖拉倒。

他说："好吧，成交。"我给了他钱，拿走裙子，迎着凛冽的寒风，向贝纳拉飞驰而去。过了大桥，前面就是阿拉代尔大街。

我刚转过街角，就看见玛丽·赫恩正巧出来取牛奶。她穿着一条鹅黄色棉布裙子，我突然担起心来，孩子的爸爸会不会在家？她看见我的时候，我故意做出一副漫不经心的样子，举起手碰了碰帽檐，似乎只是碰巧路过这里。可是她眼睛一亮，全然不管有没有人看见，踩着一溜台阶，飞也似的向我跑来。我弯腰抱起她，在光天化日之下热烈地吻着她的嘴唇。这一切都发生在离法院不到二十英尺远的地方。几年前，我第一次被审讯就是在这里。生活就像一条河，奔腾咆哮的洪水常常以不可阻挡的力量冲决堤岸。我已经不再是对灾难充满恐惧的孩子了。

"先生，"她说，"大冷天的什么风把你吹到这儿了？"

我把她放下来。她苗条秀丽，身轻如燕，两只脚轻快地跳来跳去，就像在跳吉格舞[1]。我心里想，这就是爱情。

"我给你送来件小礼物。"

"是吗？"她说，满脸微笑。

"是的。"

"你想把它送给我？"

"还没有包装呢。"

"哦，干吗找那个麻烦，不就一张纸吗？包好了还得拆开。"

她那间小屋就像燕子窝，光线昏暗，但很舒适。我想再次吻她，可她只顾忙着干活儿，一会儿清理炉膛，一会儿放引火柴，现在又划着火柴去点火。

我问她孩子在哪儿？

"哦，小家伙贪睡，还没醒呢！不要管他。"她用勺子撇牛奶上面那层奶皮。你即使不养奶牛也能看出这牛奶有多么好，没有一座牧场能比贝

---

①吉格舞：一种起源于英国，通常为三拍子的快步舞。

纳拉河岸平展展的牧场更水草丰美。

“来，尝尝这奶油。”

她把勺子送到我的嘴边，可是没等我喝，她又把那勺尽是奶油的牛奶从我眼前拿开了。

“这是什么？”她问。

她感觉到我胸前鼓鼓囊囊地装着什么。我说，愿意的话，可以拿出来看看。她那两片丰润的朱唇棱角分明，十分诱人。我以前从来没有见过像她这样美丽的姑娘，可是她的神韵又是那么熟悉。这一切真是妙不可言。

厨房里光线昏暗。用来引火的松树枝在炉膛里噼噼啪啪地响着。玛丽从我的衬衫里抽出塞在胸前的那件礼物，贴在面颊上，用手轻轻地抚摩着。以前，我常常看见母亲把一朵红玫瑰贴在脸颊上。

“缎子！”她高兴地叫喊着，然后，抖开裙子在身上比量着。“这是我的旗帜！”那一刻，我脑子里一片空白，什么也想不起来，眼里只有她。我抱起她，紧紧地搂在怀里。我觉得她像一只瞪羚，尽管我从来没有见过瞪羚。她是一匹小马驹。我陶醉在幸福之中，抱着她在厨房里走来走去。她身上散发着一股家里自制的肥皂那股好闻的气味，头发上还有一股炉灰味儿。那是爱尔兰的味道！我告诉她，我非常爱她。

松树枝熊熊燃烧，她快乐地欢笑。炉膛里还得加劈柴，牛奶还得放到炉子上加热。我把她举高些，吻着她的喉咙，她呻吟着，然后我又往高处抱了抱她，嘴唇贴在她的胸口上热烈地亲吻着。

后来，我们俩不情愿地分开了，把劈柴放进炉膛，把牛奶倒进一个铜锅里。她的手一直微微颤抖。我站在她身后，两条胳膊搂着她的腰，等牛奶烧开。她摇晃着，哼着一支小曲，小曲唱的是一个姑娘梦见一群白马。

我对她说，我从来没有想过和谁结婚。但是现在我觉得，一个男人如果有个家，生活会多么安逸。她转过脸看着我，目光变得深沉、严肃。她举起一根手指放在唇边。

“永远不要和我说这种话。”

我请求她原谅。她搂着我的脖子，不但吻着我的嘴唇、眼睛，还吻我的胡子。我暗自高兴，幸亏在瑞安恩湾洗了头发和胡子。

她把烧开的牛奶倒进一个小盆里，又在盆子上面苫了一块平纹细棉布。然后她看了看炉膛，把火门关小。我问她要不要试试裙子，边说边拥着她穿过那条很宽的、黑暗的走廊，走进她的房间。小宝宝在床中间睡着。那是个满头金发的小男孩儿，红红的嘴唇，胖乎乎的小腿。她轻轻地抱起他，放在一个打开的抽屉里，在他身上盖了一条毯子。

她那条黄裙子脏兮兮的，上面尽是湿乎乎的奶渍。我不知道我想要什么，不知道我的这种需求是对还是错，也不知道我的需求是否有罪，但是有一点非常明确，那就是，我们俩都非常快活。那天早晨，我们在床上躺了好长时间。

马路对过，法院里的工作人员开了门。温柔无比的玛丽躺在我的怀里，热烘烘的身体紧紧贴着我的胸口。隔壁的鞋匠已经开始干活儿，传来一阵阵铁锤敲打的声音。不一会儿，孩子醒了，她开始喂奶。小小的乳房居然也会源源不断地流出甜甜的乳汁，越发让人不可思议。婴儿吮吸着她的乳头，一只小手放在她的胸口上。他应该有个父亲照顾。就在那时，我萌生出一个念头——我要“申请这个位置”。

门外传来阵阵响动。玛丽说，她必须起来干活儿了，鲁滨逊太太毕竟是她的房东。

我问你母亲，什么时候才能再见面。她说，得等到下个星期五。还有几乎整整十天。我骑马回到小公牛湾，不知道怎样才能熬过这十天。

第一声警钟不是枪声，而是一辆被人丢弃的运货马车。这辆车的一个轮子陷在树袋熊打的洞里，车身上写着“奥瑞莱”三个字。如果这儿发生过什么暴力事件的话，一定是不久前的事情。尽管马不见了，马粪也没了热气，但是看得出马粪拉下的时间并不长。我还发现有人从车上搬下什么重物，一直拖到金合欢树丛里，在莎草和欧洲蕨中留下一条黄颜色的沟。在金合欢树丛中，那重物仿佛是一股毁灭一切的力量，横冲直撞，拦腰折断一株株小树和粗大的树枝。

我骑着马向那片被毁坏了的金合欢树驰去，突然听见一声卡宾枪的脆响，紧接着又是一声手枪声。我翻身下马，爬过那片莎草地，空气中弥漫着一股浓烟和呛鼻的火药味儿。在那块已经清理出来的土地边缘，我看见我们的营地一片混乱。我那匹阿拉伯马已经越过篱笆，直奔沙湾，跨过小溪，从那以后，我再也没有看见它的踪影。那几匹纯种母马也都兴奋异常，在围栏里奔跑着嘶叫着。

斯蒂夫·哈特手里拿着我那支科尔特牌左轮手枪，朝棚屋砰砰砰地开枪。

我不知道他为什么要朝棚屋开枪，屋子里藏着什么人。我连忙向他跑过去。他刚看见我，就喊了起来。棚屋的门开了，丹、乔·贝尔纳和艾伦·谢里特走了出来。他们就像刚刚走出教堂，动作迟缓，平静安详。乔向我打了个招呼，脸上挂着古怪而又快乐的微笑。但他的兴趣在门上。斯蒂夫·哈特射出去的子弹都打在了门上。他跪在地上，用刀扒拉着子弹打飞的木片，那神情如在梦中。我迷惑不解，对斯蒂夫更是非常生气。我早就让他离开此地，但他还是赖着不走。

这时，背后响起一个陌生人的声音："你就是内德吗？我一直在等你。"

我回转头，看见一个很魁梧的爱尔兰胖老头坐在我身后的一根原木上。虽然以前我从来没有见过他那张胖脸，但是手臂结实的肌肉表明他是个铁匠。两天前，这根原木四周还长着茂盛的欧洲蕨，可是现在已经被踩成一片平地。原木和小溪之间，扔着风箱和铁匠炉的全套工具。这时，我注意到地上还有一根原木。这根原木上面到处都是火烧过的痕迹，一定被当作铁砧用过。还有一个很大的锈渍斑斑的储水罐，储水罐的铁皮有一半被切割了下来。

我问，他是谁，打哪儿来。

他说，他是约翰·奥瑞莱。他还说，他看出我很不开心，他自己呢，也不开心，除非把运储水罐的钱、铁皮钱，再加上切割铁皮和把铁皮装到棚屋门上的工钱都付给他。他说，他以前从来没有干过这种蠢事，他是上了那个“小囚徒男孩儿”的当。小家伙在塔堂村答应给他一头很肥的小牛犊，而且要宰好后送给他。他说，他是个老鳏夫，七个孩子现在都和他的妹妹一起住在温敦镇。现在孩子们都在挨饿，要不然，他绝不会把这样大的一个储水罐贱卖出去。不管怎么说，从离开塔堂村到瑞安恩湾，他没有看见过一头牛。到了这个营地周围，也只看到一群精选的好马。他已经注意到，这些马非比寻常。

我对他说，这群马是我们合法拥有的财产，至于他的工钱，一定按原来答应的条件付清。

我向斯蒂夫·哈特走过去的时候，他抢先迎了过来，把我那支左轮手枪还给了我。

“你现在什么也不要说。”他说。

我把手枪别在腰带上，对他说，他违背了我的命令。

“没有，我沿着那条路走了整整一天。”

“后来呢？”

“后来碰到一个极好的机会。”

“是的，”我说，“一个把我们的营地出卖给这个该死的铁匠的机会。”

“出卖你？”他喊了起来，眼里突然充满泪水。“为什么要出卖你？我宁肯下地狱也不会出卖你！”说着他把帽子扔在地上。“哦，天哪，你难道不记得我是谁吗？”

“不记得。”

“你第一次看见我的时候，我只有八岁。”

“你搞错了。”

“我没有搞错。那时候你是哈里·鲍威尔的手下。你给了 我父亲一笔钱，让他交了地租。没错儿，就是你帮了我们，内德·凯利。后来，你又帮了我们两次。每次都是在政府要强行收回土地的关键时刻。”

“我压根儿就没钱做这种善事。”

“在万加拉塔附近，”他说。然后他又说出一大串地名。在那动荡的岁月，他对我的行踪居然了如指掌。他看过我赛马、参加犁地比赛，还看过我和“野人”赖特那场恶战，最近又听人说，我在怀蒂的鼻子底下偷走了他的马。

“我是来加入你们这个帮的。我虽然没有多大能耐，”他说，“但是我有一颗忠诚的心。”

我不得不承认他的勇气。

“我一定按照你的希望帮助你。”他说。

“这儿没有什么‘帮’，小伙子。”

“可你明明是大家的头，无论你说什么，大家都照办。”

“看来，只有你是个例外。”

“要不是想到一个帮助你的办法，我肯定不会回来。现在嘛，我给这扇门‘披’上了任何武器都穿不透的铁甲。”

“可是，你瞧那个老铁匠，斯蒂夫·哈特，你瞧他那张胖脸和他那双耷拉着眼皮子的眼睛。你能指望他不把我们的藏身之地告诉怀蒂吗？”

“我当然想到这一点了，所以一路上我一直蒙着他的眼睛。我敢担保，老家伙不会知道这儿是什么地方。”

“他的报酬呢？”

“不就是一头小牛犊吗？这份情怎么还，是我的事儿，与你无关。”

“你以前偷过小牛犊吗？”

他犹豫着，不知道该说什么才好。

“杀过牛吗？”

“我对他起过誓，一定给他一头已经宰杀好的小牛。”

我告诉他，用不着由他兑现这个誓言了。“乔和我想办法弄一条牛犊就行了，”我说，“如果铁匠愿意，我们可以把它杀了，再用盐腌上。这些事情办妥之后，你再蒙上他的眼睛，一直把他和牛肉送回温敦他的家。然后你就回万加拉塔，找你亲爱的老爸爸，两个人一起唱造反的歌儿，讲米赫和奥康内尔[①]的故事，不要再来这儿了，斯蒂夫。我们这儿没有什么'帮'。"

"不管有没有我都愿意为你效力。"

"非常感谢。"

"我可以给怀蒂先生写封信，好好教训教训他们。"

"别，没必要。"

"你认为我是个女孩子气十足的胆小鬼。可你错了。这事儿我可以解释。"

"不，你解释不清。对不起，我还有事要做。"

不管你把那玩意儿叫"黑烟"也好，"大烟"也罢，反正对乔来说，那是一种功效独特的兴奋剂。烈酒把他变得狂暴、易怒，鸦片却让他所有的动作都变得轻柔、迟缓，就像阳光晒化的奶油。他给那头小公牛放血的时候，我去找绳子，准备吊起来剥皮。等我回来的时候，那头已经断了气的小公牛仰面朝天躺在地上，胸部切开一个口子。乔朝我眨了眨眼睛，把一根削尖了的木棍插在口子里，然后十分麻利地把牛支起来靠在一棵树上。

"用不着绳子，老伙计。"

他懒洋洋地剥掉一边的皮，然后掉了个个儿，把另外一边的皮也干干净净地剥了下来。紧接着，他用斧子从胸口正中把小公牛劈开，又用刀将尾巴从中间剖开。他不慌不忙，有条不紊，不到二十分钟便把小公牛砍成四块，然后溜溜达达地找艾伦抽一口"那玩意儿"去了——他管鸦片叫"那玩意儿"。

我叫来几个年轻小伙子帮忙，把牛肉放到铁匠的大车上。可是爱尔兰老头一口咬定，他怕强盗拦路抢劫，从来不在晚上出门。我怎么劝也没用，只好留他在营地住下。第二天早晨，斯蒂夫、丹和我把钳子、锤子、风箱

①奥康内尔（1775—1847），爱尔兰民族主义运动领袖，一八二三年参与创建天主教协会。

都搬出峡谷，装到他那辆车上，又在车底板上铺了一层带树叶的桉树枝，把收拾干净的牛肉放在树枝上，上面盖了几条浸湿了的麻袋。然后我们套好马，蒙上他的眼睛。即使这样，离彻底甩掉这个老头儿还差得很远。

这次，我让斯蒂夫赶车，我亲自“押送”他离开营地。

“道别吧，”我对弟弟丹说，“因为你不会再见到哈特先生了。”

山路崎岖不平。我们赶着大车走了整整一天，才到塔堂。第二天早晨，沿凯尔菲拉镇旁边那条车辙交错的大路继续向前走。这时候，牛肉已经开始变味儿，只好到汉森的农场买点盐先把肉腌上。

中午时分，一个骑马的警察迎面走来，我立刻命令铁匠解开蒙眼睛的布子。他当然求之不得，可是看到来人是警察之后，他又要蒙上眼睛，还叫喊着说，他没做错事儿，不能抓他。我告诉他，闭上嘴巴，不要说话。他虽然不再叫喊，但还是一副惊慌失措的样子。

斯蒂夫·哈特依然昂首挺胸，“正襟危坐”。我把左轮手枪递给他，说：“如果铁匠不老实，就开枪打死他。”

警察菲兹帕特里克走过来之后，绕着我那匹被汗水浸湿的母马转了一圈儿，说，“这是怎么回事呀，凯利？”

“先生，”铁匠喊了起来，“我来回答你的问题。”

我看见他沿着那条小路，踉踉跄跄，急急忙忙朝我和警察跑了过来，还把蒙眼的布子扯起来蒙住左眼。刚才为了舒服，他把裤子上的扣子都解开了，现在只好用右手提着裤子。

菲兹帕特里克正好背对铁匠，没有看见这一幕。可是我看得一清二楚，只见斯蒂夫·哈特举起左轮手枪，扣动了扳机。谢天谢地，枪里压根儿就没有子弹。

“他要开枪打我，”铁匠大声叫喊。

“住嘴！”菲兹帕特里克掉转马头，从斯蒂夫·哈特身边跑过。斯蒂夫已经把枪藏到裤子里。原来，像神父云集结婚宴席一样，那块偷来的牛肉招来许多苍蝇。此刻，苍蝇又吸引了警察的注意力。菲兹帕特里克在大车周围转了两圈儿，俯身看鼓鼓囊囊苫在肉上的麻袋。苍蝇像一团乌云，呼的一声向他飞去。

“稍息！”他喊道。

斯蒂夫坐过监狱，对这种命令并不陌生。他两脚分开，两条胳膊背在身后，规规矩矩地站着。

“不是让你稍息，”菲兹帕特里克大声说，“我是说那些该死的苍蝇。”说着他发出一阵大笑。铁匠看到眼下的情况远比他想象的复杂，心里没底，也陪着笑了起来。

“干得不错，”菲兹帕特里克说，又骑着马跑到我跟前。“真该死，我还没有见过比它们更棒的苍蝇。”

说完他又笑了起来。斯蒂夫·哈特被这个玩笑搞得很狼狈，觉得自己丢了面子。不过形势似乎急转直下，菲兹帕特里克大声宣布，他要向我了解凯尔菲拉牧场马群丢失的事。我和他一起来到一株高大的红桉树下面。哈特朝我们这边紧张地张望着。

我问菲兹帕特里克，是不是收到政府签发了逮捕我的命令。他做出一副十分信任的样子，向我凑过来，轻轻地拍了拍他那个鹰钩鼻子。

“没什么逮捕令，你这个傻瓜。我在老迈克比恩那儿喝了一夜酒，现在还晕晕乎乎的呢！”

“你要上哪儿去？”

“十一里湾呀，好不容易捞到这么个机会。”

“你要是去十一里湾的话，方向可就全错了。”

菲兹帕特里克从皮包里掏出指南针瞥了一眼。可是醉眼惺忪，看不清楚，他又收了起来，对我亲热地微笑着。“我在恋爱呢。”他对我说。

“那个该死的铁匠支棱着耳朵听我们说话呢！”

“他听不着。不过我很想知道你听了这个消息作何感想。别人说什么我都不在乎，但我特别需要得到你的祝福，老伙计。”

“你和谁恋爱？”

“我对你说过。”

“没说过。”

“和你妹妹凯特。我一个星期以来一直想见你，现在居然在离家这么远的地方和你邂逅，真是怪事儿！”

其实真正让人觉得奇怪的是，想到亚历克斯·菲兹帕特里克会把那张唇髭浓密、又酸又臭的嘴巴贴在才十四岁的凯特的嘴上，我心里的感觉就像看到母亲的被窝里伸出哈里·鲍威尔那双丑陋的大脚一样直想呕吐。

“对不起，先生，”铁匠大声说，“如果你要逮捕这位先生，我是不是可以走了？”

“哦，内德，”菲兹帕特里克压低嗓门儿说，“她那么娇嫩，充满活力，脖子的线条简直漂亮极了。别对我皱眉头，老伙计。你应该看看我对她的行为举止多么得体。”他又掏出指南针，“是不是从这儿往东北方向走？”

“往北。不过，对于我无所谓，我又不回十一里湾，”我对他说，“我们要去贝纳拉。”

听说我们要去贝纳拉，菲兹帕特里克突然掉转马头向铁匠跑去，一副多管闲事的样子。他命令铁匠把绕着马车飞舞的苍蝇统统赶跑，否则就要“兴师问罪”。

“哦，谢谢，”铁匠说，“你是个好人，先生。能把你的名字告诉我吗？”

“没有必要，你快滚吧！”菲兹帕特里克说。

“是，先生。”

“我呢？”斯蒂夫·哈特问。

“我要带内德·凯利到贝纳拉，”菲兹帕特里克说，“你要是愿意，可以陪他一块儿去。”

我用胳膊肘子碰了碰斯蒂夫，还给他使了个眼色，但是他没有理会。

“你凭什么抓他？”他说，“内德·凯利是个好人。他比你们全家人加到一块儿都强！”

“你是想和他一起走，是不是？没问题，那间牢房足够你们俩住。”

男孩没敢吱声，可怜巴巴地看着警察。

“不想坐牢就快滚！”警察说。

哈特爬上马车，在铁匠身边坐下了。他没有看我，但是抖动缰绳赶车的时候，他弯腰曲背，垂头丧气，一望而知，他心里充满羞愧和歉疚。马车向北驶去，山雨欲来，一团团乌云正在那里聚集。

“你不和我一起去看看你的妹妹？”菲兹帕特里克问。

“现在不去，伙计。”

“你要去贝纳拉？”

“是的。”

“你是个地地道道的傻瓜。”他生气地说，又把指南针掏了出来。“你和那个女人搞上之前应该先征求我的意见。”

“照这么说，你和我妹妹好上之前也应该先征求我的意见。”

“玛丽不适合你，凯利。我了解她的性格。昨天我还给弟弟写了封信，对他说，我把她介绍给你，也许是件天大的蠢事。”

对我而言，这话就像鸭屁股上的水珠，一闪而过，毫无意义。我知道男人常常成为无知的牺牲品。

“你不了解我的性格，亚历克斯。”

“你总认为你小子天下第一。”他说。然后他停了一下，好像提出一个问题，等待我的回答，“你还认为自己是最好的骑手。”

我没吱声。这个古怪的家伙猛地一夹马肚，像离弦的箭，飞也似的奔跑起来。我得承认，他的骑术非常高明。尽管他狠命地催马疾驰，简直都要把马累死了，但是他屁股紧贴马鞍，连一丝缝隙也不留。三个小时后，他已经跑到布罗肯河大桥旁边等我，那匹可怜的骟马肚子两边浸透了汗水，还被他那双军用皮靴上的刺马针扎得血迹斑斑。

“你真是个该死的傻瓜。”他说，然后又飞马向前奔驰而去。

众所周知倘若你被警察逮捕，朋友、伙伴就会立刻远远地躲开你。不是因为他们胆小怕事，而是警察总是在不遗余力地追踪所谓的“知情人”。人们便出于好心，劝他们尽量远离城镇。斯蒂夫·哈特也知道这个道理，但是却满不在乎。他把铁匠送到温敦以后，便直奔贝纳拉警察局。警察告诉他，我压根儿就没被关在那里。哈特认为这些家伙一定在骗他，便在大街上溜达，希望在警察从拘留所押送我到法庭的路上，他能见我一面。

实际上，这时候我是自由人，正和你母亲高高兴兴地坐在鲁滨逊太太的游廊下谈天说地呢。春天到了，大朵大朵洁白的茉莉花从前面的篱笆墙上滚落下来，就像姑娘的手帕，散发出扑鼻的香气。星期日，我们一早就去做弥撒。许多年以来，这是我第一次走进教堂的大门。神父听了我的种种罪行之后，说我必须结婚。我对他说，一定按照他的指教，尽快完婚。那天下午，我花了两镑从戴维斯·古德曼那儿租了一辆很别致的双轮马车。他这样漫天要价，无异于抢劫，但那天是星期日，除了他，没人出租马车。我赶着马车，带上心爱的人和她的小宝宝到十一里湾去见母亲。我并不担心这次见面会有什么不好的结果。玛丽是爱尔兰人，天主教徒，行为举止都很得体。

母亲在棚屋里接待了我们。她烤饼，倒茶，表面上看没有什么不周之处，可是到了下午，她和她那位“花花公子”就开始给我颜色看了。她和乔治·金直挺挺地坐在椅子里，直到玛丽离开也没有瞅她一眼。

“见到你很高兴。”母亲冷冰冰地说。我的心里沉甸甸的，好像压了一块石头。

在回贝纳拉的路上，泪水顺着玛丽美丽的面颊潸潸流下。我问她愿不愿意和我结婚。她问：“你母亲是什么意见？”我说：“关她什么事！让她的意见见鬼去吧！”

那天晚上，我特意跑到菲兹帕特里克的宿舍，告诉他这个好消息。他听了之后没说什么，只是说，傻瓜才和玛丽·赫恩结婚。我问她为什么对玛丽·赫恩有这么大的成见。他当着我的面还是不肯说。等我走了以后，他给玛丽写了一封信。那封信又臭又长，不过要点只有一个，那就是，他像爱自己的兄弟一样爱我，谁敢欺骗我，他就严惩不贷！

第二天早晨，我还睡觉的时候，玛丽发现了这封别在奶桶上的信。读了以后她大惊失色，连牛奶也没往家里送，提着裙子便向布里奇大街警察局的马棚跑去。一路上，除了斯蒂夫·哈特，她谁也没有看见。小伙子又冷又饿，还守在拘留所外面等我。玛丽不知道他和我的关系，从他身边跑过，径直跑进马棚。她呜呜咽咽地哭着，求菲兹帕特里克不要毁了她得到幸福的机会。这个爱在女人堆里厮混的家伙看到美丽的玛丽热泪长流，脸被痛苦扭曲，凝脂般的皮肤变得像手里那封信一样皱皱巴巴，他是否特别高兴，不得而知。

“你为什么对我这么残酷？”她哭着说。菲兹帕特里克那张脸藏在马投下的阴影里，玛丽看不清楚。“难道我做过什么对不起你的事情吗？”

“把真相告诉他，玛丽。”

“我如果告诉他，他会杀人的。”

“我以警官的名义向你保证，内德·凯利不会伤害你。”

“他当然不会伤害我，可他会伤害别人。”

菲兹帕特里克停了一下，咬着嘴角的胡子，上下打量着玛丽。“他会伤害谁，玛丽？”他终于问。她转过脸，一双清澈明亮的绿眼睛直盯盯地看着他。

“我？”

“不知道。”

“哦，姑娘，如果你不告诉他，那只好由我来替你完成这个任务了。”

“哦，求求你，菲兹，别！”

他把一只脚套在马镫上的时候，冷冷地望着她，说：“你把隐瞒了的事情都告诉他，我敢担保，他会冷静地面对这一切。”

菲兹帕特里克发了疯似的从马棚里冲出来的时候，斯蒂夫·哈特认出了他。那天，人们都看到这个警察就这样马不停蹄地跑到温敦。他找到前面提到过的那个小贩——窝藏赃物、作伪证的坏蛋戴维斯·古德曼，从这个大胖子那儿买了一小包白色粉末。后来，鲁滨逊太太按照菲兹帕特里克的吩咐，弄了一杯柠檬汽水，加了蜜糖，然后把这包麻醉药倒了进去。

威廉鹡鸰[1]在篱笆上跳来跳去。满头黑发、身材苗条的玛丽递给我那杯柠檬汽水，眼瞅着我把它喝了下去。

她握住我的手。她的手冰冷、黏湿。我连忙问她是不是不舒服。“亲爱的，我必须告诉你这孩子的父亲是谁，否则我们就不能结婚。”

“你说过，那人是一位姓斯塔基的先生。”

“斯塔基先生还有一个名字。”

“哦，什么名字？”

“乔治·金。”

这个可怕的事实如五雷轰顶，可我还是像一只袋鼠，倒下去之前挣扎着跳了几下。“乔治·金答应过和你结婚吗？”

“我知道，他已经和你的母亲结婚了。”

“哦，天哪！”我呻吟着，“你怎么能让我带着你去拜见他们呢？”

“你那么迫不及待，我怎么能拒绝呢？”

“他们一定认为我是天下头一号的大傻瓜！”

“认为我们俩是大傻瓜，亲爱的。”

她面色如土，快乐从她那张年轻美丽的脸上消失得干干净净。那一瞬间，仿佛万箭穿心，我恨透了乔治·金！我从佩恩特里奇回来那天就该杀了他。他穿着母亲给他织的黄羊毛套衫，那时候我就知道他不是个好东西。

我的心房里仿佛激荡着熔化了的钢水，血管里奔腾着愤怒的火焰。我大声叫喊着跳了起来，可是麻醉剂已经起了作用，我两条腿软得像面条，站立不稳。

“坐下，亲爱的。”

我说不出话，但是踉踉跄跄地走过那幢熟悉的房子，一直走到后面的

---

①威廉鹡鸰：产于澳大利亚的最常见的鸟，黑白两色，吃昆虫和小鱼。

门廊。栏杆上放着我的马鞍和笼头。我像一个醉汉，步履蹒跚，浑身无力，但还是挣扎着拿起了马鞍。玛丽在喊菲兹，但是对于我，这一切都毫无意义。

走下台阶，再走向鞋匠家的围栏，对于我来说已经是一件非常困难的事情。可是我的马跑到篱笆旁边的台阶跟前迎接我。

“你要上哪儿去？内德。”菲兹帕特里克问。我不知道他突然从哪儿冒了出来。

“回家。”我说。

“今天不行，内德。”

菲兹帕特里克手里拿着手铐。我朝他挥手一击，却被他紧紧抓住一只胳膊。要不是在柠檬水里放了麻醉药，他永远也不会成功。他把我的胳膊扭到背后，说他非常赞赏我，他还从来没有碰到过一个像我这样英勇顽强的人。我只记得手铐铐住手腕时冰凉的感觉，后来的事便什么都不知道了，直到第二天早晨在牢房里醒来。

警察菲兹帕特里克和警长韦兰一起走进牢房，韦兰直挺挺地伸着脖子。我装出一副压根儿就不认识菲兹帕特里克的样子。看得出，他因此而松了一口气。他往回收了收小腹，然后用好听的男中音编造出关于我种种罪行的谎言，说我喝醉酒在人行道上骑马。我什么也想不起来，只模模糊糊地记得乔治·金辱没了我的母亲和未婚妻。

我似乎一夜之间就转换了一个角色，需要一支强大的部队才能控制，这支“部队”现在就集结在花园里的小路上。警察们聚在周围，我一不留神，踩在韦兰警长的莴苣上。为了这一“罪行”，警察朗尼加恩朝我腰上狠狠地揍了一拳。接下去我不得不忍受那位所谓朋友的大声咆哮。他叫喊着说，犯人必须像行军一样规规矩矩地走路——一二一，一二一！在阿拉代尔大街上，我就这样“一二一，一二一”地走着。这时，我目睹了另外一种友谊。已经在大街上过了两夜的“罗圈腿”斯蒂夫·哈特，脏兮兮的衣服皱皱巴巴，但是满头黑发梳得溜光，中间分了一道缝，两边垂着好看的发卷。跟他一起的还有汤姆·劳埃德。斯蒂夫满腔怒火，和汤姆一起大声叫喊着给警察喝倒彩。他弯下腰拣石子的时候，韦兰立刻大声叫喊着，要手下的人马上给我戴上手铐。

我让斯蒂夫把手里的石子扔掉，然后对前额突出的警长说，他曾经以拦路抢劫罪逮捕过我，所以应该对我的为人有所了解。那时候，面临严厉的惩罚，我都没给他找过麻烦。今天，不过是因为我在人行道上骑马，触犯了交通规则，没有必要兴师动众，更没有必要让我披枷戴锁。可是菲兹帕特里克已经拿出手铐向我走来。我一把将这个胆小鬼推到旁边，伙伴们为我大声喝彩。

“干得好！内德。那些胆小鬼加到一起也比不上你！”

我向大街对过走去。朗尼加恩命令我站住。我停下脚步之后，他猛地从后面扑到我身上，我脚跟一转，把这个杂种甩倒在地上。鞋匠家的门敞开着，我飞跑过去，一个箭步跨过门槛，冲了进去，可惜后门紧锁。朗尼加恩向我扑过来，我一抬脚把他踢到一边。菲兹帕特里克抓住我的靴子，一使劲，靴底和靴帮分家了。他求我和他配合一下，我心里想，让你的“配合”见鬼去吧，一把将他推到墙上。鞋匠吓得躲到一边。朗尼加恩伸出他那双肮脏的手，从后面抓住我的睾丸，使劲捏。韦兰的拳头向我的腰背雨点般打来，四周站着的警察像猎狐犬一样大声“吠叫”。但是我并没有束手就擒，还在顽强抵抗，在鞋匠的店铺里把他们打得七零八落，东倒西歪。

这时，一个面粉厂厂主走了过来。他让警察们住手，还说他们应该为自己的无能而羞愧。他衣冠楚楚，彬彬有礼，一副诚实宽厚的样子。他问我，可不可以由他给我戴上手铐。看到他那么有礼貌，我说可以。他又问我，可不可以由他陪我到法庭。我点了点头，像一只羊羔，老老实实地跟在他身后，向法院走去。但是我无法忘记乔治·金，心里只想着和他的事情应该尽快有个了结。

斯蒂夫·哈特和汤姆·劳埃德一直跟着我走进法院的大门。玛丽已经坐在那儿等我了。这样一来，便有三双充满同情的眼睛看我出庭受审。可是那一刻，我只把注意力集中在第四双眼睛——乔治·金的儿子那双眼睛上。毫无疑问，我的精神还没出问题。可是从被告席望过去的时候，我觉得那个孩子正用他父亲那双冷冰冰的蓝眼睛愤怒地瞪着我。

事实证明，我在判断那位面粉厂主的身份时，严重失误。原来他不是别人，而是地方法官。菲兹帕特里克出庭作证，该死的“面粉厂厂主”宣判我因酗酒闹事，破坏治安，袭击警察，罚款四镑；因弄坏菲兹帕特里克的衣服赔偿五先令。然后，那些杂种又把我送进牢房。

玛丽·赫恩看见斯蒂夫和汤姆掏出口袋里那点零钱，一便士一便士地数着，便走过去让他们跟她一起去澳大利亚银行。她从银行取出自己那点少得可怜的存款，三个人一起去警察局为我交了罚款。

我被带去见这三位“施主”时，除了孩子那双眼睛和朝我撇着的嘴唇，我什么都没有看清。小东西那副样子似乎已经知道，我要找他的生父报仇。那时候，我才知道，这个孩子洗礼时起名为乔治——和他的老子同名。

等收据的那会儿，滚滚惊雷已经在天边响起。我那匹母马“音乐”踏着沼泽般泥泞的小路，向十一里湾驰去。这时候，下起了冰雹。我忍着疼痛，把科尔特牌左轮手枪别在腰带上，催赶勇敢的“音乐”在风雨中奔驰。虽然冻得浑身发抖，但我还是脱下油布雨衣，把那枝埃菲尔德式步枪[①]严严实实包裹起来，以免雨水把弹药淋湿。

从哈洛兰家那座房子旁边走过去的时候，冰雹已经停止，太阳冲破团团乌云露出头来。还属于政府的辽阔田野升起带着芳香的雾气。我看见，我们的邻居布雷克·威廉姆森急匆匆跑过围场，鞋掉了也顾不得捡起来重新穿上，而是继续光着脚一瘸一拐地跑着。我想他一定是向乔治·金报信去了，便使劲夹着马肚，从哈洛兰那幢房子后面飞驰而过，然后跨过四道栏杆组成的高高的围栏，从南面进入母亲的小农场。还没有从牛栏后面绕

①埃菲尔德式步枪：埃菲尔德是英国米德尔塞克斯郡一个村庄。这种步枪首制于该地，故得此名。

到前头，我就觉得家里一定出了什么事情。因为一只楔尾雕蓦地向天空飞去，一群乌鸦拍打着翅膀尖叫着，在它四周盘旋。院子里，乔治那匹栗色马血肉模糊地躺在地上，早已一命归天。另外一只楔尾雕正把脑袋伸到马肚子里贪婪地啄食。这匹马是被手枪打死的，脑袋和胸口都中了子弹，于是它变成这群靠食腐肉为生的鸟儿的盛宴。马的肚子几乎被掏空，一根淡蓝色的肠子一直拖向母亲的棚屋。楔尾雕琢食的时候，乌鸦就向它们发起攻击。我从油布雨衣中取出步枪，光着脚向棚屋走去。四周静悄悄的，连一点儿响声也没有。

我冲进棚屋，屋子里空无一人，桌子上洒了许多谷子，三只老鼠正大嚼大咬。

我喊金的名字。母亲的床下似乎有什么东西在动。我扳起步枪的扳机。

“出来，你这个胆小鬼！”

出来的是乔治·金三岁的儿子约翰和四岁的女儿艾伦。我问他们家里出了什么事，可他们只是像黑暗中的小负鼠，眨巴着亮闪闪的眼睛，一句话也说不出来。另外一张小床上什么也没有，只有第四只老鼠，像只丽蝇，仰面朝天死在那里。

我从棚屋走出来，朝院子里那棵胡椒树张望着，生怕他爬到树上藏了起来。然后我又到菜园里搜索，发现爸爸那支老式手枪扔在小路上，母亲坐在篱笆旁边最高一级台阶上。她像你见过的那种守灵的老太太一样，轻轻地摇晃着，青筋突现的大手放在肚子上。她回转头看我的时候，我发现她的一双眼睛深陷在眼窝里，鼻子好像大了许多，头发一夜间变得灰白。

“他跑了，”她说，“我拦不住那个混蛋。”

我拿起那支手枪，枪柄热乎乎的，似乎还带着母亲的体温。“可我拦住了那匹该死的马。”她说，手一直放在肚子上。我意识到，她又怀孕了。她已经老了，这种事儿早该与她无缘。几年前，她怀约翰·金的时候就掉了四颗牙，现在脸颊塌陷，紧贴牙龈，一看就是个老太太。我伸出胳膊搂住她，觉得她瘦得只剩下一把骨头，没有肉，更没有希望。她说，她那座破房子是个不祥之物，逃不脱那个臭男人带来的厄运，她真想一把火把它烧了，变成瓦砾也在所不惜。

我知道，世界上没有什么不祥之物，真正给我们带来厄运的是警察和大牧场主。我进屋给她倒了一杯白兰地，看见先前金挂在墙上的酒壶和他声称从印第安人头上剥下来的带发头皮[1]都已不见踪影。我把白兰地送到母亲面前。她虽然没有拒绝，但是一杯酒下肚，脸上还是没有血色，一双眼睛目光呆滞，看不到希望。

她说，她和乔治共同生活的这几年就是一场灾难。为了进一步证实自己的说法，她指着棚屋四周的蝴蝶花让我看。我觉得她简直疯了，花怎么会成为灾难的根源。后来我才注意到花丛中有什么东西在动。原来是只老鼠。很快我就发现房屋四周的老鼠多得吓人。它们行色匆匆，到处乱窜，不时站起身来，挥舞一下爪子。

她毒死过许多老鼠，这方面的技巧可以说相当高明。可是现在，她把老鼠的死亡当作厄运的证据。她感情激动，心绪难平，根本就顾不上我。我暗自祈祷年纪稍大一点儿的妹妹能来帮帮我。可是玛吉已经嫁给比尔·斯凯林，格雷斯不见踪影。凯特经常下午很晚才回来。她那双黑眼睛又大又亮，长长的、乌黑的秀发闪闪发光，和饱经风霜的母亲形成鲜明的对照。而这种对比让我永生难忘。两个同母异父的小弟弟小妹妹吓得藏到床下，凯特费了好大的劲儿才把他们哄了出来。她还找回藏到哈罗兰家的格雷斯。孩子们都劝母亲回家，可是她十分固执，谁也改变不了她的主意。傍晚，我找来玛吉。她带来一大盘烤羊肉，一瓶白兰地。我们一家人坐在胡椒树下吃了一顿饭。那天夜里，母亲睡在玛吉的床上。

第二天，布雷克和我掩埋了乔治·金的马，直到深夜我才回到玛丽·赫恩那儿。她背对着我，正在鲁滨逊太太的厨房里侍弄小宝宝。“哈啰。”我说。

她没有回答。

---

①带发头皮：印第安人从被杀死的敌人头上剥下作为战利品的头皮。

“哈啰，亲爱的！”

她不看我：“你上哪儿去了？”

我说，我想给母亲盖一幢房子。至于金，我只字未提，可是当她把孩子抱起来的时候，小家伙伏在母亲肩头，用已经远去的父亲那双冷冰冰的蓝眼睛直盯盯地看着我。

菲兹帕特里克找到玛丽·赫恩，求她在我面前说情。他说，他之所以抓我，完全出于对我的爱护。可是，玛丽永远不会忘记他对她的威胁。她小巧玲珑，只有五英尺高，现在却一把把这个大个子警察推下门廊。菲兹帕特里克跌跌撞撞，差点儿摔倒在花园里那条小路上。“永远不要再来这儿，你这个害人精！”

“我想，鲁滨逊太太可不愿意听到你这种话。”

“哦，不要逼得我把你刚才说的这些屁话告诉内德！”

此刻，内德正在十一里湾忙得不可开交。每天，我都从早干到晚，给母亲盖一间可以临时住的窝棚。其实也就是个遮风挡雨的地方。立起四根木头柱子，然后用带树皮的桉树树干垒起三堵墙，屋顶用捆扎得非常结实的树枝苫好。大的框架搭起来之后，我就开始精心装修。母亲对工程的进展很高兴。每钉进一个钉子，母亲的腰板就挺得更直一点，眼睛也更明亮一点。唯一让她不满意的是，太阳一落山，我就匆匆离去。我请求玛丽和我一起住到十一里湾。她不想去，理由是我母亲恨她。这时候，鲁滨逊太太提出，玛丽住在她这儿要交两英镑房钱。钱，当然得给人家，但是我从来没有对母亲说过这种家庭内部的事。即使这样，她也“嗅出”一只带来厄运的“老鼠”又要跨进我们家的门槛儿。

“毫无疑问，是个女郎。”她一边说，一边向围栏望去。像平常一样，围栏门口聚集着几头奶牛。我知道，她喜欢马，不喜欢牛。

“你知道，不是一个普普通通的女郎。我带玛丽来过我们家。你一定还记得。”

“我一定还记得？记得什么？我记得格雷斯把牛关进了牛栏。”

“这事儿你不可能忘记。”

她转过脸，一双眼睛冷冷地看着我。“啊，我想起来了。是那个跟一位有妇之夫生了孩子的女人。”

就这样，麻烦接踵而来。一个夏天的夜晚，玛丽那间屋子的窗户外面传来一个男人的叫喊声：“内德！内德！内德！”我和玛丽从睡梦中惊醒。玛丽悄悄地说：“是菲兹帕特里克，别理他！”

我撩起窗帘，看见这个警察醉得一塌糊涂。他声称，因为失去我的友谊，他成了世界上最可怜的人。他趺趺撞撞，从游廊摔下来，倒在绣球花丛中。夜色浓重，我把他扶起来，搀着他走到泥泞的大路上。我只穿着一身睡衣，他穿着制服。他痛哭流涕，说他之所以抓我，是怕我一怒之下把乔治·金给杀了。

直到凌晨一点，我才平静下来，原谅了他。又花了几乎三个小时，我才说服了我的玛丽。玛丽恨透了菲兹帕特里克。她说，他在富兰克斯顿有个女朋友，在德罗玛纳还有个女朋友，可是他并不打算和她们当中的任何一个结婚。此外，她不同意我和警察交朋友。可是我们凯利家受尽了警察的压迫，先是富拉德，后是霍尔，再后来是法瑞尔。所以，菲兹帕特里克的“友谊”，对我们家有特别重要的意义，至少可以保护母亲的利益。她现在又开起了无照经营的小酒店。

在十一里湾，我正在间隔一间卧室，菲兹帕特里克来了。他身穿便服，一进门就说要帮我干一天活儿。他带来自己的工具——凿子、斧子，一应俱全，俨然一位技艺高超的细木工。他还小心翼翼地拿出一个非常漂亮的刨子，我们立刻干了起来。

那天夜里，在贝纳拉，玛丽和我正在床上躺着，听见游廊里传来一阵脚步声。“又是那个大骗子来了，”玛丽说。

来人是斯蒂夫·哈特。他偷了一个马鞍。警察正在抓他。我们把他藏了起来。早晨，我把他送回小公牛湾，答应想办法把这件事情摆平。

“你怎么能把这事儿摆平？”玛丽问我。“难道你一夜之间成了大牧场主？”

“总得想想办法嘛。”我说。

“你找过菲兹帕特里克了？”

“还没有。”

三天后，菲兹帕特里克又来到十一里湾。我问他这个案子有什么进展，还替斯蒂夫说了许多好话。菲兹帕特里克表示一定尽力。他解释说，他来找我是因为一件更紧急的事情：古德曼太太告了丹·凯利一状，说他犯了夜入民宅、偷盗和强奸未遂罪。

我知道，丹根本就不在这个区，所以，蛮有把握地说，这是诬告。菲兹帕特里克看出我说的是实话。应该说，我和他的“友谊”还是有点好处。

他说：“就连韦兰警长也认为她撒谎。他已经给墨尔本写了一份备忘录，说他要以诬告罪逮捕古德曼太太和她的丈夫。韦兰根本不需要抓丹，所以这次就放他一马。你应该带着弟弟去警察局，让他自首。”

“为什么要这样做？”

“这样一来，警察局就会发现他无罪，就可以惩罚古德曼太太了。”

我们俩去了比尔·斯凯林的棚屋，和母亲、凯特、玛吉、比尔一起讨论这件事情。菲兹帕特里克走了之后，大家都说他是个好人。丹应该像他说的那样，主动去把事情说清楚。第二天早晨，我对玛丽说，我得去找弟弟。然后我给了鲁滨逊太太六便士，买了几个凉土豆和一个羊肉三明治。春寒料峭，满目荒凉，迎着呼啸的北风，我又踏上通往袋熊岭的熟悉的道路。走过水肥地美的凯尔菲拉牧场，走过瑞安恩湾，脚下是一望无际的还没有开发的土地。林涛阵阵，树脂的清香扑鼻而来。我知道，眼前这座山岭是我的天堂，是老哈里·鲍威尔给我留下的遗产。他像公爵留给儿子土地一样，给我留下这座大山。这里的每一条道路，每一座小山，都让我对哈里·鲍威尔充满感激之情。

细雨纷飞的黎明，我回到小公牛湾。弟弟丹同意大伙儿的意见，准备跟我一起到警察局“自首”。他非常害怕坐牢，但还是穿上油布雨衣，帽子低低地压在眉棱骨上，由我和斯蒂夫陪伴着翻过袋熊岭，向辽阔的平原走去。

到达贝纳拉的时候，天还在下雨，布罗肯河河水暴涨。斯蒂夫和我眼巴巴地看着丹·凯利去自首。他很勇敢，在烛光的照耀下，被警察送进了牢房。

正如菲兹帕特里克许诺的那样，案子很快就被送到法庭审理。丹被指控的那些重罪都被排除，可是那个该死的法官好像后来又想起什么似的，清了清嗓子，宣布丹触犯了“损坏财产罪”，被判刑三个月。

宣判的时候，弟弟的目光和我相遇。他才十六岁，一个邋里邋遢的男孩儿，指甲很脏，头发蓬乱。他朝我挤挤眼睛。看见他被警察带下法庭，我的心都碎了。我和警察亚历克斯·菲兹帕特里克的“友谊”到此结束。

这件事情发生在一八七七年。那时候，政府面临严重的财政危机，不但监狱的经费奇缺，连法官的工资也常常被拖欠。因此，二月份丹从监狱出来的时候，衣衫褴褛，目光呆滞，饿得皮包骨头，他被折磨得不成人样儿了。他在阿拉代尔大街找到我，那儿还是我的居住之地。我告诉他，赶快离开聚居地，因为警察总是在这些地方出没。为了保住自己的饭碗，他们经常随便抓人。

丹又回到小公牛湾。没过多久又来了几个小伙伴，包括乔·贝尔纳和艾伦·谢里特。他们那个区的警察也像犬蚁一样狂躁不安，四处活动。三月份的一个晚上，菲兹帕特里克又去敲我的门。不过，在他破门而入之前，我早已收拾好行装，驰骋在通往小公牛湾的大路上。

抓捕我的罪名是偷盗怀蒂家的马。四个星期之后，警察局又发出一道逮捕丹·凯利和杰克·劳埃德的命令，理由是他们“很像”卖怀蒂家被盗马匹的那几个人。

于是，复活节星期日[①]那天，我们这儿就像大黄蜂炸了窝，乱成一团。母亲在贝纳拉教堂做完弥撒之后，警察朗尼加恩一直跟在她身后。我不知道他到底想逮捕谁。不过，不管想逮捕谁，他都大失所望——他恰巧碰上我母亲那天生下一个女孩儿。

我们是母亲的儿子，就像迎接圣子诞生的三位智者。乔·贝尔纳跟我们一伙儿。暮色渐浓，小鸟在枝头跳来跳去。一定是我的伙伴嘴里叼着烟斗抽鸦片，让它们激动不已。现在正是生死攸关的时刻，他却和我一起，坐在棚屋里百叶窗这边，吞云吐雾，包裹在罂粟那股甜腻腻的香气之中。鸦片让人迟钝，可是乔一下子就听出母亲那幢房子前面的门廊响起一阵沉重的脚步声。

“警察，”他说，“菲兹帕特里克。”

我没听见有人骑马过来。“你敢肯定是他？”我问。

乔没有动，淡蓝色的眼睛看着我从腰间抽出那把小巧的左轮手枪。

“是不是警察局签发了逮捕丹的命令？”他问。

“逮捕他和我。”我一边说一边往手枪里压了六发子弹，每一粒子弹上都抹了油，然后小心翼翼地别在腰带上。这时，乔的目光已经随着鸦片袅袅升起的烟雾渐渐远去。那烟雾像蜘蛛网似的附着在黑乎乎的墙上。

我悄悄地骂了一句，走到棚屋南边。从一扇小窗户上我看见弟弟，他像一只小兔，直盯盯地看着警察亚历克斯·菲兹帕特里克。我们的命运就攥在他的手心里。就在我这样张望的时候，母亲把格雷斯拉到身边，对她说了几句什么。格雷斯跑出棚屋，回来时，后面跟着她的姐姐凯特。

我看见菲兹帕特里克把妹妹很粗鲁地拉到他的怀里坐下了。就我而言，她或许是最后一根救命稻草。但是，我毫无顾忌地走到门口。

“把她放下！”我命令他。菲兹帕特里克虽然一定看到了我的枪，但

---

①复活节星期日：即复活节。基督教纪念耶稣复活的节日，是每年三月或四月的一个星期日。

是并没听从我的命令，而是拍了拍小妹妹的手。母亲对他的这种凌辱视而不见，她打开炉灶门，从架子上取出两块烤得结了一层硬壳的面包。

“把我的妹妹放下！”

菲兹帕特里克叹了一口气。“你瞧，我好心好意保护人家，可还得忍气吞声。”

“别急，”凯特说，“我哥哥要是知道我们很快就要结婚，一定会对你非常友好。”

“哦，你这个傻瓜！”我大声说，“他不会娶你。”

菲兹帕特里克把凯特从怀里推开，伸出手去掏左轮手枪。我的手已经抓住了我那支“科尔特”。

“你想干什么？”他问。

“我想干什么已经告诉你了，你这个杂种！”直到这时，母亲才开始注意我们的争吵。

“他在富兰克斯顿和一个姑娘订了婚，又把另一个姑娘搞得怀了孕。”

母亲毫不犹豫，举起铲子朝菲兹帕特里克的脑袋打去。他头盔掉在地上，打了个趔趄，顺手拔出左轮手枪。我朝他的手腕开了一枪，他的枪掉在地上。

出生不久的小宝宝哭了起来。乔·贝尔纳出现在门口。他举起我父亲那支老式滑膛枪，眯细起一双眼睛，瞄准菲兹帕特里克。小约翰·金第一个钻到床下。凯特跑到她那张小床的帘子后面哼哼唧唧地哭了起来。我命令乔放下枪，把孩子们送到玛吉·斯凯林那儿。

布雷克·威廉姆森看了乔一眼，自告奋勇送那几个小东西去玛吉家。然后，他背的背，抱的抱，像一只奶头上吊着小猪崽儿的老母猪匆匆忙忙地走了出去。

菲兹帕特里克吓得直往后缩，想用手帕包扎流血的伤口。“事情不像你说的那样。”他喃喃地说。

“闭上你那张臭嘴！”母亲叫喊着。我看见她已经夺过警察那支枪，枪口直指不可信任的菲兹帕特里克。她手上粘着面粉，下巴一动不动，一双眼睛燃烧着愤怒的火焰。强大的意志力在火光中闪烁着美丽的光彩。

“你糟蹋了我的女儿，你这个混蛋！”

菲兹帕特里克大吃一惊，似乎没想到她会因为这个问题将枪口对准他。

“我烦透了，再也不想对你这种骗子抱怨什么了，”母亲说，扁平的大拇指扳下了手枪的扳机。“如果这次放过你，那可是犯了天大的错误。”

菲兹帕特里克哭了起来。他说他知道自己是个混蛋。他对上帝发誓，如果这次我们放过他，他绝不把这事说出去。他哭得那么伤心，脸上沾满鼻涕。母亲不会可怜他这样的卑鄙小人。她朝他的脑袋上吐了一口唾沫，叫喊着说，安妮已经被埋在柳树下，她的一个女儿已经因为受到警察的强暴而死。我看出，她马上就要开枪射击了。

“把枪给我，母亲。”

她披头散发，一双眼睛闪着奇异的光芒。我伸出手慢慢地走过去，想把手枪从母亲手里夺过来。可是，即使我已经把冰冷的枪筒抓在手里，也无法预料母亲会做出什么事情。

“给我，母亲。”

她的嘴唇向下咧着。“当心，”我说，“万一走了火，我也得被埋在大柳树下面了。”

母亲嘴一咧，揪着头发，发出撕心裂肺的哭喊。我趁机把沉甸甸的左轮手枪夺了过来。她冲进茫茫夜色之中，痛苦的哭嚎在河湾里回荡。哦，你永远不会听到这样的哭喊。那哭声包含着她对比尔·福罗斯特、乔治·金的怨恨，对死去的儿女的思念，包含着她遭受的每一次痛苦，每一点损失，让你听得肝肠寸断。

菲兹帕特里克周围的人都被他出卖过。丹，我，还有躺在床上呜呜咽咽痛哭不止的凯特。笼罩棚屋的痛苦谁也无法承受。我退出子弹，把左轮手枪还给了菲兹帕特里克。

如果你以后读到警察菲兹帕特里克宣誓后做出的供述，你就不会知道我们曾经以怎样的善心对待这样一个一把鼻涕一把泪的卑鄙小人。乔给他倒了一杯朗姆酒，我从他手上的伤口里取出子弹，然后包扎好。他要离开我的那座棚屋的时候，站在门口再三道谢。他当时说的话乔·贝尔纳都记录下来

菲兹帕特里克：我得说，你是我碰到过的最正派的人。我想让你知道，我心里清楚，今天晚上是你救了我的命。其实我这条命根本就不值得你救。失去你的尊敬，我深感遗憾。因为对我来说，你的尊敬是最高的奖赏。

他走了之后，乔又记下这样的谈话：

爱·凯利：你认为他这番话是真是假？

乔·贝尔纳：但愿他说的是真话。不过，这家伙很可能把我们都抓起来。

这事不幸被他言中。

第九章　桉树湾的谋杀

印着新南威尔士银行字样的信头，四十二页中等股票用纸（大约 8 英寸 ×10 英寸）。有的地方被水浸泡过。

打伤菲兹帕特里克之后，凯利被警方追捕。警察绞尽脑汁抓捕逃犯。桉树湾枪战。凯利不止一次宣称，他们是为了自卫。丹·凯利被警察打伤。艾伦·谢里特作为“侦察兵”和“支持者”所起的作用。多次试图渡过洪水猛涨的墨累河，终于在警察眼皮子底下，强渡一里湾。

母亲回到那间新盖的茅屋之后，就不肯再离开了。她坐在炉火旁边，在炉灰上画来画去。她威胁了一个警察，当局显然不会对她网开一面。我劝她赶快逃走，可是没用。

“你不想坐牢。”

“你不知道我想干什么。”

我这辈子始终站在母亲这边。十岁那年，为了让她有肉吃，我杀了默里家的一头小牛犊。可怜的父亲去世之后，我和她一起干活儿。我是长子，十二岁就辍学回家，帮她经营那个小农场。后来，为了让她有金子，我又跟了哈里·鲍威尔。家里没吃的，我就去打工，没钱花，就去偷。卑鄙的福罗斯特和金像两条野狗围攻一条拴着铁链的母狗一样纠缠母亲的时候，我挺身而出保护她。

“别管我，”她说，“去救你的弟弟。我是自作自受。”

“不，”丹说，“他是为抓我，才来我们家的。是我牵连了你。”

“快走，”她生气地说，“看在耶稣的分上，我一人做事一人当！”

凯特躺在床上号啕大哭。丹十分沮丧，抓住母亲的手，安慰她说：“不，你什么也没做。”

她甩开丹。“我真是个傻瓜！”她说，“像任何一个母亲一样，一个地地道道的大傻瓜！”

她非常坚决地把丹推到我面前。“好好照顾他，”她说，“他从生下就没过过一天好日子。别让他毁了，听见没有？”

“听见了，母亲。”

“你把他藏起来，别让警察抓住。我和凯特待在家里对付他们。”

从那以后，我经常想起那最后一幕——昏暗的棚屋里，凯特在床上号哭，母亲吻着我和丹的面颊。

“去吧，”她说，“我的灵魂与你们同在。”

第二天，我们几个男孩远远地离开了十一里湾，藏到警察找不到的地方。警察局以杀人未遂罪四处通缉，发誓要抓住我们。留在十一里湾没有逃走的亲人们遭了大难。玛吉和丈夫比尔·斯凯林离现场有四英里远，可也在通缉之列。布雷克·威廉姆森除了把孩子们送到安全的地方，什么也没干，但是由于菲兹帕特里克的诬告，被指控为“协助谋杀”。母亲的罪名也是“协助谋杀”。我把她一个人留在家里，无人保护。警察像在牧场里摘蘑菇一样，把她和刚刚出生不久的小宝宝一起抓起来，送到比屈沃思监狱。

雷德蒙德·巴里法官像一只肥大的蚂蟥藏在蕨草丛中，唯一的目的是等待时机，吸干活人的血。就是这个家伙想吊死尤瑞卡的造反者，就是这个家伙因为詹姆斯叔叔烧了那幢房子而判处他死刑。听说他要当这个案子的法官之后，我们通过金克先生给他捎话：如果他们放了母亲和那个小孩，我们可以向他投降。可是，在这位大人物眼里，我们连他的靴子底下的狗屎也不如。他捎回话说，他打算好好教训教训我们这些“乡巴佬”。

事已至此，我发誓以眼还眼，以牙还牙！

凯特现在死活不肯见菲兹帕特里克。这个胆小如鼠但诡计多端的警察拿着一件送给小宝宝乔治的绣花衣服，偷偷溜到阿拉代尔大街。那是星期一晚上八点，玛丽母子早已睡下。菲兹帕特里克压根儿就不管你是否已经进入梦乡，使劲敲着窗户，命令玛丽马上给小宝宝穿上那件新衣服。玛丽知道这个坏蛋太危险，得罪不起，只好给小乔治穿好衣服，放到婴儿车里推到门廊。

菲兹帕特里克对一个婴儿当然毫无兴趣。他划着一根火柴照了照，小乔治吓得要命。菲兹帕特里克声称：他非常讨厌任何人的哭叫，他想知道玛丽需不需要帮助，内德·凯利现在既已成了逃犯，他担心玛丽如何生活下去。

玛丽需要有人帮助她拧断这个混蛋的鹰钩鼻子。可是此时此刻她孤身一人，她只能说，她在澳大利亚银行还有点存款，可以勉强度日。

她用这话搪塞他，应该说很高明。菲兹帕特里克半晌没有吱声儿，过了一会儿才问银行职员有没有把利息记到账上。她说，她不知道。这种事儿，谁会知道呢？

"让我看看存款折，"他说，"那些无赖有时候会忘记把客户的利息入账，结果银行就把这种忘了入账的利息的一半据为己有。"

玛丽当然不想拿给他看，可他坚持要看。黑暗中，她觉得他像一条野狗，一双充满仇恨的眼睛闪着凶光。

"等我找到以后再让你看，菲兹。我一下子想不起来放在哪儿了。"这时，小宝宝乔治咳嗽起来。玛丽说："我得把小家伙送回屋里，让他睡觉。"

"不，不，不，我还没有好好看看他呢！"

玛丽以为他会再划一根火柴看乔治穿上新衣服的样子，可是菲兹帕特里克说："对不起，我得去趟厕所。"从厕所回来之后，他已经把小宝宝忘得干干净净，一屁股坐在藤椅上，两条腿伸在前面。

"我要宣布一个秘密。"

"我把乔治送回去睡觉，再听你讲，好吗？"

"现在就听，"警察说。"我已经和畜牧业保护协会谈过了，大家都巴不得要帮助你。"

玛丽忍不住地笑了起来。“如果这些大牧场主知道我的名字，那是因为他们听说我是个荡妇。”

“如果你帮他们抓住内德·凯利，他们会把你当成圣母玛丽亚。”这会儿，她觉得他的嘴蹭着她的头发，她心里想，他比她想象得还要令人讨厌。“不，菲兹，我绝不会干这种事情！”

“为了你的孩子也不？”

她浑身颤抖，一句话也说不出来，菲兹帕特里克越发四仰八叉地坐在藤椅里，又划着一根火柴。“我太冒昧了，”他说。她看见他手里拿着她那个蓝颜色的银行存折。“菲兹！你是在我的家里！把存折给我！”

“我想，我可以替你保管，玛丽。我相信，你不会介意。”她无法想象，他为什么要扣押她的存折。借着火柴的亮光，她看见他那双眼睛露出的凶光。“哦，菲兹，你为什么和我过不去呢？”

他吹灭火柴，黑暗中飘来一股刺鼻的硫黄味儿。“不是我和你过不去，姑娘。问题是，任何一位地方法官都会看到这张存折，并且认为你没有能力抚养这个孩子。按照法律术语，小东西‘处于危险之中’。”

他是在威胁她，要把孩子送到孤儿院。倘若那样，她就先把他杀了。

“很好，”她说，“我可以考虑你的建议。”

“好吧，”他冷冷地说，“明天中午之前，你到警察局一趟。”菲兹帕特里克一走，玛丽就意识到必须马上逃走。

她收拾好婴儿车，把乔治抱回屋，给他穿上背心，裹上睡衣，套上外套，围上围巾，总而言之，尽可能多地给他穿衣服，直到小家伙的腿和胳膊像打了石膏，硬邦邦的连弯儿也打不了。小乔治大声哭了起来。

鲁滨逊太太的自动钢琴演奏着《水手波尔卡舞曲》。玛丽用一条围巾把几件最重要的东西包起来缠到腰间，外面套上羊毛衫。接着她又改变了主意，把东西裹在小宝宝的身上，抱着他走过那条走廊。木头地板在一位“值得尊敬的”牧场主的靴子的践踏之下不停地颤动。

来到阿拉代尔大街上，玛丽把孩子和行李都放在手推车里，迎着刺骨的寒风，在茫茫夜色中推着车子向通往十一里湾那条高低不平的小路走去。

她向慈悲的、全能的上帝祈祷——上帝委派天使来指引我们，保护我们，从我们呱呱坠地到命归西天，上帝都命令天使陪伴我们，冥冥之中保护我们免受车船碰撞之苦，水火之灾，爆炸之难，乃至摔倒碰伤的事故。然而，就连月亮从乌云的缝隙探出头照亮大地的时候，也没有给人带来丝毫慰藉，恰恰相反，月光下的景色更让人害怕。贝纳拉北面，乌云翻滚，寒风呼啸，雨淅淅沥沥地下着，细密的雨丝雨线像针一样扎在她的脸上。雨越下越大，风越刮越猛，她脱下外套盖在小宝宝身上，自己淋成落汤鸡。对于凯利弟兄，在这样的雨夜行路算不了什么，可是对玛丽来说，简直就是"苦难的历程"。她怕中国人，怕黑人，怕丛林里的流浪汉。剧烈的心跳声，就像骏马的蹄声在耳边回荡。

黎明时分，你凯特姑姑看见一个陌生的穷女人沿着小路，一瘸一拐地从格瑞塔的方向走来。黑暗中，她走过了头，与斯凯林·威廉姆森那幢房子和凯利家的棚屋"擦肩而过"，现在只好再往回走。她的脚划破口子，磨出了血泡。傻乎乎的小宝宝却睡得很香。"哦，上帝，可怜可怜我！"玛丽哭喊着，"他们再逼迫我，我也绝不出卖凯利！"

凯特虽然对我和玛丽的关系一无所知，但还是把玛丽领进家门。看到小乔治没有因为这一路风雨遭到什么不测，她们俩都放下心来。凯特用包装纸蘸着醋，给这个陌生人扎缚好脚，然后才得知，她和她一样，都是菲兹帕特里克迫害的对象。

"你回家了，亲爱的，"我妹妹温柔地说，"就像在自己家里一样。"

雷德蒙德·巴里戴上假发，以"帮助、唆使、试图谋杀亚历山大，菲兹帕特里克的罪行"，判处母亲有期徒刑三年。他还裁定，母亲不能带孩子服刑。他是个凶残的、没有心肝的家伙，他倒霉的日子不会太远了！

袋熊岭山大沟深，四周环绕着陡峭的山崖。但是我们并不觉得多么安全，因为有些本不该知道这个地方的人也知道它的位置。首先是艾伦·谢里特，带着他那个装鸦片的木头箱子跑到我们营地。紧接着是吉米·奎恩，后来，“野人”赖特也来了。他解释说，他一直在曼斯菲尔德大街芬奇的鞍具店附近转悠。莫斯·芬奇是个“尊口难开”的老家伙，很少和人说话，更不要说和“野人”赖特这种臭名远扬的无赖和贼说话。莫斯·芬奇看到“野人”在他的店铺投下的、长长的黑影之下溜达，便径直朝他走过去。

“我能为你做点什么呀，艾赛亚？”

“你可以给我买一瓶黑啤酒，芬奇先生。”

“可你知道，我不喝酒，艾赛亚。”

“我们讨论的不是你呀！”

“野人”只是想开个玩笑，他压根儿就没有指望芬奇先生给他买酒喝。他只是闲着无聊，想找个人或者找点事儿解解闷儿，开开心而已。后来，他注意到老莫斯正在用很长的一溜皮子缝东西，看不出是缝腰带还是缝一根普通的皮条。

“这是什么玩意儿？”他问。

“哦，当心，搭扣掉了。”

“野人”捡起搭扣，放在工作台上。“谁用得着一根有二十五英尺长的皮带呢？”

老莫斯一直没有说话。“野人”心里的火直往上冒。他很容易生气，动不动就发火。“是皮带轮上的皮带吗？”他问。

老莫斯还是一声不吭。

“这到底是什么玩意儿？”“野人”终于忍耐不住了。想到别人自以为了不起，想压他一头，他就忍不住大声嚷嚷。

“放下，艾赛亚。你知道我有一大家子人需要养活，没有时间和你磨牙。”莫斯刚把话说完，艾赛亚就把脸凑到他的脸前。

“我想，你最好告诉我，这玩意儿是干什么用的，芬奇。”

“给你，”莫斯不耐烦地说，从围裙口袋里掏出一先令。“拿着，喝酒去，如果你能闭上嘴，让我安静一会儿。”

这种事情可是难得一见。曼斯菲尔德大街有史以来还没有人听说过莫斯·芬奇给谁买过酒喝。

“野人”接过钱，装进口袋。“先告诉我，这是什么玩意儿。”

“好吧，艾赛亚。这就是人们常说的‘丧葬用品’。”

“哦，是吗？”“野人”说。丛林人想让对方把话说下去的时候，经常用这种口气。

“是的。就是人们常说的那玩意儿。”

“它能派上什么用场？”

“哦，上帝帮帮我！你听起来它能派什么用场就派什么用场。这玩意儿是抬死尸用的，把死人绑到马背上。就像我刚才说的，‘丧葬用品’。好了，你快走吧，让我赶快把活儿干完。”莫斯拿起他那块脏兮兮的蜡，在缝皮子的线上来回拉了几下，蜡上留下一条条纵横交错的“沟”。

“你是给谁做的，芬奇先生？”

“给谁做的可和你没有关系，艾赛亚。”

“啊，告诉我吧，芬奇先生。我可从来没有做过对不住你的事情，不是吗？”

莫斯说：“给谁做的并不重要。”不过他心里清楚，“野人”提出这样的问题也在情理之中。

“我可从来没有伤害过你，从来没有借过你的马或者别的东西。”

莫斯仔细看着手里那块蜂蜡，那纵横交错的“壕沟”里似乎隐藏着什么秘密。“好吧，”他说，“我是给肯尼迪警长做的。现在，走吧，别再打扰我了。”

“肯尼迪打算杀什么人，是吗？”

莫斯·芬奇转过脸，一双眼睛凶狠地瞪着他。

“啊，天哪！”“野人”喊了起来，“他们打算去消灭凯利那帮小伙子！”

于是“野人”马不停蹄，跑了三十英里路来告诉我们这个消息。想象之中，“丧葬用品”——皮带，像巨大的绦虫，蜷缩在我们的肚子里，一天天长大，陪伴我们一生。这天晚上，谁都没有心思做饭。大伙儿坐在那儿，直瞪瞪地看着那堆篝火。火苗缭绕，在很粗的绿树枝上燃烧，树液咝咝咝地响着。夜幕降临，最让我担心的还是那几个小伙子。斯蒂夫和丹肩并肩蹲在地上，慢慢地呷着杯子里的茶水。他们都很勇敢，把心中的感情藏在帽子投下的黑影之中。

吃了一罐沙丁鱼之后，我们都和衣躺下，准备睡觉。这时候，乔·贝尔纳开口说话了。他有气无力，但说出的话尖酸刻薄，就像没有大烟抽，他又犯了烟瘾。

他说，他打算去美洲或者非洲，越早走越好。下一步会发生什么事情，他看得一清二楚。“你不介意吧，内德？”他问道。

“不介意。”

“你们几个也可以去。我们先到吉普斯兰，然后从埃登搞一条船。他们不会跑到吉普斯兰找我们。他们一定把注意力都放在墨累河的渡口上。内德，你走吗？”

“他不会走。”斯蒂夫说。

“为什么我不会走？”

“你不会扔下凯利太太不管。”他说，而且说得很对。

早晨，乔觉得身体不适，没有走。第二天，他还和我们待在一起，一个劲儿地抱怨腰酸腿疼，肠胃不好。他什么也没说，但我明白，和我一样，他一定梦见那根皮条了。

三天过去了，他还住在我们这儿没走。“野人”赖特就像报丧的鸟儿一样，又骑着马，一路小跑来到我们的营地。“那个混蛋警长肯尼迪……”他大声叫喊着。

我连忙迎过去，抓住他那匹马的笼头，想把他领到一个僻静的地方。可是斯蒂夫和丹已经围拢过来，恐惧清清楚楚地写在他们稚嫩的脸上。“什么消息，伙计？”

“野人”解开了扎裤脚的带子，松开马肚带。“他们弄到一支该死的‘斯宾塞’。”他一边说，一边把马鞍子从马背上取下来，递给斯蒂夫。

“弄到一支什么？”

“去给我弄一杯水喝好吗，丹？”“野人”说。

起初，我以为赖特一定是怕丹听了害怕才故意把他支走。可是，他一直等他回来，才说：“那个混蛋肯尼迪借来一支口径 0.52 英寸的斯宾塞连发步枪。”

“哪个肯尼迪？”

“肯尼迪警官，丹。”

“天哪！”

“他从神父那儿弄来一支滑膛枪，从伍兹角金矿护卫队弄来一枝‘斯宾塞’。”“野人”说，“那些该死的警察想把你们一网打尽。”

“天哪！”

“‘斯宾塞’到底是个什么玩意儿？”丹问。但是谁也没有告诉他，“斯宾塞”是战争中使用的一种现代化的武器。

“不过，话说回来，”我说，“如果警察找不到我们，自然就谈不到消灭我们了。”我想开个玩笑，冲淡一下紧张的气氛，可是乔狠狠地瞪了我一眼。

“野人”终于要走的时候，送给我们一大块铅。这块铅是他从新建的曼斯菲尔德邮政局的屋顶上偷来的。斯蒂夫拿来一个水壶，准备把铅熔化后做子弹。不过，他一定知道，即使我们有足够的子弹，也不是“斯宾塞”的对手。

我领着年轻的丹慢慢地向河湾走去。我对他说，等乔走了以后，只有他留在我身边的时候，我们一定更加安全。哈里·鲍威尔和我在这儿藏过好多次，谁也没有发现。

“我和你一样，绝不会把母亲留下不管。”

“我从来没有说过你要离开，丹尼。”

“别叫我丹尼！”

“丹。”

“你在大伙儿面前叫我丹尼，把我搞得怪难为情的。这是小宝宝的名字。”

“好，就叫你丹。”

“谢谢，内德。”他高兴地咧开嘴笑着，突然朝我腿上踢了一脚，想把我弄倒。他是个喜欢开玩笑的淘气鬼。我一下子把他摔倒在地，就像摔倒一条猎袋鼠犬。我们俩在泥土中滚作一团的时候，我看着他那张脏兮兮、乐呵呵的小脸，心里感慨万千。活到这把年纪，我们兄弟俩总是像现在这样亲密无间。我绝不让他死去！那座棚屋就是我们的“防御工事”。此时此刻，我不由得想起十四岁第一次看到这幢房子时的情景。那时候，这个没有窗户的“碉堡”不堪一击。

“谁也不会在这儿找到你。”我说。然后我去找乔，问他愿不愿意和我一起去侦察敌情。他犹豫了一下，翻身上马，和我一起向图姆布鲁普驰去。警察如果把他们的“丧葬用品”从曼斯菲尔德带过来的话，那儿是必经之地。没多久，我们就来到一座小山，跨过一道水洼，攀上一条长长的山脊。乔在松软的沙土地上发现了什么，不由自主地打了一声口哨。“你瞧，”他说，“那是四匹警察的坐骑再加上一匹驮东西的马留下的蹄印，那匹马也许就是为把我们的尸体驮回城准备的。”

我们俩一声不吭，走了一个多小时，乔又打了一声口哨。

“瞧，许多警察来过这儿。”

亲爱的女儿，说实话，第二次看到警察留下的马蹄印，我的心里非常害怕。我几乎断定，我们的藏身之地已经暴露。这一队人马跟着袋鼠留下的踪迹一直找到桉树湾那座早已废弃的老金矿。这条河湾离小公牛湾很近，中间只隔着一条小河。

掉转马头往回走的时候，我知道，乔心里一定在想，自己真是个傻瓜，本来应该早一天离开小公牛湾，现在却永远失去了机会。他是个冷酷无情的人。人们都管他叫“蛇眼”“枪眼”。但是，这样称呼他的人，并没有看到一个二十四岁的年轻人怎样面对自己的毁灭。

天黑之后，我们很快就确定了警察现在所处的位置。他们在桉树湾一片很显眼的林中空地宿营。那儿有四棵倒伏的树木，呈X形相交，警察就在树干相交之地升起篝火。火光明亮，把他们照得一清二楚，就像舞台上的演员。不管他们是在为西红柿争论，还是在为自己栽培的其他农作物而发表不同意见，这些警察一直枪不离肩，警惕地向黑暗中注视着。我认出警察斯特拉汉和警察富拉德，心想，他们真傻，居然把自己清清楚楚地暴露在火光之下。

这是一个只要有一点儿响动就会发出一阵回声的地方。每折断一根树枝似乎就发生了什么事情。因此，只要我们身后有一根树枝咔嚓一声被折断，两个警察就会立刻跳起来，举起手里的步枪朝黑暗瞄准。“谁在那儿？”“站起来！”他们大声叫喊着。斯特拉汉的枪实际上正好瞄准了我的胸口，不过他自己不知道罢了。拿“斯宾塞”的警长没有动，他嘲笑除他之外那三个警察都是胆小鬼。

斯特拉汉慢慢放下枪。乔和我爬回到茅草丛中，然后像野狗一样，悄悄溜回小公牛湾。离开那里之前，我听见警察斯特拉汉又谈起西红柿的话题。警长嘻嘻哈哈地嘲弄着他。

刚刚转过那个山嘴，乔就迫不及待地趴在我的耳边说：“看见警长那支该死的连发步枪了吗？”我感觉到乔在微笑。他那张嘴就像黑暗中打开的沙丁鱼罐头，散发出一股腥味儿。“那就是‘斯宾塞’，”他说。我连忙用手捂住他的嘴，对他说：“闭上你那张臭嘴。”“啊，那支斯宾塞连发步枪真棒！”我朝他的胸口打了一拳，但是看见他朝我直乐，心里很高兴。因为乔·贝尔纳只要心情好，就能派大用场，就能帮我的大忙。我对他说，一旦摆脱困境，我就会给他买一支斯宾塞连发步枪。

“为什么守着苹果树要买苹果呢？”

“住嘴！我们只有两个人，他们是四个人，而且我们只有一枝短筒马枪和哈里那支老掉牙的左轮手枪。”

“如果让我计算的话，我们是四个人，不是两个。”

“不能把丹也算进去。”

“你不是他的保姆。如果你真想保护他的话，就应该给他弄支好枪。”

“他已经有枪了。”

“听我说，凯利，我们应该包围这几个家伙。如果我们现在不把他们的武器夺过来，那就只能等死。”

他说得不错。可是我很难下决心迈出一生中至关重要的一步。因此，回到小公牛湾的时候，我还是没有拿定主意。

这天夜里，乔和我一起在营地上面的山顶放哨。午夜后一个小时左右，风向由北转南。一阵又一阵的狂风席卷而来。这片丛林有好长时间没有被大风摇撼过，现在，枯枝败叶纷纷落下，在我们周围旋转。大团大团的乌云遮住了星星和月亮。

清晨，寒气逼人，我仿佛嗅到了雨水的气息，一颗心不由得飞到墨尔本监狱。母亲那间牢房的铁皮屋顶上一定雨声震耳，水流如注。我没有保护好母亲，我发誓一定要保护好弟弟丹。放哨的时候，我一直想着他；心里充满柔情和伤感。可是小家伙一醒来，便像扎在身上的一根刺，让你心烦。他一边揪扯着长长的袖子，盖住污渍斑斑的独指手套，一边责怪我没有让他起来站岗放哨，而是让他整夜睡大觉。他的头发像一团乱草，一张小脸沾满木炭灰，脏得不像样子。吸蜜鹦鹉和笑翠鸟在我们的头顶上盘旋着相互追逐，巴不得马上再开始一场恶战。斯蒂夫默默地站在那扇装了“铁甲”的门旁。他的脖子上系着一条鲜红的带子，帽带也像平常一样，系得整整齐齐，给人一种“艳俗”的感觉。后来我才意识到，他是为了打仗才把自己打扮成这副样子。

我拍拍丹，让他去洗脸。他噘着嘴，嘟嘟味哝地不想去。可是，听说我要带他去侦察敌情，立刻高高兴兴地“收拾”自己去了。

“等一会儿，”他说，“一小会儿。”

他兴冲冲向小溪跑去，回来的时候，脸洗得干干净净，头发梳得光光溜溜。袖子虽然被河水打湿，但是挽得整整齐齐的。戴上帽子之后，他前后左右捏弄了半天，直到自己认为角度合适，才从口袋里掏出那根当成宝贝的饰带。他又花了好长时间系那根带子，直到自己满意为止。最后，他用一块毯子包裹好他那支破鸟枪，才骑着马跟上我。

这是母亲醒来之后，面对又一天监狱生活的时刻。我不知道此时此刻，她想没想起我，但是，当她的两个儿子沿着小公牛湾的河水向警察的宿营地奔驰而去的时候，我心里一直惦记着她。我们把马拴在桉树湾。

这里一片凄凉，由于矿工的野蛮开采，更是满目疮痍。徒步走了最后十链长[①]之后，我们发现宿营地只有富拉德警长和斯特拉汉警察两个人。真是天助我也。

我让丹回去找乔和斯蒂夫，然后我趴在针茅丛中监视富拉德。他坐在篝火旁边，往铁罐里抓了一把茶叶，晃了几下，放在火上。过了一会儿，我听见斯特拉汉吆喝："喝茶了，歇一会儿吧！"他的话音刚落，针茅丛中传来一阵沙沙沙的响声，伙伴们像褐蛇一样悄悄地钻进针茅丛。我看见乔兴奋得两眼放光，然后朝斯蒂夫·哈特打了个手势，让他赶快卧倒。

机不可失，时不再来。我画了个十字，端着那支口径为 0.577 英寸的埃菲尔德式步枪，从针茅丛中一跃而起。"举起手来！你们被包围了！"

富拉德转过脸看我的时候，乔·贝尔纳从他的藏身之地跳出来。"举起手来！"他厉声喝道，手里端着一根用毯子包着的棍子——他没有枪。

富拉德慢慢举起手来，可是斯特拉汉拔腿就跑。"站住！你这个混蛋！"乔叫喊着。

乔没有武器，我的枪口对准警察富拉德，这样一来，警察斯特拉汉就得靠弟弟来对付了，可丹不敢开枪。

斯特拉汉藏到一根原木后面，乔·贝尔纳气得猛地抽出那根棍子，朝

---

①链长（chain）：英制测量单位，一工程链长为一百英尺。

丹大声叫喊道："开枪呀，你这个傻瓜！要不然他会打死你的！"

斯特拉汉从原木后面探出头，举起了手中的卡宾枪。我别无选择，扣动了扳机。

空气中骤然亮起一团火光，弥漫着一股刺鼻的火药味。斯特拉汉倒在草地上，痛苦地呻吟着。我抽出别在腰带上的口径为0.31英寸的"科尔特"，向富拉德冲过去。可是跑到跟前才发现，那人原来不是富拉德，而是一个陌生人。他浑身颤抖着举起手，连声说："别开枪，别开枪，别开枪！"

我告诉丹看好这个家伙，不管他是谁，然后匆匆忙忙向斯特拉汉跑去。那个可怜的家伙已经被我打死。他面如土色，血从右眼汩汩流出。警察亚历山大·菲兹帕特里克播下的仇恨的种子终于结出了恶果。

我端着枪向另一个警察走过去。他显然认为自己已经死到临头，瞪着两只眼睛，吓得脸色蜡黄。他个子很高，六英尺多，五官端正，留着乌黑的大胡子。我对他说，杀死警察斯特拉汉，我心里也不好受。我极力让他明白，我不会加害于他。

"你是内德·凯利？"

"是的。"

"你打死的不是斯特拉汉，"他说，"是可怜的汤姆·朗尼加恩。"

可是我认识朗尼加恩。在贝纳拉发生冲突那次我就见过他。"他不是朗尼加恩，"我说。那个警察恶狠狠地看着我。"是汤姆·朗尼加恩，"他说，"你把他的妻子变成了寡妇。这个可怜的家伙还有四个孩子。"我说，非常抱歉。可是丹叫喊着说："他是自找的，他是个傻瓜，谁让他朝我们开火！"

山顶之上，高高的桉树像圣人，在大团大团的乌云之下闪着微光。可是山下，乌鸦和噪钟雀却令人沮丧，刺耳的叫声似乎藏着杀机。"内德，上次在贝纳拉，就是这个家伙，差点儿把你的蛋捏出来！"

"住嘴！"我对丹说。我的小弟弟亲眼看见鲜血从警察的面颊流下，在他乱蓬蓬的胡子上凝结成一块块血污，但是他没有丝毫的沮丧，而是像小学生一样在那儿喊叫。他已经把朗尼加恩那支“韦布莱”据为己有。我担心他会伤了人，便命令他和斯蒂夫·哈特把警察的枪都集中到一起，把子弹从枪膛里退出来。斯蒂夫虽然不高兴地避开我的目光，但还是服从了我的命令。

丹掰开扔在篝火旁边那个已经变凉的发酵面包，送给乔一块。可是“枪眼”因为没有找到“斯宾塞”，正气得要命，哪有心思吃面包。他在这个世界上连一个朋友都没有。

丹狼吞虎咽地吃着面包，嘴里塞得满满的，还是又说又笑。他的裤脚从靴子里跑出来，拖在泥水之中。我心里沉甸甸的，脑子也变得迟钝起来。

“你不是富拉德，”我对那个警察说。

“我的名字是迈克英蒂尔。”

“哦，迈克英蒂尔先生，”乔·贝尔纳说，“那位拿‘斯宾塞’的朋友上哪儿去了？”

“那支连发步枪？在斯坎伦手里呢。”

“他是个什么人物？”

“他和肯尼迪警长找你们去了。”

“你的意思是，找到之后就杀死我们？”

“不，我们是来逮捕你们的。”

我怀着一种恐惧，看到乔嘴角露出一丝狞笑。他现在已经成了我生死与共的伙伴，可是直到此刻，我才看到他凶狠残忍的一面——他把刚刚缴获的“韦布莱”手枪，举到离警察鼻子只有一英寸的地方。“你是个骗子。”

迈克英蒂尔想解释，但是被乔阻止住了。

“住嘴！我想看看听过无数次的‘丧葬用品’。”

“我不明白你的意思。”迈克英蒂尔说。听了警察的回答，乔的嘴角又在抽搐。为了防止发生意外，我连忙走到他的身边，一边叫他的名字，一边伸出左胳膊挡住那支手枪。可是此举就像抚慰一条正在打架的狗一样愚蠢。乔用那只紧握手枪的手使劲甩开我的胳膊。

“别管我！”他咆哮着说，“这不是个人的事情。”他认为，迈克英蒂尔打算像捆一只死袋鼠一样，把他的尸体捆到马背上，然后穿峡越谷，送往曼斯菲尔德，一路上鲜血不停地滴答，嗡嗡乱叫的苍蝇穷追不舍。

“把那些‘丧葬用品’拿给我看看！”他命令道。

“没有，保证没有。”

迈克英蒂尔倒退了几步。乔朝他的膝盖上猛踢一脚，和他那次踢“野人”赖特一模一样。迈克英蒂尔痛得大叫一声，打了几个趔趄。乔用枪逼着他向帐篷走去。防潮布上放着弹药、几条绳子、斧子，还有莫斯·芬奇在曼斯菲尔德制作的那两根皮带。这两根皮带盘得很紧，整整齐齐地摆放在那儿，相距只有二英尺。乔把它们拖到林中空地，亚麻籽油的气味像殡仪馆接待室的花香一样在丛林里飘荡。

乔拿起一把小斧子。迈克英蒂尔以为自己的末日已经来临，吓得连连倒退，撞到丹的身上。

“乔！”我大喊一声。

我的伙伴看着我，就像看着一个陌生人。

“你要是碰他一下，”我说，“我就开枪打你！”

乔左手举起那把短柄小斧，一边叫骂一边使劲砍那条皮带，直到那亮光闪闪的、可恨的皮带成了一堆破皮子，短得连系裤子也派不上用场。乔朝地上吐了一口唾沫。他气喘吁吁，面色苍白，向我瞥了一眼。我们俩都为刚刚发生的这些事情而尴尬。

迈克英蒂尔抱着头，一屁股坐到地上。

既然已经付出代价，那就要得到我们需要的“货物”。于是，我们耐着性子，等待另外那两个警察带着斯宾塞连发步枪回来。朗尼加恩的尸体上面苫了几块树皮，我们都远远地躲着。山雨欲来，峡谷里一片昏暗，该死的苍蝇闻到血腥味便活跃起来，像在夏天一样发出嗡嗡的声音。而对于我，那声音永远是死亡之声。桉树湾很快就会成为整个殖民地最有名的溪流。

可是，没有人能够想象出，这个荒凉之地是一副什么样子。他们无法看到，已经枯死发黑的金合欢树或者针茅再也没有养料可以提供。

漫长的下午被黄昏替代之后，我们终于看到“猎物”从北面回来。他们沿着河湾不紧不慢地走着。我知道，那条小路很窄，他们俩只能一前一后地走。

“喂，小伙子们，他们来了！”

我们按计划各就各位。斯蒂夫拿着迈克英蒂尔那支短枪爬进警察的帐篷。丹和乔又钻进针茅丛里。我趴在火堆旁边的一根原木后面。迈克英蒂尔老老实实地坐在这根原木上面。这样一来，他的伙伴们骑着马向营地跑来的时候，一眼就能看见他。

听到第一匹马喷响鼻的时候，我就命令迈克英蒂尔站起来讲话。他只好照办。

“凯利弟兄们在这儿。你们被包围了。”

“开玩笑！”那两个人说。

“不，不是开玩笑！快放下武器。”

我等的时间太长了。我站起来的时候，第一个警察的手已经抓住腰间的左轮手枪。他便是肯尼迪警官。

我鸣枪示警。乔、丹和斯蒂夫都呐喊着从藏身之地冲了出来。第二个警察是斯坎伦，他用刺马针踢着马肚子飞驰而来，一边跑一边向我开火。我向他开了一枪，斯坎伦身子一歪，一动不动地扑倒在马脖子上。“斯宾塞”哗啦啦地响着，跌到地上。紧接着，斯坎伦像一袋土豆似的从马背上摔了下来。

事态毫不留情地继续恶化。哦，天哪，那真是让人沮丧的一天。肯尼迪警官从马背上跳下来，朝我们开火。迈克英蒂尔拔腿就跑，不过他没有对我们造成威胁，他是想偷肯尼迪的马。他向那条通往图布鲁普的小路逃去。

肯尼迪又朝我开了一枪。他向四周瞥了一眼，看见他那匹马被迈克英蒂尔骑走，便退进丛林。我捡起“斯宾塞”，但是打不响。枪的分量很重，是外国货。它的机械原理我一点儿也不懂，只好又把这个倒霉玩意儿扔到地上。前面的灌木丛高的高，低的低，参差不齐，一片昏暗，但是身穿蓝制服的肯尼 迪还依稀可见。

我朝他大声叫喊，告诉他，我不会伤害他。但是他已经扔下威力强大的“现代化”武器，跑掉了。我一边追赶，一边摆弄着火药筒、子弹、火帽，装好我那枝口径 0.577 英寸的埃菲尔德式步枪。

他想把我引到什么地方，不得而知。我凭他留下的踪迹——折断的树枝、践踏过的树叶，一直追到一块针茅丛生的沼泽地。他在前面离我只有两杆[①]远的地方奔跑。我没有开火。

左面那道山脊地势平缓，我们绕着山顶几乎到达德意志湾。这时候，那个狡猾的家伙突然跳进一条矿工留下的壕沟。

我对他大声喊道：“投降吧，我不会伤害你。”没有回答，丛林突然变得死一般寂静，只有我重新开始行动时，靴子踩在枯枝上，发出让人心悸的噼噼啪啪的响声。我又爬上山顶，希望居高临下，看到肯尼迪藏身的那条壕沟。

可是，他突然从前面离我只有三码远的一棵树后面跳出来，举起手枪朝我开了一枪。我举起“埃菲尔德”还击，击中他的腋窝。他在灌木丛中发疯似的奔跑，我在后面追赶，让他投降。我量出火药，装进枪膛，夯实，连填弹塞的时间都没有。他回转身，举起胳膊向我射击。但是我先开了火。

大块大块的树皮像撕破了的皮肤，从树干上耷拉下来。肯尼迪倒在地上。我跑过去，看见他大睁着双眼，缩作一团。缴枪时，我才发现，他手里什么武器也没有，只有已经凝结的血块。看起来，他已打算投降。

他胸膛中弹，腋窝的伤口流了好多血。我知道他完了，便想尽量把他弄得舒服一点。可是，人死到临头，无论如何也不会舒服。

“啊，我可怜的妻子，”他说，“我必须给她写几句话。把我的笔记

---

①杆：长度单位，等于 5.5 码，或 5.0292 米。

本拿来。”

他疼痛难忍，我从他的上衣口袋里掏出一个笔记本。本子上沾满鲜血，我设法撕下几页干净的纸，连同一支铅笔一起递给他。他写完之后，我对他说，非常抱歉，这种歉意他是无法理解的。“你是个勇敢的人。”我说。

他叹了一口气说，他真是个傻瓜，妻子刚刚失去十一个月大的儿子小托马斯，现在又要忍受失去丈夫的痛苦。他给我讲他的小汤米，说他是个非常结实的小男孩儿，他们从来没有想到会失去他，儿子的微笑最让人开心。叙述时断时续，显然他非常痛苦。谁能眼巴巴看着他这样受苦？我不想让他在这痛苦中煎熬，又往枪里装了一颗子弹。

他又提起小儿子，哭着说，他每一天，每时每刻都在想念他。

我说，他很快就能与儿子相聚了。

肯尼迪非常生气地看着我。“你让我流的血够多的了。”他说。

我又朝他开了一枪。他连一声也没哼就死了。

在这可怕的一天，当金合欢树的树影被人的鲜血浸染时，我无法想象前面的路上还会有什么奇迹发生。我们几个小伙子赶着警察的马，跨过德意志湾，进入小公牛湾。现在我们有四支步枪，四支“韦布莱”手枪。乔骑着马，肩背“斯宾塞”。至于我，与死亡打了一天交道，皮肤散发出一股酸臭味儿。

来了一位朋友。我不能说出他的名字。谢天谢地，他头一天没有来，否则，他也会被列入所谓“凯利帮”成员的黑名单。他和我一样，只想有一块地种，只想晚上能围坐在壁炉旁边享受一点天伦之乐。可是看到警察的马落在我们手里，他便明白，这个美梦已经彻底破灭了。

雨水洒在干旱的土地上。我希望雨水能够冲刷掉我的罪孽。但是凄风苦雨从南面的海洋吹来，没有原谅与赦免可言。我对那位朋友说，这场雨水能够让他收获一季好草。为了我，他卖掉他的牡马，换来一卷钞票。我问他，能不能把这点钱送给玛丽·赫恩。

我比斯蒂夫或者丹都小的时候，哈里·鲍威尔就把我带到这间棚屋。“这儿是小公牛湾，”他对我说，“它永远都不会出卖你。”但是，在我十五岁的时候，我觉得这个没有窗户的“堡垒”，像一只蜷缩在大山阴影之下的挨了打的狗。我做了一夜的噩梦，梦见肯尼迪向我举手投降，可是我一次又一次地向他开枪。在那个灰蒙蒙的黎明，我让小伙子们放火烧掉这间让人憎恨的棚屋。我很高兴他们没有问我为什么要这样做，因为我永远不会告诉他们。雨越下越大。我们把原木和树枝从敞开着的门拖了进来，把面粉和沙丁鱼罐头踢到一边。那时候，我们心里都想了些什么呢？还有些钉子和马蹄铁。可是我们似乎都不想要这些负担。天低云暗，我们举着燃烧的火把走进这座避难所。那扇装了铁皮的门敞开着，已经派不上用场。斯蒂夫·哈特用那古老的语言唱起一支忧伤的歌。我对他说，别唱了，从现在开始，我们将书写自己的历史。

直到那座棚屋起火之后，丹才告诉我，他被警察斯坎伦打了一枪。他说伤势不重，只是擦破点皮。可是我从他左手握缰绳的那副样子看出，事情并不像他说的那么轻松。经过凯尔菲拉牧场的时候，他已经疼痛难忍。他弓着腰，牙齿咔哒咔哒直响。我们以为前来报复的警察已经离我们不远，不知道警察迈克英蒂尔没有马，现在正藏在一个袋熊洞里。第二天，在阴森森的日光下，妹妹的棚屋升起缕缕炊烟。我生怕连累她犯下“窝藏罪”，只好绕开她的棚屋，继续向东走。这时候，丹的情况非常不好。

天下起倾盆大雨，干裂的泥土像一只小猫，眨眼之间就解了渴。地上很快积满雨水。黄糊糊的泥水冲开树皮、树枝堆积起来的“堤坝”，向条条沟壑流去。往常平静安详的小溪从河岸冲刷下一块块泥土，夹带而去。我们赶着那几匹马走过奥克斯莱平原的时候，眼前已经是一个被雨水分割、撕裂的世界。

我们向波涛汹涌的墨累河进发。河对面就是新南威尔士殖民地。我们打算去那儿。不是逃跑，而是撤退。渡过墨累河之前，必须先过欧文斯河。

而到达欧文斯河之前，必须走三十英里的路程。路上要蹚过无数条小溪，无数个泥塘，还有大片大片的沼泽地。第三天凌晨两点，我们到达欧文斯河岸边。河水咆哮，黑暗中，卵石、原木撞到桥墩上，发出阵阵声响。所幸大桥没有被河水冲垮。

丹的情况看上去非常糟糕。我只好让乔·贝尔纳去木恩先驱者旅馆，把老板叫起来，让他给我们弄点白兰地。我叮嘱乔，必须把酒钱付足，我们不是贼。乔苦笑着，很不情愿地向黑暗笼罩的旅馆走去，一边走一边用马鞭抽打自己结实的大腿。

丹喝了白兰地之后呕吐了。我们走过大桥，发现洪水已经淹没河对岸的道路，只好返回来，沿着大河向上游走。一直走到泰勒山口，才终于赶着警察的四匹马和两匹驮东西的马，一起过河。

河水湍急，丹骑在马背上摇摇晃晃的，我一直在后面保护着他。向河对岸游去的时候，小家伙恶狠狠地骂着我，我忍不住哈哈大笑。

我那本《洛纳·杜恩》就是过这条大河时被水浸泡坏了的。还有肯尼迪警官捎给他妻子的那封信也泡湿了。后来我弄干了那几张纸，可是上面的字迹已经荡然无存。

过河之后，我们又沿着河岸向下游走去，一直走到被雨水浸泡得满目凄凉的小村庄艾沃。我们敲开一家人的房门。开门的人是个老头，穿着睡袍，名叫库尔森。我们从他那儿买了些东西，给他的钱一便士也不少。我向他通名报姓，这样他便可以知道内德·凯利不是贼，更不是强盗。

进入比屈沃思西面的崇山峻岭之后，我们终于来到一片灌木林，山下就是艾伦·谢里特的小农庄。我们放了几枪。乔孩提时代的朋友听到枪声之后，骑着一匹枣红色的母马向山上跑来。他绕着我们走了一圈儿，一声不响地察看警察那几匹马身上的烙印。那是非常清晰的两个字母 VR[①]。我看出，他的目光中充满了不安和忧虑。

---

① VR：拉丁文 Vicioria Regina（维多利亚女王）的缩写字母。

我问他听没听到过关于我们的消息。像平常一样，他先看了看乔。

“伙计，到底出了什么事儿？”

乔摇了摇头。我可以看出，艾伦因为老朋友一言不发，非常生气，可他又不向我打听消息。

“怎么回事，丹？”丹脸色蜡黄，趴在马鞍子上说不出话来。乔把“斯宾塞”从枪套子里取出来递给他，但艾伦看见枪托上也打着 VR 两个字母，连碰也没碰。

他终于转过脸，看着我说，如果我愿意，可以跟他走。

我们很快便排成一行，沿着一条小路爬上越来越陡峭的山坡。他领着我们绕过野狗岭，来到一块空地。看起来，前不久这儿还囤积过马，泥土被马蹄践踏过，树皮被马啃食过。乔说，他来给马上马绊。

艾伦带着我和弟弟沿悬崖峭壁之上的一条羊肠小道向山下走去。丹靠在我的身上。可是路很快就窄得只能走一个人了。

“我来背你。”

“我能走。”他摇摇晃晃，挣扎着慢慢地向前走。我不由分说，把他背在肩上。左面是陡峭的石崖，右面是深沟大壑，他像一条小狗似的哼哼唧唧地叫着。直到转过一个弯儿，终于找到一个山洞，我才松了一口气。

我把他放下，让他靠洞壁坐好。“你不会有问题的，丹。”我说。

“你要干什么？”

艾伦马上开始生火。

“别，”丹说，“警察会看见烟的。”

雨下得这么大，即使有烟也不会有什么危险。火生着之后，我把威士忌递给丹。“我不想喝，”他说，把酒瓶子推开，看着艾伦放在炭火上的烙铁。

我蹲在他前面。

“非得用这玩意儿吗？”

“你是凯利家的子孙。”我说。

“真希望我不是。”

过了一会儿，乔回来说，已经把马绊好了。斯蒂夫·哈特坐在那儿两手抱膝，直盯盯地看着那堆火。我纳闷，是不是他也希望自己不是哈特家的子孙，希望爸爸不曾给他讲过那么多起义造反的故事。

“都准备好了吧？”艾伦一边问，一边从火上取出烙铁。那是一根笔直的铁条，很短，通常用它把C改成E。我帮丹脱下衬衫。伤口在右肩上，已经发炎化脓。艾伦问他准备好没有，丹直往后缩。

艾伦到山洞后面取出烟枪。有时候，他曾和乔一起用这支烟枪抽大烟。

“我不想抽那玩意儿，抽了恶心。”

“随你的便。”艾伦说。他把烟枪放到一边，又拿起灼热的烙铁。

“我想让我哥哥来做。”

“随你的便。”

艾伦把烙铁递给我。丹转过脸看着我，伸出右手。我握着这只手，就像拉着他过河上学。

“准备好了吗？”

“烫吧。”他说。我把烧红的铁条很准确地放在伤口上。他咬紧牙关，眼睛朝后翻着，轻轻地哼了一声。可怜的小家伙身上骤然间散发出一股香肠在煎锅上烧焦了的糊味儿。

夜里，一直乱乱哄哄，让人难以入睡。我先听到一个女孩的声音，她没完没了地唠叨，不知道是在责备谁。雨下得很大，她那激动的身影晃来晃去，就像暴风雨中迷了路的狐蝠。

“你是个该死的灾难。”她说。听声音，我估计她不会超过十二岁。“你永远是个街头小无赖，”她说，“哦，我也不能抱怨什么，我早就知道你是这么个人。可是这次，你可真把自己搞惨了，惨的不能再惨。我一直认为你母亲对你很严厉。”

“我母亲是头该死的母牛。”乔·贝尔纳突然大声说。

“别！”她也喊了起来。“我不进去。”

“进来，宝贝儿。”

“这里面的味儿太难闻了，好像死了什么东西。别拉我，乔，我又不是一头小牛犊。”

她虽然一个劲儿地表示反对，但还是跟乔走了进来。他们沿着洞壁蹑手蹑脚地走着，湿淋淋的裙子蹭到我的脸上。

“连个下脚的地方都没有，乔，我不进去了。”

“这儿有块毯子，”他用不容置疑的口气说，“够干净的了。”

他们俩安静了一会儿。他划着一根火柴，点上一盏小小的酒精灯，照亮了山洞尽头。

“我很想回家，回到你们身边，贝茜。可是这事儿说起来容易，做起来就难了。警察像追狗一样追踪我们。”

我一直闭着眼睛，不过不用看就知道，这个女孩儿是艾伦的妹妹贝茜·谢里特。

“乔，他们要抓的不是你。”

“你什么也不懂，贝茜，”乔说。我闻见他身上有一股甜丝丝的大烟味儿，他一定又从艾伦那儿弄到了鸦片。

“乔，你说得不对，开枪打菲兹帕特里克的是内德·凯利。如果我说错了，你就告诉我。”

“唉，”他叹了口气，“现在已经无路可走，说什么都晚了。”

“我爸爸不就是警察吗？”

“那是很早以前的事，还是他在爱尔兰的时候。”

“可他给我念‘通缉令’的时候说的也是英语呀！‘通缉令’上说的是‘丹·凯利和内德·凯利’，还有‘其他不知姓名的人’。没有人要抓乔·贝尔纳。如果他们要抓你，就会点出你的名字。你用不着东躲西藏。你把真实情况告诉他们就行了。”

“那些家伙很快就会知道我的。”

“他们知道内德·凯利，”她不顾一切地说，“杀人的是他，‘通缉令’

上写着他和丹的名字。”

“嘘。”乔说。

“嘘什么？我偏要说。你应该清醒了！他们不会绞死你的。艾伦不允许。在这件事情上，他能保护你。”

他一定打了她一下，她痛得尖叫一声。乔吹灭了灯。“你告诉他，不要插手。这件事与他无关。”

黎明时分，贝茜·谢里特走了。乔很平静，休息得很好。他把自己收拾得很整洁，好像什么事情都没有发生过。他烧好茶，包扎好丹肩膀上的伤口，帮助斯蒂夫和我把路上需要的粮食驮在马背上。贝茜姑娘站在空地旁边。她没有穿外套，满头黑发早已被雨水淋湿，湿乎乎的裙子紧贴瘦骨嶙峋的、窄小的肩膀。她含情脉脉地凝望着乔。

“你的朋友？”我问道。

乔摇了摇头：“和我一起到美国去吧，老伙计。”

“她是你的情人，别否认。”

“不，不是。”

“你没有向任何人开过枪，乔。我要写一份证词，并且对天发誓，我说的都是真话。”

“你愿意发誓就发吧，反正对我都无所谓。”他勒紧马肚带，等马呼出一口气之后，又紧了紧，才打上结。“你当然可以写——一直写到那些该死的母牛回家。可是，我们杀了三个警察，不抓住我们，他们绝不会善罢甘休。和我一起到美国去吧！”

我看了一眼那个两手抱在胸前瑟瑟发抖的姑娘。“她是你的情人，乔。”

“哦，我宁愿吻女鬼班西。”

在我眼里，他嘲笑的对象是那个在冷雨中发抖的可怜的姑娘，可是乔那双颜色很浅的眼睛看到的是一场更可怕的噩梦。

“如果我留在这儿，你是不是觉得我必死无疑？”

不知道是因为害怕还是因为鸦片起了作用，总而言之，他那张被太阳晒得黝黑的脸就像瓷碗一样坚硬而光滑。我没有资格在女人的问题上和他争论，可我毕竟是一个有四个姐妹、一位母亲的男人。离开营地的时候，我正好和可怜的贝茜并辔而行。我朝她很友好地点了点头。她朝上翻了翻眼睛，嘴唇一撇，朝我吐了一口唾沫。

对于“曼斯菲尔德的杀人犯”，这才是刚刚收获的一个很小很小的“苦果”，“大丰收”的时刻很快就会到来。

要想逃避警察的追捕，没有别的办法，只有渡过墨累河，到新南威尔士，尽管“河”这个概念和你在巴纳瓦沙地区看到的那副凄凉景象很难联系在一起。墨累河在这里是沼泽和死水潭组成的一座迷宫。洪水一发这里便成了一片汪洋，只有一次又一次地试探，才能弄清从哪儿可以过河。我们试完一个地方，再试一个地方，整整试了三天，一个个累得精疲力竭，好容易才把警察那几匹马赶到沼泽地和死水潭。可是河水猛涨，水流湍急，我们只得再回到岸上。

苍天无眼，看不见这一片汪洋，不肯为我们留下一条路来。不管我们怎样奋力抗争，墨累河依然波涛滚滚。冷雨更不会发一点点慈悲。我们每一次回到岸上，浑黄的河水便涨得更高。困在小岛上的母牛，没有人给它们挤奶，乳房肿胀，疼得哞哞直叫。那令人心痛的叫声，在奔流不息的河水之上回荡。

我们终于来到一块被洪水漫过的荒凉土地。金合欢和芦苇都淹没在水里，再往前是高大的红桉。这里的河水诡谲多变，大树倒在水中，树冠的枝叶像轮船的明轮一样不停地旋转。

丹骑着马，手放在受伤的肩膀上，若有所思地看着水中的旋涡。斯蒂夫·哈特紧挨着他，腰曲背弯，坐在马背上，帽檐低低地压在眉棱骨上。

“很好，”我说：“看来我们只好再回艾伦那儿了。”我看了一眼乔，他举起手，好像和我告别。

“过不去，乔。”

乔眺望着阴沉沉的、不停翻滚的河水。“我早就该撒泡尿了，”他说。然后他二话不说，用刺马针踢着马，冲过芦苇荡。水没过马肚子。马在水中站立不稳，挣扎着，好容易找到一个可以立足的地方，蹄子一滑又陷了下去。

“跟上我！”他大声叫喊着。他的声音听起来好像从远处传来，可是等马第二次站稳之后，我看出他显然找到一块淹没在水里的坚硬的土地。他像找到黄金矿脉的矿工，小心翼翼地向前走着。突然，河水变得很浅，只没过他那匹母马的马蹄。对于丹，这情景已经足可以让他鼓起勇气，夹紧马肚，放开缰绳，冲过大河。

“快看！”斯蒂夫突然压低嗓门儿说。

我看见一根被河水冲得直打转的很粗的原木径直向乔漂去。乔的马已经走到又深又危险的河道边缘。

“不是这个。你往后看。”

我回转头，看到可怕的一幕——南边离我们大约有半英里远的丛林里走出一大群骑马的人。雨雾蒙蒙，人影绰绰，看不清楚那些人的面目，但是可以肯定，为了给死去的警察报仇，警方已经派出大队人马搜捕我们。

乔没有看见警察，他用刺马针刺着他那匹母马，冲进河道。马勇敢地向前游去。警察已经跑过将丛林和洪水分隔开的那片草地。乔冲出激流，爬上遍地泥泞的小岛，一头小牛犊也被困在岛上。这儿离河大约一百码远，还在马提尼－亨利式步枪[①]的射程之内。斯蒂夫领着丹藏在小丘后面被洪水淹过的金合欢树丛中。他焦急地招呼我，让我赶快离开河岸。

可是乔现在的处境很危险，我不能扔下他不管。乔看到警察正向我们逼近。他猛勒零绳，胯下的母马腾跃着蓦地用两条后腿直立起来。他让它倒退了几步。在马戏团里这是司空见惯的动作，可是在墨累河里却是难得一见。

---

①马提尼－亨利式步枪：十九世纪后半期英国军队使用的来福枪，以两个制作人的姓命名。

“快来，内德！”

看到这惊心动魄的一幕，我的两条胳膊不由得起了一层鸡皮疙瘩。警察发出一阵阵令人心悸的呐喊声。战马像乡村赛马会争夺奖杯的骏马一样飞驰着，蹄声嘚嘚，如战鼓点点。一颗步枪子弹从头顶呼啸而过，我急忙跑进被洪水淹没的金合欢树丛，两个小伙子正在树丛中飞跑。

“把头低下。”斯蒂夫说。

“我不想把弹药弄湿。”

“别为该死的弹药担心了。”

“当然不能弄湿。你不是也举着枪生怕把它弄湿吗？”

“你看呀，你看呀，你这个傻瓜！”斯蒂夫大声叫喊着，把手枪浸到浑浊的泥水里。“现在你满意了吧！”我们俩的谈话被河面上传来的一阵枪声打断。原来是乔在那匹依然腾跃着的马背上举起“斯宾塞”，朝细雨蒙蒙的天空打了一梭子子弹。

“站住！”警察叫喊着，“你们被捕了！”

“开枪打他们！”另外一个警察喊道。

这些刽子手离我们已经很近。头顶的天空仿佛被一声声枪响撕裂开来。我们潜入水中，河水冰冷的“手指”伸进耳朵眼儿。再探出头来的时候，我看见乔正奋力向他梦中的美国游去，他的马也在洪水中挣扎，前面是一大片棕黄色的水，目光所及处没有一块可以落脚的陆地。

当然，没有一个警察像被他们称之为“顽固不化的罪犯”那样勇敢。他们在丛林里搜索了一会儿，连靴子都没湿，下午三点，便离去了。我们几个浑身湿透，都成了落汤鸡，估计乔一定已经被洪水冲到河岸上，像淹死的牛犊，泥水从鼻子里往外淌。丹的嘴唇青紫，我给他重新包扎了伤口。三个人心情沉重，默默地晾干枪支和弹药。

我们骑在马背上，眺望着越涨越高的河水，直到暮色笼罩大地。事实上，天黑之后，我们仍然在河岸边眼巴巴地等待着，尽管斯蒂夫认为乔一定已经死了。丹却一口咬定，他已经平安脱险。我们不敢生火取暖。直到第二天，才听到滚滚涛声之上传来一阵絮语——夜幕下，有人在嘟嘟哝哝地祈祷。“他们会离开自己的伙伴，”那人说，“他们会扔下朋友不管，自己骑着马远走高飞了。哦，也许他们投奔什么杂七杂八的乌合之众去了。”

我们发现黑暗中有一个骑马人正慢慢地向前走着。原来那是好斗的乔·贝尔纳。看到他终于平安回来，大家都非常高兴，当然这并不意味着不拿他开开心。我们问他美国怎么样？那儿的姑娘是不是像传说中那么漂亮？

“现在我们已经是死人了，”他回答道，“我们必须接受这个事实。”

约翰·金三岁，艾伦·金五岁，格雷斯·凯利十三岁。他们都尖叫着，跑进棚屋，藏到床下。这事儿是后来玛丽·赫恩告诉我们的。起初，她以为这几个小东西在玩捉迷藏，后来才看到两个留着大胡子的警察，手里提着沉甸甸的手枪正在追赶他们。

“出来！”警察叫喊着，“你们被捕了！”

两个警察手里提着口径 0.45 英寸的“科尔特”左轮手枪，可还是觉得不够安全。那个个子比较高的家伙从婴儿车里一把提起玛丽的小宝宝，把他当作“人体盾牌”，挡在胸前。

小乔治挥舞着拳头，号哭起来。他的母亲身上裹着一条毯子跑过来救他。警察用手里的“科尔特”朝她的肚子捅了一下。

“放下武器。”他叫喊着。

“先生，”她叫喊着，“这里没有武器。”

“别骗我，”布鲁克·史密斯大声说，“我们知道内德·凯利在这儿。”他一把撕开裹在她身上的毯子，露出她不愿意让男人看到的部位。

“先生，”她哭喊着，“孩子要掉下来了。”她说的没错儿，小宝宝正从警察手里滑落下来。可是恐惧会使一个壮汉变成聋子。布鲁克·史密斯警长吓得要命，以为我就藏在棚屋里，他的末日就要来临。

“出来，凯利！你要是开火，就会打死这些孩子！”

“哦，把孩子还给我！”玛丽叫喊着，向前冲去。警察一把将她推开。她浑身无力，只能像一只凤头麦鸡护着被敌人袭击的巢，发出阵阵尖叫。

“滚开！”史密斯叫喊着，“滚开！我会照顾好你的孩子。”他一边说，一边用膝盖顶住小家伙的屁股，另一只手紧紧搂住他的胸口。

玛丽以为政府要抢走她的小宝宝。“哦，求求你，把他还给我，先生。”

布鲁克·史密斯打了你母亲一个耳光。他把玛丽当成凯特了。“看到我们今天来了多少人了吗？明天我还要带来更多的人。等找到你那两个哥哥，我要把他们碎尸万段！”

“先生，求求你，他还是个婴儿。你也看到了，我把他拉扯得非常好。如果你愿意，我可以让你看看存款折，我有能力抚养他。”

“你是凯特·凯利？”

“什么也别对他说。”凯特说。

“我叫玛丽·赫恩，先生。我没有犯法，我的儿子也没有。”史密斯警长对赫恩这个名字一无所知，可是另外那个警官是迈克尔·瓦尔德侦探。这个家伙更精明，更危险。“这是凯利的孩子！”他一本正经地说。

“天哪！”布鲁克·史密斯喊了起来，“瞧这个小魔鬼那副龇牙咧嘴的样子。”

玛丽不顾一切冲了过去，但是为时已晚，令人讨厌的瓦尔德已经把小宝宝抢到他的手里。

“他只是肚子痛，先生，就这么回事儿。”

“如果你是个聪明的姑娘，”瓦尔德侦探狞笑着说，“就老老实实地告诉我，他的父亲藏在哪儿！”

突然他把孩子抛到空中。

“天哪！”布鲁克·史密斯喊了一声。

“内德不是他的父亲，先生。不要伤害他。”

“撒谎！”瓦尔德又把孩子抛到空中。这次用的劲儿更大，小乔治脑袋往后仰着，嘴巴张得老大。

“哦，你祖宗八代都不得好死！”玛丽叫喊着。

瓦尔德脸上的狞笑骤然消失了。

“我诅咒你还没有出生的孩子，”玛丽说，她的血变得像冰一样冷，眼睛像煤炭一样黑。“等他们落地时，脚像蛤蟆的爪子，眼像蛇的眼睛！”

“住嘴！”

“你将像无家可归的黑鬼。你老婆和当兵的睡觉。你满身瘤子，头顶生疮，脚底流脓，到处流浪。”

侦探瓦尔德像祭坛上的蜡烛，面色苍白。

“住嘴！”他的同伴厉声呵斥，“要不然我就开枪了！”

玛丽是个十七岁的姑娘，平日里温文尔雅，彬彬有礼。殖民地灼热的阳光还没有在她的脸上留下艰难岁月的痕迹。但是现在，她变得口似利剑，用最恶毒的语言诅咒眼前这个男人。“希望你的那玩意儿红肿发炎，皮肤一块块地烂掉。”

“我命令你！”布鲁克·史密斯警长叫喊着朝屋顶放了一枪。

从那以后，乔治眼睛的颜色总是变来变去。这一点凯特可以作证。他那双眼睛就像充满活力的猫的眼睛，时而变成蓝色，时而变成棕黄色。古时候，熔炉里的高温可以改变金属的性质，把铅冶炼成黄金。等着瞧吧，我的女儿，看看还能听到什么发人深省的故事。因为，我们这些可怜的、没有受过教育的人最终会在炉火中变得崇高。

我们决定返回格瑞塔的家，哪怕那儿到处都是警察。我们至少可以弄到点食物和干衣服。可是在埃沃顿渡过欧文斯河的时候，我们发现河水比我们几天前第一次来这儿时涨了八英尺。

“我带你们过河。”斯蒂夫说。我们是夜里在发过洪水的大街上讨论这件事情的。屠夫的铺子后面有一条狗，虽然拴着链子，可它还是汪汪汪地叫着，一个劲儿地往前扑。几匹马极易受惊吓，来不得半点儿疏忽。我们便把它们围在中间，研究下一步该怎么办。

“内德，”斯蒂夫说，“我们可以从瓦加拉塔过河。”

自从强渡墨累河失败，乔的心情一直不好，动不动就发脾气。他讽刺斯蒂夫，说：“你是不是以为那儿有一条铁路，可以坐着火车过河？或是以为骑着一匹驮马就可以跳过四根栏杆搭起的栅栏？”

“住嘴！”

“好吧，”乔说，“别忘了铁路上的道口栅门都关着。”

“我们不经过那儿道栅门，”丹说，“瓦加拉塔有一座铁路桥。”

“警察日日夜夜守着那座大桥，丹尼。”

“天哪，别叫我丹尼！”

“内德，”斯蒂夫说，“我们可以从铁路桥下过河，内德。”

“别听他的，内德。”

“你有什么好主意，乔？”

“住嘴，”乔说，“我们可以沿河到上游的布拉特。你们也清楚，从那儿过河非常容易。”

“可是布拉特离这儿足有三十英里。”

“你呀，真是个懒骨头，哈特。你宁肯骑马走八英里，然后被警察逮捕。”

“别说什么逮捕的话！我们不会被他们抓住的。”

“现在河水暴涨，你怎么能把我们从铁路桥下面带过去呢？”

“我可不是那种以为自己能游过墨累河的人。”

“你们能不能小声点儿？”

“桥下有一道岩架，发不发洪水我都从那儿走过。”

黑暗中，有人吱吱扭扭推起一扇窗户。

我转过脸望着斯蒂夫·哈特，提醒他，瓦加拉塔到处都是警察，如果我们过了河，被他们抓住，可就都完蛋了。

“你就相信我的话吧，我保证让你顺利过河。”

“那么，好吧，出发，到瓦加拉塔。”

那几匹没有人骑的马，被我们赶着，在前面慢慢地走。离开小镇之后，我们穿过茫茫夜色，骑马慢跑着走过空荡荡的大路。从埃沃顿到塔拉文吉，从塔拉文吉再到瓦加拉塔，大约凌晨四点，我们到达了目的地。一路奔波，几匹马都累得精疲力竭。

迎着灰蒙蒙的曙光和绵绵细雨，我们穿过这座湿漉漉的小镇。镇子里，两千居民还在熟睡中。马蹄铁叩击大地发出的响声，像加农炮似的震动着我的耳鼓。走到铁路线和一里湾的交汇处，我们看见河槽里的水已经涨得与河岸一样高。乔·贝尔纳立刻骂起斯蒂夫。“你这个傻瓜，哪儿有岩架？我们本来应该到布拉特！”

“闭上你的臭嘴！”我命令乔。他吐了一口唾沫，忙着把那几匹马赶到一起，顾不上反驳。

斯蒂夫抬起手碰了碰帽子，笑着对乔说：“美国见。”话音未落，他便催马向前，眨眼之间已经进入湍急的河流。他保证，水下有一道岩架。此时此刻，我们只能向上帝祈祷，不要让我们失望。大街那面，有个女人站在一幢房子前面看着我们。从她那副鬼鬼祟祟的样子，我断定她一定认出了我们。尽管水雾迷蒙，晨光昏暗，我还是清清楚楚看出她在骂我是杀人犯。我骑着马纵身跃进大河。河水很深，水流湍急，马吓得直喘粗气。但是水下确实有一道岩架。我们在铁路线下面艰难攀爬，终于到达对岸。

“快走！有人认出我们了！”

我们赶着那几匹可怜的马儿向瓦比斯山艰难地挺进。这当儿，目击证人迪兰尼太太气喘吁吁地跑到山上，喊醒布鲁克·史密斯警官和他带领的那支警察部队。

离瓦加拉塔只有五英里便是一座座山麓丘陵。这里土地贫瘠，乱石丛生，坑坑洼洼，满目荒凉。大牧场主嗤之以鼻，只有穷人对它不离不弃。曾为哈里·鲍威尔的“徒弟”，我熟知它那干瘪的“乳房”，肿胀的“关节”，了解它每一条沟汊，每一道溪谷。现在，瓦比斯山像母亲一样把我们拥入她的怀抱。在她的保护下，我们进入了梦乡。虽然我难以尽述那些沟沟汊汊的名字，但是有朝一日，还需要得到它们的庇护。

第十章　历史就此开始

新南威尔士莱特里德银行的六十四张中号股票用纸（大约 8 英寸 ×10 英寸大小）。满是折痕，已经褪色，污迹斑斑。

对于构成历史的双重因素的特殊兴趣。玛丽·赫恩对于桉树湾杀人案的报道的反应。作者对父亲地位的反应。他对议会调查的信心。玛丽·赫恩对爱尔兰农民中的异性模仿癖的回忆。对于凯利拒绝在尚有可能的时候逃生的一种解释。他受到一个他的同类人组成的陪审团的审问。这个纸包里还装有从《墨尔本守卫者报》上剪下来的两页说明文字，它包括该报对尤罗阿银行抢劫案的含糊报道。

两天后，丹和我去看望妹妹玛吉。我们像黑人一样，趁夜色来到十一里湾。一弯新月，云彩飞快地飘动着，秃山熟悉的轮廓依稀可见。秃山后面驻扎着二十个警察。他们都发誓要为死去的伙伴报仇。

眼前一片荒凉破败的景象。母亲的第一座茅屋宛如黑色的剪影，耸立在那里，一副被人遗弃的可怜相。旁边是我盖的那座茅屋。这座房子是我为了让她躲避那个臭男人的恶骂特意盖的。可惜，母亲已经被如狼似虎的警察抓走了。我们都知道，这座茅屋已经被遗弃，可是此刻却看见一缕枯黄的灯光在门缝里轻轻摇曳。我连忙勒住胯下那匹母马。

“快走吧。”丹说。

走到胡椒树下的时候，我自己颈背上的毛发也倒竖起来了。透过那扇八块玻璃组成的格窗，看见一个女人手里端着深底平锅走来走去。丹扯了扯我的胳膊肘，我耸了耸肩，没好气地把他甩开。一团黄颜色的烟气从平锅里升起。尽管我一直惦记着满头乌发、皮肤白皙的玛丽，可是慌乱中，我仿佛觉得那是母亲。出乎意料，他们把她放回来了。我高兴极了，心中的焦虑抛到九霄云外。

“妈！”我喊了一声。

“啊，天哪，”丹哼哼了一声。“快走吧！”

屋里的女人听见我的叫声转过脸来。我万分惊讶地发现，原来是玛丽·赫恩！

“是我，内德！”我大声说。

“住嘴！住嘴！”丹求我，“天哪，难道你想让所有的警察都知道你在这儿吗？”

玛丽·赫恩走到门廊。“真是你吗？”她压低嗓门儿说。

“是。”

“你来这儿可太不安全了。”她说。

我看了一眼丹。他叹了一口气，拔出手枪，转身望风去了。我走进茅屋，屋子里缭绕着硫黄烟。小乔治躺在一个盒子里，满脸通红，黄褐色的眼睛盯着烛光。

“小家伙怎么了？”

玛丽没有回答。

“你为什么一个人待在这儿？”

“我不想打搅任何人。在这儿可以让硫黄烟整夜熏着他。”

“你从报上看到我的事儿了吗，玛丽？”

她往左边挪动了一下，这样就正好站到我和孩子中间。

“玛丽，不到万不得已的时候，我绝对不会杀人。”

她摇了摇头。

“如果我不先打死他们，他们就会打死我。”

她努力做出一个微笑。“我一直在为你祈祷。”她说。

“我向他们开火的时候，并没有占什么便宜，也没耍什么诡计，完全是在公平合理的情况下互相交火的，玛丽。”

她在那个挺高的架子上摸索着找什么东西。架子上放着盛油和松脂的坛坛罐罐。她拿下一卷报纸，我就着昏暗的灯光吃力地看着。报纸上画着一个魔鬼似的人。

“看吧。”

这幅画的题目叫《写真》。可是作者并没有“写真”。他不满足于表现我这副尊容天生的缺陷，非要把鼻梁两边的眉毛连到一起，把我的嘴唇扭歪，创造出一个“旷古未有的恶魔”。这些版画的作者都是些胆小鬼。他们的牲畜不曾被政府没收，家人不曾被诬陷入狱。他们唯一的目的就是让那些从来就没有见过我的人，把我当成一个可怕、可恨的魔鬼。

“这不是我。”

“看完这篇文章再告诉我是不是你，内德。”

她双臂抱在胸前，就像缠着一条锁链。看到她这副样子，我心里非常难过。可是此时此刻，我像困在蜘蛛网上的一只蝉，动弹不得。那篇文章的大字标题是“警察在桉树湾惨遭杀害”。不知道文章是谁写的，但他满嘴胡言，说我们是“爱尔兰疯子”，说我把肯尼迪中尉大卸八块，说我打死他之前割了他的耳朵，还说我强迫三个同伙朝警察的尸体开枪，让他们和我一起分担罪责。

走廊里传来丹重重的脚步声。门开了。“我已经看见山那面亮起了火光。”他说。

“等看见他们来了，再告诉我。”

“哦，天哪，快走吧，内德！”

但是此时玛丽眼中的爱与光都变得像清晨壁炉中的灰一样冰冷，我不能走。

“你先走吧，我一会儿再追你。”

“你知道，我是不会扔下你，一个人先走的。”

“再等我五分钟。”我说，转身走到玛丽身边。“你认为我做过他们说的那些事情？”

“哦，内德，我不知道该相信谁。”

“好吧，我把我做过的事情都告诉你，你自己判断吧。你呀，根本就不知道那些警察是些什么样的人。”

你母亲把我父亲那张椅子拖到放小乔治的盒子跟前，她坐在椅子上，肩膀转动着，让硫黄烟在乔治四周缭绕。我是一个男人，深爱着她的男人，渴望用身体抚慰她，触摸她的肌肤。可是此时此刻，我只能给她讲那些不堪回首的往事。

我先给她讲菲兹帕特里克和凯恃之间的事，告诉她，事情的发展和她的预料完全一样。然后，我又向她描绘了肯尼迪受伤前的所有细节。时间早已超过五分钟。天快亮了，天边升起灰蒙蒙的光。在这个让人心痛的时刻，传来几声猫头鹰的鸣叫。那是弟弟向我发出的信号。

熄灭了蜡烛，我们俩走到门廊。天下着蒙蒙细雨，一队警察骑着马，跑过我们熟悉的山峦。丹向海湾飞驰而去。我转身去追赶他。玛丽·赫恩抓住我的手，祝福也好，折磨也罢，她都深爱着我。在绵绵细雨中，她就这样表达她的爱意。

如果你要领导一群人，你就不能离开他们，就像牧人不能离开牛群一样。或者换句话说，大公鸡不在，小公鸡就会称王称霸，冠子越长越大，越长越红，耷拉在珠子似的眼睛旁边，一副飞扬跋扈的样子。人也是这样，一旦头儿不在，人们就会做出平常做梦也不敢想的事情。

我既没有忘记手下的人，也没有忘记监狱里饱受折磨的母亲。因此，即使是和玛丽·赫恩待在一起，任凭爱的火焰在心底燃烧的时候，还是觉得愧对他们。和丹回到瓦拜山的藏身之地，我倒头就睡。我太累了，和谁也没有说话。中午，有人把我摇醒，报告说，山下有大队人马排着整齐的队伍走过，人数比藏在秃山后面的警察还多。不过，看起来他们是去温屯城的。我没有在意，继续睡觉。没有必要写下给我们藏身之地的这家人的名字，反正那是住在山里的贫苦农民。他们饱受警察欺压，牧场主剥削，土地被强占之后，只好逃到山里，苦度日月。

傍晚醒来，我发现这位朋友家桌子上、地板上，到处都是报纸。平常，这座茅屋连擦屁股纸也找不到一张，可是现在，《旗报》《广而告之》《守卫者》，随处可见。屋子里没有饭菜的味道，只有油墨的气味。小孩儿撕破了《墨尔本先驱报》，不过还看得见我的大名。一位叫唐纳德·卡梅伦的先生问总理，他是否应该对凯利暴动的原因进行调查？政府当局为逮捕这些罪犯做了哪些准备工作？他还指出，有消息说，某些警察的行为导致了这场惨案。这是许多天来，我听到的最客观的说法。我以前从来没有听说过这个名叫卡梅伦的家伙。不过看起来，他既不瞎，也不蠢。他知道我们是因为警方恶毒攻击，穷追不舍，才被逼动手的。

还有让我大受鼓舞的话。贝瑞总理回答说：如果消息来源可靠，警方调查不力或者设置障碍，他当然要亲自过问此事。

“哦，这几个家伙的态度还不错，”我说，“看来有点希望。”

乔眨巴着一双忧郁的眼睛。“政客的手腕儿。”他说。

“是吗？”

“都是没用的废话。”他拿走我正看着的那张《先驱报》，把《墨尔本守卫者》第一版递给我。报上说，我们已经被宣布为逃犯，任何人在任何地方都可以把我们当场击毙，就像打死一条疯狗一样，绝不留情。

“你可以相信这条消息。这是最可靠的。”

两个小伙子看看他，再看看我，脸绷得紧紧的，等我说话。

“我想和这个卡梅伦谈一次话。”我说。

“怎么安排？”乔问。

“明天早晨再告诉你们。”我把那张《守卫者》还给乔，拿起《先驱报》，撕下和卡梅伦有关的那篇文章。

“你不会再回十一里湾吧？”

“那是我自个儿的事。”我说。

“是你那玩意儿的事儿，”乔·贝尔纳大声说，三个人都从我身边走开，去看那几张报纸。女儿，原谅我，那时候我没有多想他们的痛苦。我是恋爱中的男人。我扬长而去，任凭他们看那几张谎话连篇的报纸。

半小时后，我便成了“罗密欧”。我骑着马穿过格棱罗瓦镇后面那道山口。深蓝色的夜空清清楚楚地映出秃山的轮廓，看不见警察生起的篝火。可是我的“朱丽叶”非常紧张。她紧紧地握着我的手，没有亲吻。她拉出一把椅子。我在椅子上坐下，不知道她心里在想什么。桌子清理得干干净净，不像平常那样放着杯盘碗盏。桌面上放着一沓纸、一支钢笔和一瓶红墨水。墨水瓶上贴着一个小纸条，上面写着：凯特·凯利的墨水。

“亲爱的，”她说，“如果你能把先前讲给我的事情都写下来，我将非常高兴。”

“哪一部分？”

“全部。”

“哦，我可不是个有学问的人，玛丽。这你知道。”

“如果你真的爱我，你一定会写。”

我的语法很差，能写什么呢？此时此刻，我只想最后和她睡一次。我像一条发了疯的狗，根本不在乎仅仅四百码开外警察像一窝蜜蜂，正在那儿“嘤嘤嗡嗡”。

“全部？”

“从菲兹帕特里克想和凯特结婚写起。就这部分。”

“我想，我知道你准备把它派什么用场。”

“是吗？真的？”

她的一双眼睛又充满活力。

“你认为我们应该把这份材料寄给那个名叫卡梅伦的人，对吗？”

可是她从来没有听说过卡梅伦先生这个人。我拿给她看从《墨尔本先驱报》上剪下来的那篇文章时，她把手放到我的手腕上。

“写吧，亲爱的，然后就上床睡觉。”

她开始梳长长的黑发。对于我，这是莫大的鼓舞。我很快就写完第一页，然后第二页、第三页。玛丽面颊贴着我的耳朵，读我写的这些东西。她感动得泪水夺眶而出。我这样说，绝对不是夸张。她不时愤怒地叫喊着说，不管是谁，只要看了这份材料，就不会像报纸上发表的那些文章那样责怪我。

“能打动卡梅伦先生吗？”

“能打动任何人。”

漫漫长夜，我一直奋笔疾书。有时候，传来狗的吠叫声。刚过半夜，凯特和玛吉发现有两个警察蹲在猪栏后面，大家虚惊一场。不过总的来说，没有出什么大问题。只有远处黑暗中传来火车的鸣叫声。老人们说，就是这种火车，把饥荒带到了爱尔兰。现在，它们又把警察带到贝纳拉，同来的还有画家，准备来画我血肉模糊的尸体。

我终于写完肯尼迪之死，然后把写下的东西都交给了玛丽。她解下头上的蓝发带，满头秀发立刻披散下来，环绕着她的脖颈和肩膀。但是她不让我吻她，而是用发带把我写的那些东西捆扎起来，就像将来有一天贝纳拉法院的职员们会干的那样，我相信在议会人们也会这么做。然后她把椅子搬到架子下面，自己踩着爬上去，小心翼翼挪开那些坛坛罐罐，把材料放到装松节油的坛子后面。

“就放在这儿吧。”她说，慢慢地从椅子上下来。

她走到我身边，我们亲吻着。

“你打算天亮后寄出去？”

“我们可以抄一份给卡梅伦先生。”她说。她拿起我打满老茧的手，轻轻放到她的肚子上。

用不着她说，我就知道，肚子里的就是你。我非常高兴，吻着她的红唇，吻着她的脖子，闻着她满头乌发的香气，吻她那双明亮的黑眼睛。

“你是为了他！”我大声说，“才让我写这些。是为他！”

“或者她，”她说，面带微笑，流下泪来。

“或者她，亲爱的！”

“这样一来，等我们的女儿出世，就能知道爸爸真实的故事——他是谁，经受过多少苦难。”

你也许奇怪，为什么她的话没有让我沮丧。很明显，你母亲断定我会被政府杀害。你永远不会明白，我是怎样一个男人。这和死亡根本没有关系，恰恰和与死亡相对立的生存关系密切。从那一刻起，你就是我的未来，我的生命。

就这样，我当了一回“作家”。写完那封信之后，我立刻给卡梅伦先生写第二封信。所以，这一段时间，我一直没和那几个小伙子在一起。事情就是那时候发生的。隐藏在灌木丛里的警察袭击了他们。我虽然当时不在场，但是对事情的经过一清二楚。

“警察抓你们来了，小伙子们！”房东叫喊着。他裤子背带断了，一只手提着裤子，另一只手拖着斯蒂夫的马鞍和马勒，像一只鸽子似的，踮着脚尖跳过泥泞的小院。

“看在耶稣的份上，他们已经到了沼泽地。快跑吧！要不然他们就把我们都抓住了。”

乔那匹阉过的公马和丹那匹母马都在院子里，但是都没有备马鞍。两匹马因为这突如其来的骚扰都惊叫着。丹在厕所，斯蒂夫和孩子们在玩羊拐，听见房东的叫喊，他飞也似的跑进茅屋。女主人耳朵特别聋，正站在桌子旁边剥兔子皮。斯蒂夫什么话也没说，拉开她挂的那道帘子，从衣柜里拿出她星期日才穿的最漂亮的连衣裙。连衣裙镶着黑色和金黄色的花边，胸口缀着许多图案精巧的花。斯蒂夫没有解释，也没有表示歉意，就把那件连衣裙生拉硬拽地套到身上，就像鸡身上钻出个耗子头。他把斜纹棉布长裤卷起来，腰间扎了一根缚马腿的绳子，一边插了一把短枪。

院子里，房东朝他的孩子们大声叫喊：“孩子们，快跑！快跑！要不然就都被他们抓住了！”

孩子们的母亲什么也没有听见，只是非常惊讶地看着斯蒂夫·哈特，大滴大滴的眼泪从她憔悴的面颊流下。

她急促地低声说：“这是我的衣服。”

斯蒂夫在炉子旁边跪下来，连衣裙被他的虎背熊腰撑破，发出刺耳的撕裂声。房东太太不由得叫了一声。“对不起，太太。”斯蒂夫说。他捧起一捧炉灰，不管里面是不是还有没熄灭的炭火就往脸上和头发上抹，烫得他嗷嗷直叫。

“你这个魔鬼！”女房东叫道。

丹从厕所跑出来，斯蒂夫把女房东的蓝连衣裙扔给他，丹在门口接住了。女房东看得目瞪口呆。

“不！求求你们，”她哀求着。可是我的弟弟丹充耳不闻，开始穿那件衣服。

“该死的东西，”女房东突然大叫起来。“我要按照法律，狠狠地揍你们！”

她膀大腰圆，举起一根很长的劈柴冲了过去。两个小伙子向后退了几步。她确实身手敏捷。

“警察来了。”斯蒂夫解释道。可她根本不听，一直把他们追到门外，用爱尔兰妇女能骂出口的最恶毒的话骂他们，尽管她不敢亵渎神明。她骂道“救世主控制你的灵魂，悲伤淹没你的心！”可是，《圣经》在挥舞的木棒面前变得苍白无力。一旦占领院子，就没有什么力量可以阻止她了。丹每次想套上那件衣服，她都挥舞着大棒猛扑过去。连衣裙本来已经弄得又是泥又是土，现在，她又给它添上了鲜红的血迹。

丹面对女房东的大棒节节败退的时候，斯蒂夫对他喊道：“做好准备！”他从哪儿学来这么文绉绉的一句话，只有天知道。不过斯蒂夫·哈特是只喜鹊，没有他学不会的东西。“做好准备！”丹把连衣裙套到了头上，然后转身向女房东扑过去，或者说女房东以为他要向她扑过去。

“我对你说过，”女房东在逃跑的路上对丈夫说，“我对你说过，他会把我们都害死的。”她朝溪谷跑去，和已经逃走的孩子们跑的方向正好相反。后来才发现，有个孩子沿铁路一直跑到格棱罗万。

丹跑到茅屋里，也像斯蒂夫一样，把脸弄黑。不过，他似乎更有头脑，先往垃圾箱里倒了点水。从屋里走出来的时候，他举起拳头，朝斯蒂夫致意。

“我们是筛子神的儿子！”他说。亲爱的女儿，他说的是筛子神，而不是斯蒂夫，虽然要到很久以后他才会真正搞懂它的意思。[①]

混乱中，乔·贝尔纳早已翻身上马，一副英勇无畏的样子，决心在战死以前，尽可能多杀几个警察。他刚往枪里压了一发子弹，就看见斯蒂夫和丹。

“你们俩搞什么鬼名堂？”他问道，接过丹递给他的黑泥，急忙抹在脸上。

“我们是筛子神的儿子！”

房东给斯蒂夫和丹牵来两匹备好鞍子的马。乔·贝尔纳想问什么问题，或者说出什么亵渎神明的话，也都被他打断了。

“你们这几个倒霉蛋，”老头气愤地说，“哈里·鲍威尔可从来没有对我的太太做过这样的事情。他是我们的朋友。”

乔·贝尔纳摸不着头脑，看着斯蒂夫。

“我们是筛子神的儿子。”

“哦,快滚吧！”老头叫喊着,“你们给整个丛林丢脸,不得好死的家伙。”

经过一段十分危险的、短距离的驰骋之后，这个奇怪的“三人组合”爬到陡峭的山坡上一块巨大的灰色岩石上,看见两百码之下,警察正在集结。一溜桉树后面，有一块平坦的草地。三十多个武装到牙齿的警察整装待发。丹认出指挥官尼科尔森，以前逮捕哈里·鲍威尔的就是他。更让他们吃惊的是，两个黑人正和指挥官谈话。

“黑鬼，”斯蒂夫说，“我可不怕这些黑鬼。”

“闭上你的狗嘴，”乔说。他还没有搞清楚他们俩为什么要把房东太太的连衣裙穿在身上，但是没有时间跟他们探讨这件事情了。“你说的黑鬼是土著居民中的‘足迹行家’。那个老家伙一个人就抵得过二十支步枪。”

①“筛子神”(Sieve)和斯蒂夫(Steve) 在英文中发音很相近。在这里凯利是向他的女儿暗示，丹和斯蒂夫的最后结局将是被警察用乱枪打死，尸体上的枪眼如筛子一般。而当时丹说“我们是筛子神的儿子”，是因为他们把女人衣服撑破，不成想竟一语成谶。

"他们看不明白我们留下的踪迹。你信我的话吧。"

乔摇了摇头，那意思是：和这样一个胆小鬼争论简直是浪费时间。可是斯蒂夫坚持自己的看法，他说，沼泽地是野兽出没之地，谁也不可能找到他们的踪迹。

"听我说，你这个女里女气的家伙，即使一群树袋熊从沼泽地走过，黑人也能跟着我们的踪迹，找到内德的地方。"

"我们已经不在那儿了，找到也没有用。"

"你以为他们是些什么都不懂的傻瓜？内德还要去那儿。他一露头，就会落入他们的罗网。"不管斯蒂夫那副打扮多么古怪，不管他显得多么柔弱、无足轻重，表达不同意见时却毫不犹豫："不，他们没那个本事。"

乔看见两个警察在草地上铺开一块帆布，另外两个警察用脚踩断落下来的树枝。

"他们要野餐了。"

很快就升起明亮的火光，篝火旁边摆着很多食物。那两个黑人显然没有得到警察的邀请，不一会儿，就退到了沼泽地旁边的丛林。

乔·贝尔纳已经往枪里压了五发子弹。四周静悄悄的，只有子弹压进枪膛的咔哒声。"我们得干掉这两个黑人。"他说。

谁也没有表示反对。他让斯蒂夫把马牵到山后。斯蒂夫服从了他的命令。他又让丹往手枪里压满子弹。我的弟弟也服从了他的命令。然后，乔和丹一起下山。他们尽量向外弯曲着两条腿，以便少发出点响声。想到除了杀人别无选择，丹觉得一阵恶心。

没多久，他们就从巨石和黄杨树林后面爬下来，钻进一片桉树林。桉树林前面是一片冷湿、黏滑的沼泽。丹跟在乔·贝尔纳身后，从一株株大树旁边走过。这些树干上的树皮都被剥掉一圈。丹左手提着连衣裙，右手拿着手枪。这支枪很差，而且精确射程最多只有二十码。树木间传来警察大声说话的声音，突然，眼睛一亮，前面就是那块开阔地。

他们膝盖蹭着欧洲蕨，小心翼翼地走着。树皮从树干上耷拉下来，就像刚刚经过炮火的洗礼。警察已经清清楚楚地出现在视野之中。两个黑人离他们更近，盘腿坐在草地上，阳光从枝叶的缝隙照射下来，洒在身前身后。年长的黑人用他们的语言静静地讲着什么，年轻的那个不时搭上一两句话。

丹和乔慢慢地摸过去，尽量不让脚下的枯枝败叶发出响声。那个年纪大一点的“足迹行家”蹲在阳光下。他是个很结实的老头，穿着一件格呢外套、白粗棉布裤子和警察局发的长及膝盖的靴子。丹和乔又往前走了几步，就看见他的助手蹲在暗影之中。那是个精瘦的小伙子，看起来很机灵，他穿着一条粗花呢裤子，蓝衬衫。丹和乔爬过去的时候，他正在发牢骚，说的是什么，他们听不懂。

乔·贝尔纳突然从暗影中走出来，小伙子连忙把没说完的话咽到肚子里。两个黑人慢慢站起来，什么话也没说。

乔·贝尔纳挥了挥手里的枪，老头举起了手。小伙子也连忙举起手。他显然是第一次做这个动作，不明白它的含义。

“大叔，你在给警察看足迹？”乔压低嗓门儿说。

“足迹行家”摇了摇头。

“真的，大叔？”

老头一下子明白怎么回事了。“我什么也没对他们说，老板，”他轻声说，“我向他们担保，除了牲畜留下的蹄印，什么也没有。”

“你告诉那些警察，这儿没有人留下的足迹。”

“那些家伙自个儿好吃好喝，老板，你瞧。”

“他们给你们吃东西了吗？”

老头耸了耸肩。

“你知道我是谁吗？大叔。”

“我想你是内德·凯利。”

“你知道内德·凯利见了警察要干什么吗，大叔？”

“知道，老板，可我不是警察，老板。我不是跟他们一起从昆士兰来的。我不会伤害任何人。”

“很好，”乔说，尽管他不知道昆士兰是怎么回事儿，或者从昆士兰来意味着什么。他们都没有再说什么。两个黑人又在地上坐下了。乔和丹悄悄退回到树影之中。

那两个“足迹行家”是好人。正像他们说的那样，他们没有对警察说什么，后来也没有。他们领着警察朝相反的方向走去，直奔十一里湾。对你的父亲，这可不大有利。

深夜，小伙子们骑着马越过格棱罗万山口。到十一里湾之后，他们整整观察了两个小时，才小心翼翼地向那幢茅屋接近。最后，丹猛地推开门，十分沮丧地发现，屋子里早已空无一人。

知道尼科尔森指挥官带着人马进入这一带的消息之后，我就让玛丽和乔治坐上一辆马车，玛吉骑着马在前面探路，四个人沿着弯弯曲曲的小路，穿过河边的桉树林，来到莫湖城。在那儿寄出了给卡梅伦的那封信。信寄出去之后，我们又匆匆忙忙向前走，经过伊迪镇和威特菲尔德镇。月亮升起的时候，玛吉掉转马头回家。我赶着马车，带着玛丽和乔治，穿过白草萋萋的平原，来到金河上游。哈里·鲍威尔对我说过，这是到高地的必由之路。黎明时分，我们在离奎因家一英里左右的地方“安营扎寨”。他们送来些煮好的肉。为了避免招人耳目，我们把马车藏了起来。

就在这个霞光初照的黎明，小伙子们来到莫湖，在簸箕湾宿了营。我们两拨人都藏了整整一天。

黄昏，我给那匹拉车的马备上马鞍。这是一匹很老实的老母马，名叫贝茜。我把玛丽和病孩子放到马背上，向高地进发。对于一个逃犯或者一位母亲，这都是非常危险的事情。可是我们发过誓永远不分离。月光照亮金谷的时候，我们慢慢爬上峡谷西面的山嘴。上山之后，又向南面的崇山峻岭走去。我一直在前面牵着马。山路崎岖不平，玛丽苦不堪言。即使在迈克比恩水草丰美的河边平原，她也没怎么骑过马。

我们从来没有像现在这样相爱过，尽管大兵压境，你哥哥乔治又重病在身，根本不是谈情说爱的时候。我们十分艰难地进入巴克兰山嘴旁边的一条峡谷，找到一座破烂不堪的、矿工住过的茅屋，就在那儿安顿下来。我们俩都寻思，休息一阵子，小家伙的病能好一点儿。整整走了一夜没有休息，小乔治喘得越来越厉害，没有东西下肚，加上肺里产生的大量黏液，使情况更加恶化。我用斧子砍倒一棵桉树粗壮的树干，惊醒了树上的喜鹊。收集到足够的桉树叶之后，我又从矿工的茅屋里找到一口破锅，生火煮树叶。这当然很危险，可是用桉树叶蒸出来的气治小乔治的病，远比用硫黄烟熏更有效。

第二天傍晚，他的呼吸顺畅了许多。黄昏，我砍倒一棵橡胶树，剥下足够的树皮，做了一个密不透光的帘子。这样，就可以在茅屋里点上一支蜡烛了。我们吃了点冷羊肉。乔治睡着以后，我让玛丽也抓紧时间休息，我出去放哨，保护家人的安全。我的科尔特左轮手枪里压满了子弹，口径为 0.577 英寸的步枪放在膝盖上。好几个小时过去了。露珠开始落下的时候，河岸的乱石丛中突然传来一阵急促的马蹄声。我连忙抓起步枪，随时准备开火。

三名骑手穿过丛林弯弯曲曲的小路，飞驰而来。谢天谢地，是我们的同伴平安归来。乔·贝尔纳最先进入这片林中空地。丹那匹阉过的公马非常温柔地把鼻子凑到母马的尾巴下面。斯蒂夫紧随其后，进入林地。我看不清他们的脸，也看不出丹穿了件什么衣服，以为那不过是一件普通的罩衫。

我朝敞开的门喊：“我们的伙伴来了！”

玛丽正在睡觉，听见我的喊声，手里拿着蜡烛，跑了出来。烛光下，她看见简直可以和皇家剧院舞台媲“美”的一幕——三个黑脸大汉穿着女人的裙子。我刚笑了两声，就听见她跌倒在门口冰冷泥泞的水洼里。她被这三个人不人鬼不鬼的家伙吓得昏了过去。

斯蒂夫像哑剧里的贵夫人一样走进茅屋。玛丽睁开眼睛，没有问到底出了什么事情，也没有问为什么她醒来之后已经躺在屋里。她没有微笑，没有大笑，也没有指着他身上的连衣裙问个究竟，而是猛地跳起身来，扑过去，抓住他空空荡荡的胸脯，揪扯着花边四周的黄花。

“你这身打扮能解决什么问题？”她叫喊着。

斯蒂夫挺了挺胸，大拇指勾在腰间系着的绊马索上，茫然不知所措。

“快放手！”他又向后退了一步。玛丽比斯蒂夫矮六英寸，但是她又上前一步，拼命揪扯，直到把那一圈花边都揪了下来。

“你想把我的内德变成莫莉的孩子吗？”

说这话没用，我们都不知道谁是莫莉。玛丽那张漂亮的脸因为一夜的鞍马劳顿，显得格外憔悴。

“放开我！”斯蒂夫一边叫喊，一边看着我，希望我能帮帮他。可我比他更不知所措。然后，斯蒂夫把玛丽向火炉推过去，说：“你怎么就不给我倒杯茶喝？”

我本来想立刻惩罚他，可这个圆滑的耶稣会小会士往旁边挪动了一下。我抓住他的胳膊，但是看见在盛怒之下，玛丽居然按照他的吩咐，拿起一个脏兮兮的铁杯子，给他倒了一杯冷茶。

“但愿它在你那张狗嘴里变成毒药！”

乔·贝尔纳看见斯蒂夫被一个女人占了上风，高兴得笑了起来。后来，他又轻蔑地哼了哼鼻子。在那张破桌子旁边的椅子上坐了下来，两条强壮的胳膊交叉着放在胸前。

“内德，如果你不想说的话，我就说了。”

我劝乔什么也不要说，否则，他会后悔的。我还告诉他，玛丽对于我，就如同妻子。

“妻子也好，情人也罢，她不该这样对待斯蒂夫。”

我本来想和他争论一番，可是玛丽把冰凉的手放在我的手腕上。

“你就是乔？”她问道，口气冷冰冰的，奶油也不会在她嘴里融化。

他睁大一双圆溜溜的眼睛，上下打量着玛丽。“这儿不是你的地方。”他终于说。

“你错了，”玛丽说，“这儿是我和内德的地方。”

“天哪！”乔·贝尔纳喊了起来。

“闭嘴！”我说，“外面没有人放哨，茅屋周围有好几匹马。”

乔尽管脾气暴躁，关键时刻还算明白事理，他老老实实跟我走出茅屋。斯蒂夫和丹也走了出来。马都上着马绊，不会走远。我们便把它们赶到金河边，让它们在那儿饮水、吃草。刚才在屋里，谁都没有讲发生了什么事情。出来之后，他们才向我叙述了警察和黑人“足迹行家”的事儿。不过，关于连衣裙的故事，两个小伙子只字未提。

马吃饱喝足之后，我们一起来到一英里开外上游的一座院落，这座院落是九年前我和哈里·鲍威尔建的。我让丹在茅屋下面的山坡上放哨，让斯蒂夫回去照顾玛丽。眼下平安无事，或者看起来平安无事。可是，我和乔抱着生火柴回家之后，非常沮丧地发现，你母亲又和斯蒂夫闹起来了。

“如果你是筛子的儿子，那会是个什么样的儿子呢？你能告诉我吗？或者只有神父摇着铃问你的时候，你才能给他一个满意的答复？”

斯蒂夫是个在战斗中愿意勇敢赴死的小伙子。可是在一个老大姐面前，他就不知道该如何应对了。“爱尔兰人就是这样。”他说。

“爱尔兰人就是这样？”玛丽继续说。如果她是个男人，一定会就此罢休。可是她没有意识到，斯蒂夫已经被她吓住了。“哦，”她说，“我敢断定，你连殖民地那种听到什么就学什么的琴鸟也不如。”

“太太，你不能跟我这样说话。这不公平。”

“哦，”玛丽说，挺着胸，纤细而美丽。“我相信，你是个勇敢的好小伙儿。我相信你不属于那些凶残的杀人魔王，正是那些人把爱尔兰变成了人间地狱。”

如果她是个男人，乔·贝尔纳一定会向她扑过去，揍她一顿。或者如果她像一匹骏马一样高大，他也会把她摔倒在地，对准喉咙一阵猛踢。可是现在，他只能苦恼地盯着我，直到再也忍耐不住了。

“这该死的裙子用处大着呢！”乔终于叫了起来。“这难道还是什么秘密吗？”

“爱尔兰人就这样做，乔，”斯蒂夫说着，在他身边坐下来。就像不愿意搭理这位“悍妇”一样，乔似乎也不想再和这位身穿连衣裙的小伙子为伍。“天哪，帮帮我！”

“造反者就是这样干的，”斯蒂夫坚持说，“我敢担保，你爸爸对你说过。他们想把牧场主吓得灵魂出窍的时候，就这样干。”

“我活这么大，第一次听人说出这个秘密。”玛丽走到桌子旁边，在斯蒂夫对面坐下来。

“爱尔兰可没有什么牧场主，斯蒂夫·哈特。”

“骑士们也这样干。”

“骑士？”

“骑士，”斯蒂夫大声说，“英格兰女王手下的骑士就是这样。”

“你见过？”她问道。

“为什么非要见过呢？”乔冷冷地问。

玛丽又点燃一支蜡烛。烛光照耀着她修长的胳膊和憔悴而又美丽的脸。“你是乔·贝尔纳？”她把蜡烛插在桌上一个节孔里，清清楚楚地照出另外一个“节孔”——我是形容乔·贝尔纳紧皱的眉头。

“那你就应该知道，乔，这身行头只有软弱无知的爱尔兰人才穿。”

毫无疑问，乔无法相信自己的耳朵。“我们是真正的爱尔兰人。”他的声音越来越低。玛丽的声音却越来越高。“真对不起，我似乎总和你们对着干，乔·贝尔纳。可是，你不是爱尔兰人。你是殖民地的居民。我是爱尔兰人。如果我对你说，今天之前，我见过许多穿裙子的男人，那是真话。”

没有人对她的话发表意见。

玛丽拿起一袋砂糖和一把小勺，站起来围着桌子走，让大家享用。斯蒂夫犹豫了一下，接受了她的“馈赠”，把两小勺糖放到杯子里，默默地搅着。

“如果披块床单，戴个面具，或者穿条裙子就能改天换地，”她说，“爱尔兰早就是人间天堂了，所有英格兰的国王早就在地狱里烧成灰烬了。

你们这样做，斯蒂夫·哈特，只能惹得老百姓反对我的内德，难道你希望这样吗？”

“我们是四个，”乔打断她的话，“四个政府悬赏一千英镑买我们脑袋的通缉犯。平原上三十个警察正在昼夜搜寻我们。当局的命令是，只要看见我们，就地正法。我心情不好，痛心疾首。此时此刻，最不愿意做的就是听一位自命不凡的女人说教。”

“可是，如果你从穷苦农民那儿偷东西、抢东西，会有好结果吗？”玛丽说。

“上帝啊，帮帮我！”乔喊了起来，“她比律师还糟糕。不要让她这样夸夸其谈。”

玛丽把装砂糖的袋子递给我。我把袋子放到桌子上，抓住她的胳膊。

“好了，亲爱的。”我说。

“我不会闭上嘴巴的，内德，对不起。但是我一定要帮你这个大忙，一定要告诉你，这几个小伙子穿的是什么‘制服’。”

“天哪！”我想，“就连杀人凶手有时候也需要节日。”就在我这样想的时候，玛丽开始讲她的故事。乔·贝尔纳一双黄眼睛打量着她，充满敌意。

你的母亲站在茅屋中间，一双手握在一起，放在前面，脸上划破的口子渗出鲜血。

“我的父亲，”她说，“是个铁匠，住在一个名叫泰姆普利克罗尼的村子里。你从来没有听说过这样一个名字，不过，不要着急，斯蒂夫·哈特。你刚才大谈什么骑士，那么，好吧，听我慢慢讲来。唐尼格尔有一个地主，他有时候把马送到我父亲那儿钉马掌，钉好以后他又不赶快把马牵走，贫穷的铁匠只好替他养着。

“你看，我的故事里没有什么骑士，只有一个名叫希尔的地主。有一天早晨，他又把一匹非同寻常的马送到我家铁匠铺。这是一匹阉过的公马，非常高大，非常漂亮，浑身上下没有一根杂毛，像一块亮闪闪的墨玉，只是前额有一块白斑。人们都说，这块白斑和爱尔兰地图一模一样。

“夜幕降临，没有人从那个被叫作‘大府邸’的庄园来拉走希尔先生这匹马。爸爸一个劲儿唠叨‘哦，真是强加于人！’‘哦，太不像话了！’可是我看见爸爸给那匹马吃蜜糖拌燕麦。由此可见，他非常喜欢这匹马，忍不住这样做。

“那是冬天，太阳很早就落山了。在泰姆普利克罗尼，下午四点天就大黑了。这一天，大西洋上刮起风暴，有个渔民溺水身亡。风大得怕人。我听见一阵敲门声，起初以为是风声。

“可那是几个穿裙子的男人。”

“那是筛子神的儿子。”斯蒂夫·哈特说。

你母亲没有理睬他，继续说：“我那年六岁。那几个家伙都很高大，脸上抹着黑灰。有一个人又瘦又高，戴着面具。他们手里都拿着火把，狂风中，火苗蹿得很高，几乎要点着房顶上的茅草了。

“‘叫你爸爸去。’领头的家伙说。他的声音非常严厉，可我还以为是什么人恶作剧。每逢万圣节和五朔节前夕，这些人都要挨家挨户到处乱串，主人必须按他们的要求做事，否则他们就给你家使坏。这几个穿裙子的男人背后，还有一群乌合之众。那时候，我虽然只有六岁，可是一点儿也不怕。我去叫父亲，而且一直站在他旁边，想听听这些家伙到底想干什么。爸爸把我推回到屋子里，关好门，自己走了出去。

“我们家有七个女儿，我是中间的一个。那天是晚上洗澡的日子。母亲和我现在一样，不过是个家庭主妇。我知道，家里少一个孩子，她也不会马上发现。于是，我就穿上拖鞋，披上母亲的围巾，悄悄溜出去，看到底发生了什么有趣的事情。

“我溜出去的时候，那群人已经拥进马棚。父亲劝他们熄灭火把，他已经点燃自家几盏灯笼。马棚里共有五匹马，可是那帮家伙都聚集在希尔先生那匹漂亮的黑马跟前。

“我可以详细告诉你，这帮人是怎样一副打扮，尽管他们打扮得各不相同。有六个人穿着裙子，都是他们妻子穿过的破裙子。补丁摞补丁，她们巴不得送人才好呢！我们村虽然很穷，但是没有一个女人穿这样破的裙子，连喂猪的时候也不穿。所有男人脸上都抹着黑灰。有的人抹得很仔细，连一点儿皮肉也不露，有的人只是胡乱抹那么几下。有一个人戴着用鹪鹩羽毛做的面具，样子十分可怕。要不是穿着妻子的裙子，我根本没办法弄清他到底是谁。他是一个佃农，种辛卢路旁边一小块土地。说实在的，叫出别的那些人的名字也不难。

“我的父亲当然认识他们，但是他没像跟熟人那样对他们说话。虽然他们都很清醒，但他跟他们说话的时候，好像他们都是酒鬼，稍有不慎就会惹恼他们。

“‘乡亲们，’他说，‘我会公平办事的。如果你们想给它戴帽子，那就戴吧。我不会说不。’

“我莫名其妙，心里想，怎么就扯到帽子上了？这时候，有一个人走进马棚，把一顶帽子戴到骏马头上。其实，那不是人戴的帽子，而是特意为马制作的帽子。可怜的马儿不喜欢这顶帽子，来回摇晃着脑袋，样子十分可笑，我不由得笑出声来。

“‘过来，希尔先生，’那个人说。他管那匹马叫希尔先生，尽管它的名字叫墨丘利。

“然后，另外一个家伙从口袋里拿出一条红颜色的毯子，毯子用白布镶了一条边。换句话说，他们是把这玩意儿当作红衣主教或者贵族领主披的斗篷。我的父亲只好让他们把‘斗篷’披到马身上。

“‘啊，希尔先生，’第一个人说，‘你是一个多么坏的地主呀！骑在我们头上拉屎撒尿。’

“‘啊，希尔先生，’另外一个人说，‘土地不是你的，你不该想租就租，想收就收。你是怎么想的，希尔先生？’

“即使被他们叫作希尔先生的墨丘利能听懂他们说的话，它也不会回答。有一个人手里拿着绳套，跳进马棚。这种绳套套在马嘴唇上使劲一勒，马脑袋就动弹不得了。现在，他就把这样一个套索套在墨丘利的嘴上。”

“我知道，这玩意儿不就是勒口吗？”乔·贝尔纳说。

“‘回答我的问话呀，伙计，’那个人继续说，‘想说什么就说吧。’那匹马当然什么也不会说。

“‘很好，’那人说，‘不说话我们就要审判你了。我倒要看看你喜欢不喜欢这种审判。’

“那些穿裙子的人纷纷跳进马棚，就像从树上爬下来的蜘蛛。他们都是农民，干起活来身手敏捷，眨眼之间已经把许多条绳子紧紧捆在墨丘利身上，就像格列佛被小人国里的人捆绑住一样——如果你们听说过这个故事的话。骏马发现自己被牢牢捆住，就像落入蜘蛛网的一只苍蝇，一双乌亮的大眼睛充满恐惧。我还傻乎乎地以为这是一场恶作剧。可是我相信，可怜的墨丘利已经看到自己的命运，知道不会有什么好结果。

“他们拿来一把刀和一根很长的棍子。”

玛丽停了一下。

“我实在不想说了。”

谁也没鼓励她继续讲下去。我们都是喜欢骏马的骑手，

不忍心听像墨丘利这样一匹难得的宝马被残酷折磨。可大家还是想知道后来发生的事情。

“他们不敢向主人报复，就来折磨他的骏马。那根棍子削得很尖，又在火里烧过，十分坚硬。头戴鸺鹠面具的男人举起棍子朝马肚子猛地刺去。”

“哦，天哪！”丹喊了起来。他换班回来，刚进门。

“哦，是的，”玛丽愤怒地说，“棍子刺进去足有一英尺长，拔出来的时候，就像钩针，钩出一截肠子。”

“啊，这些家伙！”乔·贝尔纳说。

乔听到这儿猛地把拳头捶在桌子上，桌上的金属杯、壶都蹦了起来。

“爸爸也跳进马棚。他从那人手里夺过棍子，曲起膝盖，想把那根棍子弄断。穿破裙子的人们一拥而上，把爸爸拖出马棚，朝他头上、肩膀上猛踢猛打。

他们还用那根棍子威胁他，要像戳穿马肚子一样，戳穿他的肚子。”

我的玛丽哭了起来，就像一只飞进教堂的小鸟，完全陷入恐惧之中。我无法安慰她。谁也不能。她的父亲浑身流血，躺在泥水中。她说，她想跑到父亲身边，又怕惹得那些人用棍子戳他。她听见人们责骂那匹马强占了他们的土地。他们说，证据就是它额头上那块白斑。他们责问可怜的骏马，为什么不能把爱尔兰从它的手里夺回来？躲在黑暗里的小姑娘看到了这一幕幕可怕的情景，听到了马儿一声声痛苦的惨叫。

在这一片混乱之中，父亲看见美丽的黑头发女儿蜷缩在黑暗里。他大喊一声，挣扎着站起来，抱起女儿冲进家门。门从里面锁好之后，他把小玛丽交给了妈妈。

后来发生了什么事情，玛丽就不知道了。她只知道，那一夜虽然大风呼啸，但盖不过骏马的哀鸣。

早晨醒来的时候，她看见房子四周到处都是士兵。希尔先生头戴假发，身穿礼服，就像要到国会开会似的。孩子们都还被关在屋里，不准出去。不过小玛丽还是设法看见那匹马的尸体被搬到车上拉走了。那样一匹高头大马被切割得惨不忍睹。

后来，警察在辛卢路旁边那个佃农家里找到了马头上那块白斑。那人名叫迈克尔·康纳。他受控犯有发伪誓和盗窃他人财产罪，和另外五个农民都被处以了绞刑。

“我的父亲很善良，”玛丽，“说可他还是在法庭上作证，指控了那些人。我要告诉你们，如果你们穿着这身行头到处流窜，老百姓不会喜欢你们。你们必须使他们活得安宁，而不是给他们带来恐惧。”

乔·贝尔纳放下杯子，向茫茫夜色走去。

那天夜里，睡在玛丽身边，我辗转反侧，难以成眠。下巴上的胡子痒痒得慌，四肢像打谷机一样颤抖。一幕幕可怕的景象不时出现在脑海之中。我的父亲当年拿那条裙子派什么用场呢？我们的父母亲想要忘记的是“大流放”一路上无比的痛苦。可是，这痛苦还没有忘记，我们这些无知的年轻人又像没人管的蝌蚪，在水洼里孵化了。躺在茅屋潮湿的地板上，我闻着从你母亲头发上散发出来的烟和灰的气味。她是一个可爱的年轻姑娘，仿佛从远古走来的陌生人。

乔去放哨，把斯蒂夫换了回来。斯蒂夫四仰八叉，在油布雨衣上躺下了。斯蒂夫年纪不大，可是打起呼噜来像铁匠炉的风箱。“风箱”一拉，我就睡意全无，只好披衣而起，走了出去。我早就习惯在丛林里度过漫漫长夜。可是这个夜晚，我仿佛正在做一场噩梦。高大的桉树看起来那么怪异，宛如顶天立地的魔鬼。乔·贝尔纳就在它们当中的什么地方放哨。

夜晚，每一条河仿佛都有一个秘密的孪生兄弟。微风吹过水面，河水流向大海。我来到布满乱石的河床。浅浅的水湾在这儿和大河汇合。一阵凉飕飕的风吹过面颊。随之而来的是一股臭气。那是乔·贝尔纳。他得了痢疾，正在拉肚子。他总是默默地忍受痛苦，他和哈里·鲍威尔形成鲜明的对照。哈里·鲍威尔生病的时候总是大声哼哼，叫骂不止，怨天尤人。

“你是不是很难受，老伙计？”

我问他。他正向河岸走来。看不见他那双眼睛，只看见他那满嘴洁白的牙齿。

“我真想抽点鸦片。哪怕只抽几口，病就好了。”他还在微笑，可是声音像一把汤匙在金属杯子里晃荡，丁当作响。

我没有鸦片，可是我有好消息安慰他。我对他说，我已经把那封信寄给卡梅伦先生了。

我的话没有减轻他的痛苦。他使劲儿抓着腿，说：“哦，或许我们都能被政府赦免。我敢担保，他们会释放你母亲。”

“也许会。”

“哦，天哪！内德，你知道这个卡梅伦先生是个什么样的人吗？你知道他住在什么样的房子里吗？”

“我读过他在国会的讲话。”

“是的，他是个政治家。”

“没错，国会里的人都是政治家。”

“你认为一位政治家能替我们这种人说话？在他们眼里，我们可是十恶不赦的坏人。”

“你的腿怎么了，乔？”

“不是腿，伙计，是脖子。你应当先让我看看你写的那封信。倒不是说我生气了。我只是想，卡梅伦如果看见你写的那笔字，一定会把我们想得更坏。”

他本来想再说点什么，可是突然一阵痉挛，有一会儿只能咿咿呀呀，半晌才说：“如果卡梅伦先生是一匹马，一定是一匹背部特别凹陷的、脖子挺短的马。你连看都不想多看一眼。”

“他说的那些话你也在报纸上看到了，乔。”

“你是个聪明人，内德，可惜，对政治却一窍不通。”

“你并没有看过我给他写的那封信，伙计。”

“哦，天哪！”他叫喊着，弯下腰，肠胃折腾得厉害。“哦，天哪！你不可能写出什么有理有据的东西。哦，我憋不住了。”他一边说，一边跌跌撞撞地跑过一片灌木丛，拉屎去了。

备受痢疾折磨的乔被灌木丛吞没之后，我脱下靴子，放到岸边，涉水走过一块块巨大的砾石，终于爬上一块白颜色的卧牛巨石。这块石头很平，也很宽。我在石头上躺下，两条胳膊垂下来，任凭冰凉的河水从手腕流过。骏马悲惨的故事像一块油腻腻的抹布罩住我的心。现在，清冽的山涧溪流像一剂解毒的良药，冲走了往昔的、难言的苦涩。我用帽子舀起水，浇到头上，闻到一股泥土和青苔的气味，就像鲑鱼肉的味道。一朵朵轻薄的云彩飘过辽阔的苍穹，云彩的边缘有一团奇怪的黄色。

第二天早晨醒来，我看见玛丽正抱着小乔治坐在我身边。天还早，茅屋旁边灌木丛里，只有一只孤单的知更鸟在鸣叫。“你一定要把我留下。”

她悄声说。我回答道："我们必须往前走，没有别的选择。"

"他在发高烧，走不了。"

铅灰色的晨光照进屋里，我没有对她说什么态度生硬的话，而是从她怀里抱过小乔治，穿过几株高大的桉树，径直向河岸走去。河岸上晾着两条裙子，就像鲇鱼皮。那一定是丹或者斯蒂夫半夜里洗的。

"你要干什么？"

"给他降降体温。"

按照我的吩咐，她走到冰冷的河水里。我解开用围巾包着的、直冒热气的小乔治的时候，大吃一惊。因为小家伙原来壮得像只树袋熊，现在却瘦得皮包骨，一根根肋条清晰可见，浸在河水里的皮肤白得像羊脂。

"啊，可怜的孩子。"她哭喊着。我两只手放在小乔治腋下，把他浸泡在冰冷的河水里。"啊，天哪，在这个国家拉扯孩子真是太残酷了！"

她失声痛哭。我没有理她。小时候发高烧的时候，母亲就用这种方法给我们退烧。我把病孩儿又交给她，用帽子舀了些河水，浇到他头上。

"你会把他折腾死的。"她叫喊着，眼睛里充满泪水。"哦，天哪，帮帮我！我该怎么办？"孩子的眼睛深陷在眼窝里，冰冷的河水淋在身上的时候，他只能无力地挣扎。

我并不想折腾这个孩子，可是我不能让警察抓住我的弟兄，又不能就这样把玛丽和孩子扔在丛林里不管。

回到茅屋之后，小乔治的体温显然降了下来，嘴唇变成了青色。玛丽又用那条围巾把他包起来。我们五个人都蹲在旁边，看他有没有好转。平常，小伙子们总爱说三道四，可是今天他们都不吱声。大伙儿自然不愿意为了一个小孩儿，被警察抓住，可是他们又非铁石心肠。乔紧张得要命，伸出手指蘸了一点儿水，放到孩子嘴里。小乔治使劲儿吸吮着，虽然他的指甲很脏。就在这时，传来一阵马蹄践踏河水的声音。

"警察！"丹大喊一声。乔猛地把手指从婴儿嘴里抽出来，乔治大哭起来。玛丽连忙哄他。可是情况如此紧急，她的动作实在是太慢了。我连忙舔了一下手指，伸到砂糖袋子里，然后把手指伸到小乔治嘴里。紧要关头，婴儿一声啼哭，就会把我们都送上断头台。

乔急忙往枪膛里压上子弹，冲出房门，斯蒂夫紧随其后。丹笨手笨脚，等他们俩都冲出去之后，才摸索着拿起火药筒。

“快来，玛丽！”我说，“把你的手指也蘸上糖。”

玛丽只顾抱孩子，全然没有想糖的事儿。我们一起侧着身子冲出去的时候，我的右手握着口径为0.5777英寸的步枪，左手抱着孩子，手指还衔在他嘴里。我们跑到小河一条狭窄的支流旁边，那儿的茅草很高，遮挡住涓涓细流。玛丽在地上躺下来，宛如躺在坟墓里一样。看着她那双惊恐的眼睛，我明白，我们没法儿再这样生活下去了。我不可能像旧时代的人那样，带着妻子上战场。

一对血红的鹦鹉飞起，掠过土黄色的森林。

前面二十码远的地方，乔从一株禾木胶树后面跳了出来。他手里拿着枪，向那条河飞快地跑去。我也跟在后面奔跑着，心里想，也许再也看不见亲爱的玛丽了。这时，斯蒂夫和丹从一株倒伏在地的大树后面小心翼翼地爬出来。我在齐腰深的欧洲蕨里奔跑，脚步声震动着自己的耳鼓。

一个骑手走过灌木丛。我停下脚步，端起手中的埃菲尔德式步枪。就在这时，那人又踢了踢马肚子，向前走了几步。原来是乔的朋友，艾伦·谢里特。他手里提着一个小木头匣子，乔·贝尔纳就是冲那玩意儿跑去的。我早该知道，他是个大烟鬼。

我不喜欢艾伦。他总是凑在乔的耳朵跟前挤眉弄眼，嘀嘀咕咕。到底说了些什么，别人谁也不知道。他刚走进我们的宿营地，就把乔领到河边。两个人拿着烟枪，吞云吐雾，都沉湎于那个“中国匣子”带来的快乐之中。回来之后，艾伦嘴角挂着一丝嘲讽的微笑。他似乎知道我们还不知道的什么事情。不过，应该承认，艾伦·谢里特是个强壮有力的丛林人。

感谢艾伦送来的消息。根据他提供的情况，估计在那个破炉子里生点火还不至于惹来太大的麻烦。他送来咸肉和鸡蛋，这样就可以煮着吃了。玛丽一个人坐在长凳上。我们几个男人背靠用原木搭建成的、落满尘土的墙壁抽烟斗，或者用纸卷烟丝抽。艾伦一边给我们煎咸猪肉一边讲，许多全副武装的警察和殖民地位高权重的警官都在昼夜搜寻我们。他们正沿着辽阔平原的每一条道路，一座茅屋一座茅屋地搜查。

艾伦从口袋里掏出一张皱皱巴巴的《墨尔本守卫者》。看见我的名字赫然印在报纸上，我还是吃了一惊。艾伦让我们看报上登的一幅漫画。画上画着警察局长抱着一只死负鼠，他手下的人马一字排开站在身后，就像刚刚猎杀了一头凶猛的狮子。背景是一座农民的破房子，一缕阳光从屋顶上一个窟窿射下来，照在死负鼠身上。这幅漫画画的是警察袭击谢里特家的情形，现在这成了家喻户晓的故事。或许你也听过——警察局长以为找到了"凯利帮"的老窝，一进屋就放了一枪。这一枪不但吓坏了艾伦的弟弟杰克，而且在木板屋顶上穿了一个窟窿，正好打死一只负鼠。画下面的标题是：《又一惨案——错把负鼠当凯利》。

《守卫者》上刊登的连环漫画不再是平常刊登的《迷信的迈克》或者《爱尔兰女郎——无知的布里奇特》，而是警察。主要意思是说他们没有头脑，找不到"凯利帮"。下面是《墨尔本幽默》上的一段对话。我把它剪下来，贴到这一页上。

> 惠坡（他从来没有走出过凯勒平原）："喂！他们连'凯利帮'都抓不到，难道不害臊吗？警察为什么不骑上马去追他们呢？"
>
> 斯纳坡（他最远到过丹德纳）："不，先生，你错了，大错特错了。策略，先生，这是策略。警察等他们从大树后面走出来。"

警察局长离开谢里特家之后，领着他的人马来到乔·贝尔纳家。乔·贝尔纳的母亲正在挤牛奶。艾伦长了个长下巴，一双淡褐色的眼睛总是荡漾着笑意。他特意把这件事情讲给乔·贝尔纳听，学贝尔纳太太用爱尔兰人的祖话骂人，学得惟妙惟肖。斯坦迪什局长被她骂得从牛栏里退出来，锃亮的靴子踩在牛粪上。

乔的肚子不疼了，艾伦那副滑稽相把他逗得哈哈大笑。可是我看出这位讲故事的人并不喜欢我跟着他们开怀大笑。我历来不认为艾伦聪明，可他脾气好。今天，他那双快活的眼睛又让我觉得，其实他很会算计。过了一会儿，他便不讲这些可笑的故事了。他让乔照看锅里的咸猪肉，对我说："我和你说句话好吗，内德？"

他嘴角还挂着一丝微笑，但是并不看我。我们来到一株铁树下面的沙土地。他像丛林人那样在地上蹲下，折下一根树枝。有一会儿，我以为他要画地图给我看。

"哦，"他说，"我发现你挺快乐。"

我问他，此话怎讲？

"我并不想说什么反对你的话。"

"你还什么话也没说呢！"

"我必须对你说实话，伙计。谁都知道，你们迟早要落入他们布下的天罗地网。我走过的每一个地方他们都悬赏捉拿你们，出重金鼓励人们提供线索。我倒是想给乔鼓鼓劲儿，可是只有傻瓜还看不出来，这样做会是什么结果。"

我感谢他的信任，尽管表示谢意的时候，不无嘲讽之意。

"你应当放乔走，伙计。"他笑着说。

"我可没有拦着他，艾伦。"

"他不应该受到惩罚。他没杀人，这一点你很清楚。"

"我向你担保，乔如果愿意的话，现在就可以走。"

"可他还是你的手下，内德。他不应该承担这个后果。"

"什么样的后果？"

"你应该清楚。"他说，但不看我的眼睛。

"你的意思是，我应当承担这个后果，艾伦？"

看见他答不上话，我转身向茅屋走去。

“我还有事儿。”他喊道。我看见他手里拿着一个信封，以为是卡梅伦的回信，便一把抢了过来。可那不是信封，而是一张淡绿色的纸，纸上有若隐若现的斑点。“这是什么？”我问。他耸了耸肩。

我打开纸，上面什么也没有，只有我的名字：内德·凯利。字歪歪扭扭，写字的人显然没受过多少教育。“哪儿来的？”

其实我已经猜到答案了。

“是你母亲捎来的。”

我仿佛看见母亲艾伦·凯利偷偷地、吃力地在这张纸上写我的名字，我的心被深深地刺痛。“内德·凯利”，那不只是我的名字，它一定包含着母亲心底涌动着的思念、羞愧和克制之情。他们绝不会给她一张纸。她一定是从哪儿偷来这张纸片，还有铅笔。放风的时候，她在墨尔本监狱围墙里走来走去，在这张纸里包一块石子，偷偷扔了出去。姑娘们常常用这种方法向爱人传递情书。监狱自然是一个阴森恐怖的地方，那里面关着杀人犯和别的罪犯。可是那张写着我的名字的纸片从一个陌生人的手里传到另外一个陌生人手里。他们这样做对自己没有任何好处，只能带来危险。然而，即使最下贱的囚犯也愿意把这张纸传出大墙。他们都知道，警方对我的母亲是不公平的。英国女王应该谨防她的监狱变成让人们懂得正义与公理的大课堂。

一个星期一的早晨，玛吉从金克先生的办公室走出来。一个年纪很大的犯人正在等她。老人长着鹰钩鼻子，皱着两条浓眉，问她是不是玛吉·斯凯林。确认她就是玛吉之后，老人把纸交给了她。

玛吉很快就把这张纸送到艾伦手里。艾伦终于把它交给了我。这几个字所包含的对儿子的思念和期盼，显而易见。现在，隔在我和母亲之间的当然不只是一个男人。不只是比尔·福罗斯特或者乔治·金，而是总督、警察局长、尼科尔森警官、哈瑞警官，以及他们下面由警察菲兹帕特里克、霍尔、富拉德组成的巨大的金字塔。只有彻底打垮这一百多个人，我们母子才能团圆。

艾伦回屋之后，我在金河旁边那块潮湿的空地上久久地思索着。铁树丛上还挂着十月份发洪水时四面八方冲来的漂浮物。潮湿的泥土泛起腐烂的树皮、淤泥和桉树的气味。在这“芳香”的“殿堂”，我向上帝发誓，如果卡梅伦先生像乔·贝尔纳警告的那样，是个卑鄙的政客，不赶快释放母亲，我就要把监狱的高墙炸个粉碎，救出亲爱的母亲！

艾伦走了，留下一大堆麻烦事。乔吸过鸦片之后，沉湎于美梦之中。我吩咐两个小伙子看护好他和玛丽，还有那个小孩儿，我出去找点晚上吃的东西。其实这不是我的本意。我是想静下心来想出一个万全之策，兑现刚才发下的誓言。

离开宿营地的时候，连天上的云彩也成了我混乱的思绪的一部分。朵朵乌云宛如一团团肮脏的羊毛，低垂在头顶之上。我不知道该上哪儿去，该做什么。就连我那匹马也可怜我，拿我当女人或者孩子对待。我上马的时候，它那么难过，强忍着，没有再用鼻子拱土觅食。

整整一天，我骑着马儿在大山里转悠。我对它说话，它两只耳朵向后支棱着听我唠叨。不过，下一步怎么办，它也没有好主意。

真希望能有人指点我。十二岁的时候，父亲就死了。从那以后，唯一给我以教诲的就是哈里·鲍威尔。可是一旦发现他致命的弱点，我就离开了他。或者说，我认为自己远远超过了他。可是在这个天低云暗的日子，我终于明白，在哈里面前，我还是个学徒，他还是我的老师。我现在仍然在走他走过的老路。他告诉过我，这条峡谷虽然是个“死胡同”，但是是通往驼背山最好的通道。“你这个傻瓜，”他一边教给我崇山峻岭、深沟大壑的秘密，一边对我唠叨，“如果你了解这里的山山水水，就会永远成为这块殖民地一个自由自在的小伙子。”

这话没有说对。他对这里的山山水水了如指掌，可是最终落入法网，被人家关进监狱。现在我正在走他走过的那条小路。如果沿着巴克兰山嘴一直向前，黄昏就能走到俯瞰奎因家的那座山崖。山崖上有哈里的瞭望孔。那会是我的葬身之地——明天早晨醒来，尼科尔森警官就会以迅雷不及掩耳之势，把我消灭。

我勒住马，脚下是一大块松动的页岩。马儿挺直一双前腿，使劲支撑着，在岩架上稳住身子。悬崖那边是辽阔的大海，滚滚波涛向科布勒山涌动。在这狂放无羁、动荡不安的大千世界，我终于认识到一个千真万确的道理。

丛林保护不了任何人。真正保护哈里的是人，最终出卖他的也是人。哈里明白，他必须让穷人吃饱，必须和他们搞好关系。他要做罗布·罗伊或者罗宾汉。他经常给孤儿寡母们找回走失的牲口。如果穷人因为他的原因被警察骚扰、威胁，他总会做出补偿，给他们一只羊，一桶掺水烈酒，或者一把钱。

哈里最终落入法网，不是因为警察突然发现他的踪迹，找到他的藏身之地，而是因为他为自己的自由所出的价钱比政府愿意付出的价钱低。一个可悲的事实是，穷人对他的爱，是因为想要从他那儿得到什么东西而表示的亲热。五百英镑就能买动他们，直接把警察领到他的藏身之地。

哈里落得这样一个下场情有可原，因为他从来没有听说过政府在悬赏捉拿他。我们的价格却在报纸上广为宣传，家喻户晓。就像牧场工人一星期一英镑，赶羊人一年四十英镑一样，“凯利帮”值八百英镑。我说过，我没有学问，不过这道算术题很简单。如果我可以聚敛八千英镑，然后就像给久旱的平原浇水一样，把钱分发给这个地区的穷人，我们的安全就有保证了。我兴冲冲地回到宿营地，把这个想法告诉大伙儿。可是，我离开他们的时间太长了。距离乔上次吸鸦片已经过去好几个小时。他打喷嚏，流鼻涕，刚才那点儿好心情已经荡然无存，他又开始大发脾气，怨天尤人。

“凯利，你疯了。”他叫喊着，拳头敲着那张破桌子。“我不干！我才不干呢！可是我已经陷得太深了。”

谁也没有说话，玛丽默默地点着灯，枯黄的灯光照亮到处都是蜘蛛网的墙壁。灯光下，我看见乔漂亮的胡须下面难看的兔唇。“我不抢银行。”他说。

“有什么可怕的，”丹说，“迟早他们都会把我们绞死。”

丹很勇敢，可是我不愿意听他说这样的话，一把将他从椅子上揪下来。“我向你们担保，”我叫喊着，“我向你们大家担保，他们不会绞死我们的！”

“你们不会受到伤害。”玛丽大声说，把灯挂在桌子上方一个挂钩上。“你们都是勇敢的小伙子，谁也不可能加害于你们。”

“听起来很顺耳，”乔·贝尔纳说，“你是女巫吗？”

玛丽把鼻子贴在小乔治的脑门上，可是一直看着乔那双气得冒火的眼睛：“你就相信我的话好了。”

在比屈沃斯，乔是个出了名的会讨女人欢心的人。他常常送她们一副手套，或者给她们偷个小牛犊。总而言之，为了取悦一个女人，他简直无所不能。可是现在，他脸色苍白，病病歪歪，没有一点儿迷人之处。“你像一条疯狗汪汪汪地乱咬。”他对我的妻子说。

“住嘴！”我说。

“你们都是疯子，你也是，内德。你没法把你的母亲从墨尔本监狱里救出来。”

“他从来没有说过他能呀。”玛丽叫喊着。

“是的，是没说过，可是他想。我了解他。他爱母亲胜过爱这个世界的一切！”

“内德，告诉他，你不是这样想的，内德。”

“他办不到，”乔说，“即使抢两家银行，即使有一万英镑也办不到。”

“不要告诉我应该做什么，不应该做什么，乔·贝尔纳。”

“我们杀了人，让他们流了血。现在唯一的希望就是逃到加利福尼亚。哦，天哪，”他叫喊着，“凯利，如果你放我走，我就这样干！”

我跟着他走出去。灰蒙蒙的天空下面，一株株桉树仿佛撑开一把把黑色的巨伞。乔·贝尔纳的一双腿十分结实，像树袋熊一样，在长满灌木丛的山坡上大步走着。我跟在他后面走了大约五十码远。树枝像小孩的肋骨一样，在他愤怒的靴子下面嘎巴嘎巴地响着。一路喧嚣终于归于沉寂。

“即使有船可乘，”我大声说，“你也得贿赂船长，还得买船票，乔。除了抢银行，你从哪儿弄钱？”

“我不怕死，”他终于说。在渐渐浓重的夜色中，我看见他弯腰曲背，似乎坐在树桩上，或者一块石头上，或者一株倒伏在地的树木上。

“这个计划不等于送死。”

“我不想再杀人了。我做的噩梦已经够多的了！”

“可是我们不能等死！”

我们俩许久没有说话。笑翠鸟对着夜幕发出最后一声鸣叫。

“就让你母亲在监狱里服刑算了，不会太长的。我们都坐过牢，死不了。”

我不想和他争辩，不想告诉他，我认为自己不但对母亲负有责任，对他也同样有一种义务。我向前走了两步，他不由得向后退了退。“回艾伦那儿去，不要像一条劣种狗那样汪汪乱叫。”

“我不会离开这儿的，”他说，“你知道为什么吗？”

我没有回答。他在开口说话的时候，声音有点儿颤抖。“内德，你是我认识的最好的人，”他从黑暗中走过来，紧紧抓住我的胳膊。“我是你的伙伴，”他说，“所以，不管跟着你上刀山、下火海，我也认了。”

“他是艾伦的伙伴，”我心里想，“这就更倒霉了。”我们向那座茅屋走去，没有再说什么，直到烛光照亮眼睛。

“让我告诉你们，我要为你们做些什么。”他说，“我要去贝纳拉，去侦察一下银行。”

“他想侦察鸦片。”我心里想。

“你不必再亲自回来，乔，捎个话就行了。”

“谢谢，内德。”他说，急不可耐地摸了摸烟荷包。

他给马备马鞍的时候，我和丹、斯蒂夫一起在蓝色的夜空下等待着。

乔说，我们很快就能弄清银行的防卫情况，并且确定动手的最佳时间。现在，我当然得指望他去探听虚实了。乔上马之后，在马背上弯下腰来，握了握我的手。这可是少有的举动。

“一路上多多保重，不要惹是生非。”我说。

“放心吧，我会注意的。”

直到蹄声消失之后，我才和小伙子们分手，径直向茅屋走去。斯蒂夫和丹一起站夜里第一班岗。

走进茅屋，又听见小乔治的喘息声。我的心里充满了悲凉之感。

“亲爱的。”玛丽说。

“什么事儿？”

“我一直在想，是不是乔的话一点儿道理也没有？我们为什么不能一起去美国呢？”

“哦，天哪！我们没有钱呀，玛丽。如果真想逃走，就必须抢银行。”

“有钱以后怎么办，亲爱的？”

“首先必须去抢银行，玛丽，这是不可避免的事情。”

我们俩的误解就从这儿开始。那阵儿，我根本就没心思去探讨如何使用抢来的钱。我只是想抢银行的时候，如何才能最大限度地避免伤亡。可是你的母亲已经张开想象的翅膀，飞到很远很远的地方，仿佛海浪已经把水花溅到她的脸上。

“我一直在想，”她说，“你没有抢银行的经验。”

“我想，我知道怎样抢。”

“哦，原谅我，”她说，“我可从来没听说你抢过银行。”

“不要让乔那些鬼话吓住你。我能成功。”

她和我一起坐到桌子旁边。我真想把她紧紧抱在怀里，让手指滑过她那凝脂般的肩膀，手掌抚摩她肚子上美丽的曲线。

“怎么抢呢？”她问道，直瞪瞪地望着我。

“我觉得女人不该对抢银行感兴趣。”

“可是我已经很感兴趣了。比方说，你打算装做过往行人，故意在门前溜达吗？”

“也许吧，我想那扇门也没有什么不同凡响之处。”

“你打算营业的时候动手，还是关门之后动手？”

“营业的时候。”

“营业的时候？”

“有什么不妥吗，夫人？”

“如果是我的话，当然不会在营业的时候动手，”让人不可思议的玛丽说，“那样就得既对付出纳员，又对付顾客，岂不是更麻烦吗？”

“如果是你，什么时候动手？”

“等下午三点，他们正结账的时候。我会手里拿着一张支票敲他们的门，说急需将这张支票兑换成现金。”

“玛丽，”我说，“你以前一定抢过银行。”

“我肚子里怀着孩子，”她说，“我盼望他能快快乐乐地坐在爸爸的膝盖上。”

“我对母亲负有责任，你能理解吗？”

“当然理解。你对我也负有责任。”

“是的。”

“你还应该有思想准备，银行经理手边就可能放着手枪。”

“你是说，我敲门的时候，就有可能被他打死？”

“在贝纳拉当然有这种危险。帕特里克·迈克拉斯认识你。那天夜里和我们一起在金桥饭店喝酒的菲利普斯是银行的总出纳。所以，我想，内德，在尤罗阿干是不是更合适？那儿认识你的人很少。”

“报纸上天天登我的画像，在尤罗阿干也一样。”

“那可不一样。报纸上丑化了你。如果凭他们登的画像辨认你，尤罗阿银行的人只能找到魔鬼，而不是我的英俊潇洒的内德。我给你修剪一下胡子，你再从格洛斯特先生那儿弄一套好一点儿的衣服，那时谁看了都会觉得你漂亮迷人，以为你是个有钱的牧场主。如果你拿支票和他们兑换现金的话，出纳员肯定会给你开门。”

“你会和我一起去敲银行的门吗，亲爱的玛丽？”

“为了你，我走遍天下都愿意。”她走到桌子这边，握住我那双结满老茧、伤痕累累的手，小心翼翼放在胸前。

亲爱的女儿，你知道，在阿维内尔，我从来没有受过正规教育。在我父亲被关进拘留所、母亲得到一张“赤贫证明书”之前，每个星期一早晨，我必须交纳六个便士的学费。搬到格雷塔之后，干脆无学可上了。所以，你最好还是看那些受过教育的人如何描述我们抢银行的故事吧。不过，他们写的那些东西许多地方不对你母亲的胃口。从她在旁边做的批注，你就能看出这一点。下面是我从报纸上剪下来的文章。你母亲像早晨阳光下落在篱笆上的笑翠鸟，张开一副铁嘴，随时准备琢出一条虫子，或者别的什么东西。

《黎明新闻报》

一八七八年十二月十一日

忠诚湾牧场抢劫案

忠诚湾牧场位于尤罗阿铁路线一侧。牧场长约三英里，离铁路线只有一箭之遥。星期一刚过中午，牧场雇工菲茨杰拉德坐在棚屋里吃午饭，一个丛林人走到门口，从嘴里拿出烟斗，问监工麦考利在不在牧场。菲茨杰拉德回答道：“不在，他晚上才回来。”丛林人说：“哦，没关系，我也没有什么大事儿。”菲茨杰拉德继续吃午饭，但是他那座棚屋的门敞开着，他清清楚楚地看见丛林人朝远处站着的什么人打了一个手势。菲茨杰拉德吃完饭之后，看见两个长相粗野的人走到丛林人跟前。他们拉着四匹非常棒的马。那是四匹栗色马。

（三匹栗色马，一匹灰色马）

从林人又向那幢房子走过来。

（他非常英俊，身高超过六英尺，长得非常匀称）

菲茨杰拉德先生的妻子正在厨房里做家务。老妇人万分惊讶地发现一个丛林人未经邀请就闯了进来。她问他是什么人？想干什么？他说：“我是内德·凯利。别害怕。我们不会伤害你。你只要给我们点吃的，再给马喂点草料就行了。”菲茨杰拉德太太马上喊她的丈夫。菲茨杰拉德先生走了进来。老妇人介绍说：“这位是凯利先生。他想要点吃的东西，还想给马弄点草料。”这时，凯利已经拔出手枪。菲茨杰拉德知道他就是曼斯菲尔德凶杀案的首犯，连忙说：“当然，这几位先生需要什么，马上给他们就是了。”内德·凯利和菲茨杰拉德夫妇攀谈起来，他特别询问了牧场雇了多少工人。所有的问题都得到满意的答复。

这当儿，另外两个人——现已查明，其中一个名叫丹·凯利——忙着喂马。第四个人站在门口，显然是在放风。

然后，凯利把菲茨杰拉德先生带到仓库，把他锁在里面，向他保证绝不会伤害任何人。工人们收工回棚屋吃饭的时候，凯利命令他们举手投降，老老实实地到仓库里去。他把他们和菲茨杰拉德先生关在一起。因为大家都规规矩矩地听从他的命令，所以没有发生任何暴力冲突。

（这些人当中有三个人多年来就知道凯利性格很好）

下午晚些时候，监工麦考利先生回到牧场。过桥的时候，他心里有点奇怪，牧场怎么会笼罩在一片寂静之中？走近库房的时候，他听见菲茨杰拉德先生在里面喊：“‘凯利帮’在这儿，你最好老老实实举手投降。”麦考利不信。可还没来得及说什么，内德·凯利就从屋子里走出来，手里拿着枪，对准他的胸膛，命令他举手投降。麦考利没有下马，说道：“你抢一个牧场有什么意思？我们的马连你的马都不如。”凯利又说了一遍，他只是想弄点吃的和草料。他还补充说，他和他的朋友们想找个地方休息一会儿，睡个觉。

麦考利还不信他真的碰上了“凯利帮”。可是丹·凯利从屋子里走出来的时候，他认出了“那张丑脸”——以前他在报纸上看过他的画像。

（丹·凯利长着一双清澈明亮的蓝眼睛，颧骨比较高。那是一张英俊的、充满男子汉气概的脸）

麦考利对凯利兄弟说：“那么，好吧。如果你们还能让我们平平安安地待在这里，我们就尽量舒舒服服地喝茶吧。”他把他们领到屋里。“凯利帮”的人非常谨慎。他们害怕食物里面有毒，总是让牧场里的人先吃，而且他们四个人不同时用餐：两个人吃，两个人放哨。就在第二拨人快要吃完菲茨杰拉德太太做的羊肉烩菜的时候，外面响起一阵喧闹声——又来了一个人。是个小贩，赶着一辆两匹马拉的马车。这个人是格洛斯特先生，他在塞摩尔开着一个铺子，但是他总习惯拉上一些布匹和花哨的小商品到牧场、村庄兜售。

内德·凯利叫喊着，让他举手投降。可是格洛斯特并不觉得有什么危险，像平常一样，继续赶着马车往前走。丹·凯利举起枪就要开火，内德·凯利拦住了他。麦考利也叫了起来，让格洛斯特先生举手投降，否则，这儿就会发生流血事件。格洛斯特先生看起来是个非常固执的家伙。他既不怕“凯利帮”的威胁，也不管监工的请求，继续做他的买卖。内德·凯利举起手枪对准格洛斯特的面颊，命令他按他说的办，否则就让他脑袋开花。在这个尘土飞扬的院子里，危机一触即发。全靠麦考利先生周旋，凯利才没有向格洛斯特开枪。丹·凯利似乎杀人杀红了眼，他恶狠狠地说：“给这个坏蛋吃颗子弹！”格洛斯特也被关进仓库。四个暴徒开始翻车上的东西，每个人给自己弄了一套衣服。算他们走运，衣服特别合适。

（确实是奇怪的巧合）

四个家伙很快就打扮得活像丛林里的花花公子。他们在小百货里找到几瓶香水，打开瓶就往身上洒。

（内德·凯利穿上一件蓝外套、棕色花呢裤、带松紧带的靴子，戴上一顶棕色毡帽）

晚上睡觉前，“凯利帮”打开仓库大门，让里面关着的人出来透透气。他们手里拿着枪，一直严密监视着这些“囚徒”。

可是一起抽烟的时候，双方的谈话却很友好。内德·凯利说：“我经常见到警察，也经常听说过警察。如果我真的是他们说的那种杀人凶手，那我随时都可以杀掉他们中的任何一个。”他还谈了许多关于他母亲的事。他说，警察把他的母亲关进监狱是不公平的，他们还十分残酷地抢走她刚生下的婴儿。内德·凯利清楚地表明了自己的态度——如果政府释放他的母亲，他就向政府投降。

（这话不对。他从来没有说过这种话。他永远不会投降）

破坏电线

把“囚徒”关起来之后，两个“凯利帮”的人睡觉，另外两个放哨。第二天一大早，他们就都起床了。吃过早饭之后，内德·凯利派他手下的一个人去破坏电线。火车道两边都有电线。西边一根电线是铁道部的专线。东边四根电线供整个殖民地通讯之用。这些电线都用铁杆子支撑着。为了破坏铁道部的专线，他们打碎陶瓷绝缘子，电线都掉了下来。铁路那边的电线遭到更严重的破坏。这几个暴徒都身强力壮，推倒七八根电线杆子之后，电线都脱落下来，纠结在一起，乱成一团，再也派不上用场了。火车在铁路上来来往往的时候，“凯利帮”似乎很紧张。

从那幢房子看过去，车厢里的旅客看得一清二楚。他们都趴在窗口看被破坏了的电线。下午，一辆火车停了下来，从车上下来一个人。他是负责维修线路的工人，从贝纳拉来查看出了什么事情。火车走远之后，这个人就被抓起来，关进仓库。之后，内德·凯利要麦考利给他开一张尤罗阿国家银行的支票。麦考利勇敢地拒绝了他。

（谈不上勇敢，因为他很清楚，内德·凯利不会加害于他）

后来，凯利从抽屉里翻出一张四英镑几先令的支票。他说，有这张支票就够了。这帮家伙开始准备行动。凯利说，他们要进城，所有人，包括麦考利先生，在他们离开牧场期间，都必须关在仓库里。一个叫贝尔纳的家伙留下看守“人质”。

（一位忠诚、勇敢的朋友。只有弟兄们一起逃走，他才离开这块殖民地）

为了顺利完成任务，他们放出一个“人质”，贝尔纳一直用枪对着他。意思很明显，如果有人胆敢逃跑，就打死他。

暴徒们离开了牧场。内德·凯利赶着一辆马车，丹·凯利赶着小贩那辆，另外一个人骑马，跟随着他们。

尤罗阿银行抢劫案

银行和平常一样，下午三点钟关门。四点差一刻，布什先生和布拉德利先生正忙着结账。经理斯科特先生在旁边的屋子里办公。这时，响起一阵敲门声。布什先生让离门比较近的布拉德利先生去开门，看看来人是谁。门打开之后，一个丛林人拿出一张四英镑的支票，要求兑换现金。布拉德利先生说，太晚了，没法儿兑换。来人提出要见经理斯科特先生。布拉德利先生说，见经理也没有用，太晚了，现金都锁起来了。那人不由分说，挤了进去，说了声，“我是内德·凯利。”话音未落，又挤进一个年轻人，他身穿一件克里米亚灰色条纹衬衫，系一条淡紫色新领带。他们抽出手枪，强迫两个职员都到经理的房间去，它就在银行营业厅后面。进去之后，内德·凯利命令斯科特先生告诉家里的女眷来了几位客人，并且把她们都带过来。

（此话不对。内德·凯利先和他要钱，经理拿出三百英镑现金，说只有这些钱。凯利知道他在撒谎）

一家人很快都集中到营业厅。斯科特先生，斯科特太太，五个孩子，斯科特太太的母亲，还有两个女仆。

（斯科特太太——一位已婚女人，向内德·凯利卖弄风情。她认为他非常英俊，比自己的丈夫强多了。这显而易见。是她找到保险柜的钥匙，并交给了内德·凯利。在此之后，斯科特太太一直对凯利先生的彬彬有礼和绅士风度赞不绝口。她对自己的丈夫一点儿都不满意。那是个秃顶老头，个子很矮）

〔**这里的几行完全被删掉了**〕布拉德利先生犹豫了一会儿，把钥匙交了出去。

（这是谎话。刚才说过，钥匙是女主人拿出来的）

凯利搜查了保险柜，把所有的钱都拿了出来，放在柜台上。总共有一千九百英镑现金和价值三百英镑的黄金。内德·凯利从外面拿来一个粗黄麻布袋子，把钞票和黄金都装了进去。他转过脸，对斯科特先生说："你院子里有一辆轻便马车，最好把它套上，我要暂时把你们带到丛林里。女人们坐这辆车比坐我的马车要舒服些。"

斯科特先生说，他的马夫不在。于是凯利自己动手，套好马车。大家一起来到后院，小贩的运货马车也停在那儿。布什先生、布拉德利先生和三个孩子坐在运货马车上，丹·凯利赶车。斯科特太太、她的母亲、另外两个孩子和一个女仆坐经理那辆轻便马车，斯科特太太赶车。内德·凯利赶另外那辆马车，车上坐着斯科特先生和一个仆人。就这样，“凯利帮”不但抢走银行所有钱财，还劫走十二口子人。三辆马车从尤罗阿大街扬长而过。那天下午，城里正好举行葬礼，大街上静悄悄的，空无一人。

（我真想知道这是谁的主意）

他们飞快地驶向忠诚湾牧场。在那儿，妇女们都被带到屋子里。负责看守的贝尔纳把仓库里关的人都放了出来。

差一刻九点，暴徒们准备回丛林。临走之前，他们又把除了麦考利之外的所有人都关了起来。凯利吩咐麦考利，三个小时内，不能放任何人出来。他还威胁麦考利说，他们就在附近活动，如果他提前放人，一切后果自负。然后，凯利和他的伙伴们朝紫罗兰城飞驰而去。

不容忽视的警告

上述事实表明，这些罪犯不仅胆大妄为，而且自以为他们就是可以控制局面的主人。

（他们过去是，现在仍然是）

他们比警察更精明，这是无法否认的事实。如果政府不能做出恰当的解释，公众肯定会持这样的看法，即：这样的暴行本来不难制止。报界不止一次指出，“凯利帮”一定会设法抢劫银行。这样的警告也多次向政府发出，但是有关方面未予重视。一百多名警察追捕逃犯，一无所获，广大民众对此深感失望。

我们在忠诚湾接受了一次由同等地位的公民组成的“陪审团”举行的审判。这事儿报纸上不会报道。

被我们关起来的共有十二个人。乔·贝尔纳站在我身边，负责警卫。我们挤在一间二十英尺见方的屋子里，这间屋子平常放工具和粮食。这是一个闷热的夜晚，人们都在忙着秋收。今年他们使用了收割机，可惜机器出了毛病，运转不灵。监工麦考利一直抱怨，我给他们带来的麻烦比收割机带来的不便还大。麦考利坐在最好的位子上，其实那就是一个装着齿轮的破铁架子。他就那样斜倚在铁架子里，坐在墙角，直到我踢了他一下，说："现在监工的是我了。"许多人听了我的话偷偷地笑了起来。

菲茨杰拉德先生平常坐在这个位子上，不过他没有抱怨，他早就认识我。菲茨杰拉德的绰号叫"老呼噜"。他是哈里·鲍威尔和比利·斯凯林的朋友，以懒惰闻名，在牧场干的活儿也是最轻松的。因为他的位子被别人占了，他就在墙角放着的两个装谷糠的袋子上坐了下来，不一会儿就鼾声大作，舒舒服服地进入了梦乡。

小贩吉米·格洛斯特也曾是我们的"囚徒"。他还和我作对，一副不共戴天的样子。

彼得·契沃斯是个特别会说话的工人，留着圆形络腮胡子，人们都管他叫"飞蛾"，因为你只要点着一盏灯笼，他就会出现在你的面前。以前他经常到母亲的小酒店里喝酒，不过，此时此刻没有人会同情一个杀人凶手，不管他是你的老熟人，还是只从报纸上看过画像的陌生人。还有一个名叫里维斯的伦敦佬，是来修收割机的机械师。六个从威墨拉来的临时工。他们显然都不愿意和曼斯菲尔德凶杀案的凶手待在一起。

还有一个家伙膀大腰圆，头发从中间分开，胡子上面打了蜡。打从进门起，他就直瞪瞪地看着我。别人都惦记着找个合适地方准备度过这个晚上时，只有他靠着墙，目不转睛地看着我。等大家都安顿下来之后，他直截了当地问我：

"你们为什么要在桉树湾杀人？"

我问他叫什么名字。他说，他叫斯蒂芬斯。我记得他当过警察。

我对这个家伙说，开枪杀人的是我，守在门口的乔·贝尔纳虽然现在腰里别着两把手枪，但是事发时，他手里只有一根棍子。

人们都回过头看着乔，似乎希望他说点什么支持我的说法。可他只是像狗一样微笑着，从口袋里掏出一截绳子和一块蜂蜡。

我对他们说，警察带着“斯宾塞”机关枪和“韦布莱”手枪冲进丛林，他们还特别带着长长的皮带，准备把我们血肉模糊的尸体拉回曼斯菲尔德。

屋子里的人们静悄悄地、全神贯注地听我解释。后来，乔又从口袋里掏什么，吸引了他们的注意力。他点着插在牛油杯里的芦苇，然后把灯小心翼翼地放在地板中间。等摇曳不定的灯光稳定下来之后，他拿出一块不到四英寸长的皮子。

“这是那条皮带留给我们的纪念品。”他说。

除了黑暗中一只猫喵喵叫之外，一片寂静。

这块皮子在英国法庭算不上什么证据，可对于我们这个“陪审团”，它的效果却十分明显。有的人对那玩意儿十分反感，碰都不想碰。有的人认真研究，似乎想从中发现什么信息。斯蒂芬斯不为所动，他说，这不能说明什么问题，不难想象警察一定很怕我，因为我曾试图杀死他们从贝纳拉来的同事。

“你是指菲兹帕特里克吗？”

“是的，菲兹帕特里克。”

这时“大呼噜”站出来说话了。他并没有赌咒发誓，但是他对大伙儿承认，他是看着我长大的。他说，内德·凯利是百发百中的神枪手，如果他想打死菲兹帕特里克，菲兹帕特里克当时就见上帝去了。可是那天，内德·凯利打的是他的手，由此可见，内德·凯利当时并不想要他的命。

斯蒂芬斯转过脸，满腹狐疑地看着我。

我并没有因为他用这种探究的目光看我，而有丝毫的躲闪或者犹豫。我说，菲兹帕特里克答应要娶我的妹妹为妻，可是他已经有了两个未婚妻，而且都跟人家有了孩子。

“你就因为这个打死他？”斯蒂芬斯的声音里充满了讥讽。

“不是。我母亲因为这事很生气，动手打了他。”

“然后，你开枪把他打死了？”

“不是。这个混蛋拔出手枪要开枪，而屋子里有好几个小孩。为了避免伤亡，我朝他那只拿枪的手开了一枪。”

“然后，他要逮捕你，你拒捕，对吗？”

“不对。他为自己的行为道歉，我们给他包扎了伤口。包扎好之后，他就骑马走了。他还说希望和我交个朋友。如果你了解这个菲兹帕特里克，你就会相信我的话。”

“哦，我了解他。”

“你怎么看他，斯蒂芬斯先生？”

斯蒂芬斯叹了一口气，伸出一只手搓了搓脸。“谁都知道，他是个大傻瓜。”

乔·贝尔纳看了我一眼。

“警察就是根据这个无赖的证词来抓你的？”那个来修理收割机的机械师问。

“是的，”乔说，“他们对内德的妹妹夸口说，要在丛林里把内德打得脑浆迸流。”

“事情的真相就是这样，”契沃斯说，“他们来杀你们，结果被你们杀了，对吗？”

“我那时什么武器也没有，只有一根棍子。”乔不无遗憾地笑着说，“也不知道该做什么。”

“我们没有可以保护自己的武器，”我说，“当时只想夺他们的枪，根本就没想杀他们。”

“那些家伙要开枪杀我们，”乔说，“问题就在这儿。我想，换了你们大家，也不会就这样白白送死。”

屋子里静悄悄的，只有火车在夜幕中驶过牧场的声音。我挨个儿看着“陪审团”成员，请他们设身处地想一想，如果他们是我，会怎样做？

谁也没有说话，尽管他们的态度都软了下来。

“对我母亲的案子你们又怎样看？”我问道。“她被指控犯有谋杀罪。

可是事实上，绝无此事。”

谁也没有回答。

“她的婴儿被抢走了。”我说。还是没有人说话。这就是澳大利亚人。他们对严酷的法律充满恐惧。历史久远的“不公平”给他们留下难忘的记忆，早已融化在血液之中。银行经理也好，牧场监工也罢，他们也许从来没有受过牢狱之苦，但仍然知道被戴着白布兜推进牢房是什么滋味，知道仅仅因为大着胆子看一眼狱吏的眼睛就被打个半死的滋味。就连“飞蛾”这样一个能说会道的人也被这种恐怖气氛搞得心有余悸。人们对于这个社会“不公平”的恐惧已经深入到骨髓里了。在忠诚湾这幢茅舍里，我认识到，如果你能把自己的故事如实地讲给澳大利亚人听，他们就会相信你。我似乎从来没有如此清楚地看到这一事实。乔也认识到这一点。

这天夜里，大家都睡得很晚。“大呼噜”名副其实，躺在谷糠袋子上，鼾声如雷。灯火熄灭之后，从树皮屋顶的缝隙看得见点点星光。我问斯蒂芬斯，如果我向法庭作出如上陈述，他们会不会进行调查。他说，国会里有许多很坏的政客，但是卡梅伦先生是个讲原则的人。

“我们给他寄去的信，他会看吗？”乔问道。

“哦，一定会看。”

“你认为他们有可能认真调查吗？”

“哎呀，如果听了你们刚才讲的那些情况，我相信他们会调查的。”

关于这件事情，乔原先对我的看法充耳不闻，现在他对斯蒂芬斯的话却深信不疑了。女儿，这就可以解释报纸上那些说法了。报纸上说，一个逃犯直到夜深人静也没有睡觉，女人们看见他在写什么，直写到黎明。这个所谓逃犯就是乔·贝尔纳。他写的是给卡梅伦的第二封信。信不但写得雄辩有力，而且言辞恳切。

第二天早晨，乔·贝尔纳精神抖擞，不再像平常那样因为烟瘾而打喷嚏，流眼泪。这天我们抢了尤罗阿银行。随着我的计划一步一步实现，乔脸上的笑容越来越明朗了。他经常看着我的眼睛开怀大笑，还不止一次地对着我的耳朵悄声说，银行经理的妻子斯科特太太成了我的崇拜者。他对她和她的丈夫都很有礼貌，而且不失时机地让他们看那块皮子，介绍警察围捕我们的情况。

我相信，正是乔把斯科特拉到我们这边。当然，他不可能成为我们的同盟者，但是后来这位银行经理接受采访时，至少可以实事求是地介绍情况。他说，“凯利帮”在抢劫银行的时候虽然对他们发号施令，但没有任何粗暴之举，对人质也没有不合礼仪之处。

而且正是乔·贝尔纳在我们离开忠诚湾之前，向他们展示了“殖民地野蛮小伙子”马背上的高超技艺。他一会儿镫里藏身，一会儿飞鹰展翅，英姿飒爽，剽悍勇猛。

银行经理、牧场监工、前警察都高兴得满脸通红，两眼放光，站在灼热的阳光之下为我们鼓掌、喝彩。这实在是我们始料不及的。

第十一章 这一年他二十五岁

棕色包装纸被毛糙地裁成四十张（大约 4 英寸 ×8 英寸大小），然后用线绳粗略地捆在一起。那些小小的纸页在靠近裁口处有一个很大的洞，但是对阅读所写的内容没有任何影响。

作者知道，尽管各种报纸拒绝刊登凯利和贝尔纳的信，但“凯利帮”的名声却越来越响。凯利与玛丽·赫恩之间的误解，警察和邮政当局阻止这些重要信件的传递。还包括一张从《杰瑞尔德瑞报》上剪下的消息，它报道了“凯利帮”大胆地占领了这个镇子。加上凯利对于自己动机的详细解释。这些信的口气和笔触都表明，这个逃犯对于澳大利亚公众听不到他的申诉产生了日益增长的愤怒。

政府里净是达官贵人、社会精英，但是他们竟然没有足够的头脑抓住几个没有什么文化的土匪，这实在是一件令人尴尬万分的事情。报纸把斯蒂夫·哈特画成一个鹰钩鼻子，丹·凯利更是歪嘴斜眼儿。但是这种歪曲并不能改变这样一个事实：政府已经失去控制这一小块土地的能力，他们无法向自己同时也向别人做出任何解释。

倒是警察对此做了一番研究。按照他们的说法，整个东北地区有成千上万个“凯利帮”的同情者，所以没有人能够抓住我们。有许许多多朋友给我们提供吃喝，给我们提供藏身之地。

你知道，这正是我梦寐以求的事情。可那时候，我还是以“曼斯菲尔德凶杀案的凶手”而广为人知，根本谈不上受到老百姓的欢迎。十二月十一日，我们在尤罗阿作案。一月四号警察逮捕了二十一个人。没有任何理由，只是因为他们认识内德·凯利，或者和他有过这样那样的关系，甚至仅仅因为坐牢时是囚在一间牢房里的难友，包括“野人”赖特，有的人和我只是点头之交。还有些人自从“桉树湾事件”之后，就不再和我来往了，比如杰克·迈克莫尼格尔。他曾捎话说，现在我已经成了杀人凶手，他再也不想见我了。可是可怜的杰克还是被戴上了手铐押解到贝纳拉火车站，像绵羊一样，被赶进闷罐子车，翻山越岭，一直被拉到比屈沃斯监狱关押起来。整个殖民地将看到，这个社会没有公平可言。这个国家就是由狱吏着守着的一座大监狱，和过去相比，它并没有更多的公平与自由。

没有关于卡梅伦的任何消息。尽管到现在，他一定已经看过那两封信了。一封是我这个“半文盲”写的，另一封是受过教育的乔写的。

一月，正是秋收的季节。二十一个农户在紧要关头，因为亲人被捕，少了最主要的劳动力，警察因此增加了些敌人，我们却平添不少朋友。现在“凯利帮”被戏称为“农业劳动者协会”。我们经常帮助大家干活儿。丹现在是“富人”了，所以总是牢骚满腹。尤其二月初炎热的日子里，顶着烈日收割，他一天到晚，嘟嘟囔囔。我就对他说，我们干的都是分内的活儿，没有必要怨天尤人。这两个月里，在东北地区我们很受欢迎。“狡兔三窟”，我们的藏身之地远比“狡兔”多。

我原指望能从尤罗阿银行搞到一万英镑。可是实际上只有两千二百六十英镑。不过这也是很可观的一笔钱。我把这笔钱送给乔·贝尔纳，感谢他的友谊和忠诚。我对他说，我不是他的“看守”，他可以带着这笔钱到美国或者其他地方。

乔把手放在我的肩膀上，说我到死也是他的头领。他把钱还给我，只留下六十五英镑，帮他母亲还账。另外他要了二十英镑给艾伦，让他交政府的地租。听了他的话，我非常惭愧，从前我真是低估了他。

现在手里还有一千九百七十五镑，足够给我们的女人添件新衣裳，为我们的马买件新鞍具了。我们高高兴兴地替吉米·格洛斯特还了债，还给了比·古尔德一点钱。格里菲思太太是个寡妇，她有个女儿被逼无奈，到塔斯马尼亚当佣人。我们帮助她把女儿赎了回来。帮助这些乡亲们排忧解难之后，还剩一千四百二十三镑。我希望用这笔钱解救出母亲和那二十一个受我们牵连入狱的人。我们聘请金克先生为他们辩护。

维多利亚州警察局当然愿意慷慨解囊，买我们的人头。接受他们贿赂的，不仅仅是谢里特。我们经常站在瓦贝山上，俯瞰平原上扬起的滚滚黄尘，我们心里清楚，这些纵马疾驰的警察都是我导演的这出戏里的演员。

玛丽亲眼目睹了我们抢银行后凯旋的情景。敞开的衬衫迎风飘飞，疲倦的骏马在浅浅的水湾里疾驰，溅起点点泥浆和水花。我们虽然汗流浃背，尘土满身，胳膊上留下一条条被灌木划破的口子，但是心里充满了喜悦。斯蒂夫·哈特吻了吻玛丽的面颊。乔·贝尔纳抱起她，转啊，转啊，对她说，她的丈夫是将军，是世界上最伟大的人。

看到报纸上说内德·凯利长得多么英俊，我对这种“夸奖”嗤之以鼻。我一心盼望着卡梅伦议员能对我们的信件作出反应。我知道，立法议会的议员们都是大忙人，可是那两封信在国会讨论这个议案的时候，一定会帮他的忙。我还没有幼稚到认为政府会因此而赦免我的罪行，可是我每天都盼望看到母亲被释放的消息。

我密切注意报纸上刊登的每一条消息，你的母亲买了这个剪贴簿。我相信，这个剪贴簿现在一定在你的手里。那是一个很有特色的绿皮本儿，里面盖着一个章，表明是贝纳拉帕森印刷厂印刷的。玛丽把全国各地报纸上刊登的关于“凯利帮”的消息，都贴在这个本子里。玛丽是个嫉恶如仇的人。她不能容忍任何谎言和错误的报道，总要在那些文章旁边的空白处加以纠正。她还手抄了一些消息。毫无疑问，她认为在久远的未来，这个本子会大大方方地放在你的书架上。

威尔德·赖特（对怀安特法官）：你们抓不到“凯利帮”。除非国会开会认真讨论这件事情，凯利太太被释放，菲兹帕特里克被判有罪。

怀安特法官（又一次召回赖特）：很抱歉，如果我能，一定公平审理这个案子。

没有必要给你举更多的例子，证明你母亲是我们最坚定的支持者。她甚至比我那几位勇敢的妹妹还勇敢。是她，冒着极大的危险，把那笔钱藏了起来。需要分给穷人的时候，她就毫不犹豫地取出来，按照各人不同的情况，把钱装到信封里，有的给几张钞票，有的给几枚硬币，真正做到“各取所需”。我焦急地等待国会开会讨论我们的案子。这段时间一是忙着秋收，二是防备警察抓捕，我们总是不停地变换藏身之地。你母亲一直和“凯利帮”保持着联系。如果你问她，她一定会告诉你的。她和玛吉、凯特一起到贝纳拉，买手帕、围巾。她们大把大把地付钱，但是从不向卖货的姑娘解释其中的原因。

这几个女人足智多谋，警察根本没法跟踪她们。尤罗阿银行抢劫案发生三个星期之后，玛丽和凯特赶着一辆轻便马车来到凯尔菲拉山后，找到我们。当时我们正在十五里湾宿营地，还算舒服。凯特从车上卸下粮食、牛肉、糖和茶。你母亲抱着一大堆报纸在水湾找到我。她怕苍蝇叮，戴着面纱。我看不见她的眼睛和嘴。

“有国会的消息吗？”

她没有回答，撩起面纱吻了吻我。

“有关于那两封信的消息吗？”

“那个卡梅伦收到你的信了，”她说，“报纸上都登了。你自个儿看吧。”她的表情很不自然。打开报纸，我一眼就看到，卡梅伦把我的信都拿给编辑们看了，**可是没有一张报纸刊登这封信**。相反，他们像傲慢的、令人厌的小学老师一样，大谈我写的东西文理不通，错字连篇。《墨尔本守卫者》把我称作**“聪明的文盲”**。另外一张报纸说我**“充满病态的虚荣”**。我气坏了。这些满纸谎话的破报完全是对正义的亵渎。比屈沃斯监狱就是整个殖民地的缩影。我把报纸扔到地上，使劲踩了几脚。要不是怕被警察发现，我真想朝那堆报纸开几枪。

玛丽挽起我的手吻了吻，然后捧起我的脸，凝望着我的一双眼睛。“亲爱的，”她说，“其实报纸上怎么说都无所谓。”

她把我的手放到她的肚子上。“我们的孩子将来会看到你写的信。”

我气得一句话也说不出来。她的话也给不了我多少安慰。

你母亲问我，愿不愿意散散步。我吃了一惊。因为我知道，她平日里最怕在炎炎烈日下散步。不过，说实话，我当时并没有多想你母亲的处境和心情。我只顾想自己的心思，想如何报复这些残酷压迫我们的人。

“我要抢劫一个印刷所，自个儿印传单。”

她挽起我的胳膊，在山坡渐渐枯黄的草地上慢慢地走着。

“没必要再袭击什么地方了，你想要的东西都得到了。”

“除了正义。”

“你有我，”她把头贴在我的肩膀上。“这还不够吗？你有我，有我们的孩子，有朋友，还有一千多英镑。”

我想，她不知道一个逃犯的开销有多大。我们一直走到山顶，在一棵孤零零的桉树下面坐下来。桉树投下细长的树影，一只鹰在蓝天下盘旋。

我对她解释说，这笔钱很快就会花光，要想把我母亲从墨尔本监狱救出来，肯定得花许多钱。

“可是现在，你可以把你母亲最最需要的东西给她。”

“什么东西？”

“儿子的安全。”

“你难道想让我逃跑？”

“对于你的母亲来说，她最希望的就是你赶快离开这里，跑得越远越好。”

“看来你还不完全了解我。”我生气地说。她怎么能把我想成这样一个自私自利的胆小鬼？

“你是不是爱你的母亲胜过爱我？”

“这是两回事儿。”

“他们绝对不会放她，内德。你必须接受这个事实，不管你多么爱她。她已经被法庭判了刑。”

我对她说，她不了解我的母亲，她无法想象艾伦·凯利经历了多少艰难困苦。

“她不会死在监狱。可是如果你继续待在这儿，必死无疑。”

“如果他们不放她，我就要使用武力。”

“你答应过我们，一旦抢了银行，就花钱送我们出去。”

“我不能扔下母亲不管，玛丽。这一点你很清楚。”

“我呢？”

“你……你什么？”

“我已经等你抢了银行。我绝不再等着眼巴巴看着你去送死！”

“不要哭，求求你，玛丽。”

“我没有哭，也不会哭。我们有一千英镑。必须按当初说定的那样花掉它。”

“你误解我了。”

“没有！等你母亲出狱以后，她可以和我们一起在加利福尼亚生活。我会永远好好地照顾她，给她熬肉汤喝，即使她朝我脸上吐唾沫，骂我是骚货、荡妇。等她老了，我会好好地伺候她。但我绝不在这儿待着。绝不在这儿等着看你被他们处死。绝不！”

“他们抓不住我，玛丽。我就是在他们眼皮子底下，他们也抓不住。”

“你答应过我。”

“你是我生命的全部。”我说。但是她的心像两扇大门，紧紧关闭起来，任我怎样敲打，也敲打不开。“他们迟早得登我写的那些信，那时候你就看吧！澳大利亚人不会容忍一位无辜的母亲被关进监狱。”

“没有人会登你的信！”她叫喊着。

我说：“我自个儿登。”可是她已经向山下走去。

“回来！”我大声叫喊着。玛丽头也不回。她仿佛不再是那个深爱我的姑娘，而是一个冷酷、骄傲的陌生人。我在夏日干枯的草丛中蹲了一会儿，希望她回心转意。我直瞪瞪地看着她那白皙的、好看的脚踝跨过迈克比恩牧场的铁丝围栏。眨眼之间，她便消失在灌木丛那面。凯特赶着马车从金合欢树林那边转了过来。你母亲就坐在车里。我大声喊着她的名字，没有人回答。我的喊声被扑面而来的风吞没了。

一个星期之后，我才知道她已经离我而去。有一天晚饭后，我妹妹玛吉在吃剩的食物中发现一卷面值为五英镑和十英镑的钞票，总共二百英镑。剩下的钱还埋在什么地方，或者已经被玛丽拿走，不得而知。她是唯一知道钱藏在什么地方的人。

该死的家伙！我心里难受极了。更让人苦不堪言的是，我依然深深地爱着她。我生命中唯一的亮色就这样消失了，我的孩子也就这样消失了。可是我只能待在牧场。这就是当头儿的好处！即使万箭穿心，还得咬着牙，为母亲，为监狱里的乡亲们的自由而斗争。那几天，我的心情坏极了，和谁都吵。又过了一个星期，从墨尔本发来一份由凯特转交给我的电报。电文是：**“等你五天，诺特街 23 号。”**

东北部地区的天气像面包房一样闷热。白蚁在我的胡子周围飞来飞去，爬来爬去。我不停地写着，只有这样才能解除心中的痛苦。就这样，给你母亲写了一封三十页的长信，解释为什么我现在不能离开澳大利亚。然后我把信寄到诺特街 23 号。

那五天，我真是魂不守舍。小伙子们心里都很难过。可是，白天在没有阴凉的牧场辛苦劳动一天，晚上他们都睡得像死猪一样，个个鼾声如雷。我却没有这等福分。就着昏暗的灯光，我又写了一封五十八页的长信。这是写给政府的。如果我真是被他们指责的那种文盲、没有知识的粗人，那也没有办法。我要让他们知道，我早年的生活就是在警察和政府的迫害与虐待下度过的。

我给玛丽的信被退了回来，上面贴着个小条：查无此人。我知道，这是警察干的。我的邮件肯定被他们检查过。同一天，玛丽从诺特街寄来一封饱含血泪的信。信中告诉我，这五天她一直为没有我的消息而焦躁不安，痛不欲生。现在她已经在驶往旧金山的海上了。啊！见鬼吧，警察！我恨死他们了！他们剥夺了我的一切！

一八七九年二月七日，“凯利帮”来到杰瑞尔德瑞。我们要从新南威尔士银行的金库里抢钱。我把那封写给政府的五十八页长的信藏在身上，万一我被打死，世人也能因此而知道我的冤屈。

“凯利帮”居然整个周末将杰瑞尔德瑞镇控制在自己的手里，这简直让人难以置信。关于这次抢劫，我曾经在报纸上看到六种各不相同的报道。虽然观点、立场不同，但他们都认为我们组织的这次抢劫得比一场战役还要好。我把其中一篇剪下来，留给你看。你要想象一下发生这些事情时我心里的感觉。那封五十八页长的信紧贴我的胸口，字字句句都好像刺着我的皮肤，刺着我的心。

《杰瑞尔德瑞报》

一八七九年二月十六日

“凯利帮”来到杰瑞尔德瑞

看起来，内德·凯利和丹·凯利是在星期六夜间来到戴维森太太的伍尔帕克旅馆。他们在那儿好一顿狂饮。内德·凯利和女招待聊着天，说他们是从人烟稀少的拉契兰来的。他们问了女招待几个和杰瑞尔德瑞镇有关的问题，后来，话题回到“凯利帮”身上。这些陌生人问杰瑞尔德瑞人怎么看“凯利帮”。旅馆里的人告诉他们，杰瑞尔德瑞人认为他们很勇敢。那个女招待还给他们唱了一支歌儿《“凯利帮”又跑了》。又喝了几杯酒之后，“凯利帮”定了几个床位，说他们要到镇子里去一下，办完事情再回来。

袭击

星期六午夜之后，警察局被内德·凯利、丹·凯利、哈特和贝尔纳包围了。他们中的一个人喊道：“警察！警察！快起来！

戴维森的旅馆闹事呢！”警察理查兹正在后面一个房间里睡觉，听到有人喊叫，连忙爬起来，径直向门口跑去。与此同时，警察德瓦恩穿上裤子，打开前门。两个警察被凯利挡住去路，两支手枪同时对准他们的胸口。“举起手来，我是凯利！”另外几个逃犯也都举着枪冲了过来。

两个警察就这样被抓了起来。两个匪徒负责看守，另外两个逼迫德瓦恩太太（她只穿着睡衣）带他们去找武器。他们严密警戒着，直到早晨，才把警察关进单人牢房，星期六和星期日夜里一直有人警戒着。

星期日早晨，在离警察局只有一百码远的法院（镇子太小，没有教堂）做弥撒。德瓦恩太太像平常一样，十点左右去做礼拜，但是这一次是丹·凯利和她一起去的。

星期日整整一天，警察局的百叶窗都关着。“凯利帮”的两名成员穿着警服在院子里出出进进，到马厩喂马。

内德·凯利在单人牢房里和德瓦恩随随便便地交谈着，讲他们打死三个警察的经过。他说，肯尼迪顽抗到最后。但他否认曾经割下过他的耳朵。凯利问德瓦恩，镇子里有没有印刷所。他急切地想见到老板，他想印传单。那是他的自传。凯利还给德瓦恩太太念了几页。可是到星期二，德瓦恩太太已经忘了那几页的内容。

凯利还对德瓦恩说，他想打死他和理查兹。

（我从来没有说过要打死他们，当然前提是他们要听话）

可是德瓦恩太太一再求情，他才罢休。内德·凯利说，如果德瓦恩一个月内还不离开警察部队，他就要再来，把他打死。

星期日夜里，爱德华·凯利又骑马来到戴维森旅馆，大喝其酒，**（如果两杯也算“大喝其酒”，那么他们就没有撒谎）**和女招待闲聊。他在旅馆一直待到半夜，才又回到警察局。星期日夜里，“凯利帮”的两个成员在睡觉，另外两个放哨，直到天明。

星期日，他们将手枪擦净，把子弹退了出来，又小心翼翼地装好，准备第二天应付紧急情况。令人欣慰的是，这次抢劫没有造成人员伤亡。星期一早晨，贝尔纳拉着两匹马要钉马掌，哈特到肉铺买了些肉。过了一会儿，贝尔纳又到铺子里，买了些别的日用品。

惊人之举

镇子里的人谁也没有想到，“凯利帮”到了杰瑞尔德瑞。上午十一点左右，有几个人看见内德·凯利和丹·凯利身穿警服，穿街而过，警察理查兹和他们一起走着，所以人们做梦也没有想到，这二位竟然是凯利兄弟。大家都以为他们是新来的警察，当然，从外表上看，怎么也看不出破绽，尤其有警察理查兹不离左右，更不会有人怀疑。

直到发现电线杆被砍倒，看见内德·凯利握着手枪走进电报局，镇里人才意识到“凯利帮”真的到了杰瑞尔德瑞。

十一点刚过，内德和丹·凯利在警察理查兹的陪同下，走进皇家电信旅馆。可怜的理查兹被迫将凯利兄弟介绍给老板考克斯。内德·凯利说，他想借用一下旅馆休息室，时间不长，只几个小时，因为他准备抢银行，要把碰巧去银行办事的人都暂且关在这里。考克斯先生非常惊讶，稀里糊涂地成了休息室内的第一个“囚徒”。

这以后的一个小时里，凡是来旅馆的人都被领进休息室，直到“人满为患”。紧接着，凯利派贝尔纳去请银行的职员。

银行出纳员赖文的叙述

星期一上午，大约十二点过十分，我正坐在银行办公桌前办公，听见一阵脚步声从后门向我这边走来。起初我没有注意，以为是经理塔里顿先生。脚步声越来越近，我不由得转过脸，看见一个陌生人。我连忙打招呼。那个家伙看上去傻乎乎的，好像喝多了酒。

（他非常清醒，不过是假装罢了）

我问他是谁，为什么要走后门。他举起手里的枪，回答说，他是凯利，命令我举手投降。后来我才知道，这个家伙不是凯利，而是贝尔纳。他命令我交出武器。

正在这时，小拉金走了进来。贝尔纳命令我们一起到考克斯的旅馆。在那儿，我们见到内德·凯利。他问我塔里顿先生在哪儿，我们又一起跟他回到银行，但是经理不在他的房间。

内德·凯利说："你最好赶快把他找来。"我赶快去找，后来发现经理在洗澡。我对他说："我们被扣押了。'凯利帮'来了。警察也被扣押了。"

贝尔纳叫来哈特，留下他负责看守经理。后来经理也同别人一起被关进考克斯旅馆的休息室里。

内德·凯利把我带回银行。他说："你们一定有一万英镑吧。"我把出纳员的现金都交给了他，总共六百九十一英镑。

凯利问还有钱没有，我说："没有。"凯利拿走出纳员的手枪，继续逼我交钱。后来他发现保存现金的抽屉，命令我打开。我只好把钥匙给他。可是第二把钥匙在经理手里，没有那把，抽屉还是打不开。

贝尔纳想用斧头砸开抽屉，可是凯利把经理从皇家邮政旅馆叫来了，逼他交出钥匙。抽屉打开了，里面有一千四百五十英镑。他把钱都装进一个袋子里。

凯利取下一个契据文书保险箱，想把里面所有的账册都烧掉。所有人都被带到皇家邮政旅馆。丹尼尔·凯利也在旅馆里。内德·凯利带了两个"囚徒"，到旅馆后院烧了三四个账本。

抢劫银行成功了，但这还不是我此行的主要目的。我来杰瑞尔德瑞主要是为了印五百封信。对于《杰瑞尔德瑞报》的主编盖尔先生，这应该是一桩有利可图的事情。

到目前为止，盖尔这张报纸唯一的好处是向读者提供小牛犊的价格。被人们称之为“为您服务”。我可以提高它的知名度。**把事实真相刊登出来，我的母亲就能走出监狱的大门。**一旦艾伦·凯利与她仅仅九个月的孩子团聚，我就去找玛丽·赫恩。找到她，我就再也不会离开她半步。为了她，我赴汤蹈火也在所不惜。我将大喊一声：“一切都见鬼去吧！”远远地离开银行和政府。

现在，最重要的任务是找到盖尔先生。所以抢银行的事儿得手之后，我就换下了警服。穿靴子的时候，有人在前面的营业厅喊：“有人吗？”我连忙迎了过去。来人一胖一瘦，样子十分可笑。胖的像一头肥猪，足有十八英石重。瘦的像根麻秆儿，秃顶，二分之一的下巴都藏在大胡子里。

“我是内德·凯利，”我说。然后，眼见得我的“威名”在他们身上一点一点地起作用，直到两个人的眼珠子仿佛要从眼眶骨里蹦出来了，我举起左轮手枪，胖子转身就跑。我大声叫喊着，再跑就打烂他的屁股。胖子犹豫了一下，瘦子跑掉了，但是因为电话线早就被切断，所以我并不着急。

“我想你就是本镇的治安法官吧，”我对还没有来得及逃跑的那个家伙说，“我敢打一百英镑的赌。”

“很荣幸，我就是。”

“你那个同伴杰克·斯普拉特也是吗？”

“不，先生，他不是。”

“他是谁？”

“哦，他是盖尔先生，本镇的小报编辑。”

我来杰瑞尔德瑞找的正是他，想不到他已经逃到尘土飞扬的大道上了。“我真想打死你！”我对那个治安法官说。我 气得要命，只好把他带回小酒馆。乔·贝尔纳跟我一起跑到空荡荡的大街上。烈日当空，盖尔已经消失得无影无踪。乔也气得要命。

“那小子一定藏在这儿，内德。”

他朝一座游廊宽大的楼房指了指。这座房子的门厅一直延伸到本来不属于它的大街上，门旁挂着一个牌子：《杰瑞尔德瑞报》。我们径直走了进去，可是这幢房子像一条被船长和水手抛弃的大船，空无一人，只有一台台印刷机和印版架。

“真该死，头儿。不过，我们可以自个儿印。”

自从玛丽离开澳大利亚，乔比以往任何时候都更坚定不移地支持我。他有一个装烟枪的木头匣子，发烟瘾的时候就拿出来抽上几口。为了帮助我，他什么事情都愿意做。“不要着急，伙计，”他说，“我去找那个出纳员。他总该是个文化人吧。”

五分钟之后，他带来了赖文先生。我命令他把那封信排印出来。他个子很高，也很壮实，可是从乔手里接过排字工人用的排字板时，吓得直哆嗦，瞅着铅字条，不知道从何下手。我看出，他和我一样，对印刷一窍不通。

“不要着急，我会设法找到一个排字工人。”

乔·贝尔纳骑着马，离开小镇。他知道，这封信对我至关重要。我手里拿着枪逼着赖文先生，看他一个单词一个单词地拼着，希望他能快一点找到字母。可是没用，他真是个笨蛋。时钟敲了四下。已经四点了。他刚刚拼出二十个单词。我急得要命，大声呵斥出纳员加快速度。这时，一个身材苗条的女人推开纱门，后面站着乔·贝尔纳。他满脸通红，汗水顺着鼻尖流下来。

“我找到他的妻子了。”他说。

盖尔太太走了进来，看见赖文先生，吸了一口凉气，发出不赞成的咯咯声。

我说：“我有急活儿，想赶快印出来。”

她好像没有听见我的话，拉起赖文先生说，她的丈夫要是知道有人乱动他的一副副铅字，一定会大发雷霆。

“盖尔太太，”我说。

“一个学徒工花五年时间才能学会排表格。”

“盖尔太太，我们有一份非常重要的文件，想赶快印出来。”

“那就告诉他，不要乱动这些铅字。”她说。“如果你把这份文件留下，等我丈夫回来，我会让他给你们印的。”

“可我只有这一份。”

“没关系，你把这份留给我就行了。快点吧，我的烤箱里还有蛋糕呢！再啰唆下去，蛋糕可就糊了。你的名字？”她一边问一边从柜台上取下接活儿的登记簿。

“内德·凯利。”

她是聋还是傻，我就不清楚了，反正对我这个“如雷贯耳”的名字她没有任何反应。“多少页，凯利先生？”

“五十八页。”

她拿起一截铅笔，用舌头舔了舔。“收到爱德华·凯利文件一份，共五十八页。”

她很精明，详细地问了我对装订、封面的要求，并且一一写在收据上，还说要收五英镑定金。我付了她钱，她打了收据。

“好了，”她说，“把文件给我吧。”

“我不能相信她，”乔·贝尔纳说，“你怎么能把这封长信交给她呢？她在骗你的钱，甚至要你的命。那个老婊子就这样抢了内德·凯利。他把辛辛苦苦写下的东西拱手交给了人家！”

这就是乔。他从来看不到别人的好处。

《杰瑞尔德瑞报》

一八七九年二月十六日

“凯利帮”离开杰瑞尔德瑞

离开杰瑞尔德瑞之前，凯利又来到麦克杜格尔旅馆。这时候，酒吧里挤满了陌生人。他们从哪儿来，到哪儿去，谁也不知道。

但是毫无疑问，他们都是“凯利帮”的“同情者”，星期一是他们团聚的日子。

凯利在旅馆大声嚷嚷，酒钱自然都由他付。他说，他有许多朋友。如果有人想开枪打他，马上就能看出谁是他的人，谁站在他这边。他说：“谁都可以朝我开枪，但是一旦交火，杰瑞尔德瑞就要血流成河。”

临走的时候，凯利拿走两瓶白兰地，不过他付了钱。上马前，他说，倘若遇到警察向他开枪，他自己就会舍生取义。他还补充说，无论什么时候，他都不怕死，唯一感到内疚的是，打死了那三个警察，虽然是为了自卫。过了一会儿，凯利翻身上马，和哈特一起纵马疾驰起来。他一边奔驰一边唱：“万岁！摩根和本·霍尔的好时光！”那些陌生人为他们齐声叫好。

这两个逃犯在邓尼里昆路跑了一会儿之后，突然掉转马头，朝瓦纳玛拉跑去，在离城大约一英里的地方和贝尔纳、丹·凯利会合了。他们俩带着从银行抢来的钱。钱都平平安安地驮在另外一匹马上。

两个星期后，我去杰瑞尔德瑞取印好的材料。小镇一片漆黑，我们骑着马，在出售谷物的店铺和“报社”那幢房子之间的大街上走着。马蹄声发出阵阵回响。如果有警察在这儿守候，这时他们也已经上床睡觉去了。我和乔蹬着马鞍，爬到游廊顶上。有两次，靴子上的刺马针在铁皮屋顶上发出咔哒咔哒的响声，但是盖尔先生和他的太太都没有被惊醒。直到乔·贝尔纳划着一根火柴在他们的眼皮子上晃了晃，两个人才睁开眼睛。

“是他，”盖尔太太说，“他来了。”

这时候，我已经拿手枪顶住她丈夫的脑壳。这次，他跑不了了。

“把枪给我，盖尔先生。”

盖尔像抓马缰一样，抓着床单。

“我没枪。”他说。

我取下挂在床边墙上的警笛。“把枪交出来！我敢肯定他们给了你一支枪。”

他扬着下巴颏，瞪大一双眼睛。他的妻子从枕头下面摸出手枪交给我。丈夫愤怒地看着她。

盖尔说，他没有印那份文件。

“那就现在印。”我一边说，一边把他那支枪插到腰间。

“我不能。上帝帮帮我，这不是我的过错！”

“凯利先生，”鼻子扁平的女人说，“这是你那五英镑订金，请你拿回去吧。”

“听着，太太，让你的老头子赶快起床，告诉他，赶快排印我的信，否则，我就要像踩牧场上的牛粪一样，把他踩个粉碎！”

“啊，求求你，凯利先生，我们已经把那封信交给警察局了。”

我一句话也说不出来。乔·贝尔纳说：“你很勇敢，太太。你知道你有多勇敢吗？”她摇摇头，害怕地看着乔·贝尔纳。他正严严实实地拉上窗帘。

“你知道我们的头儿花多长时间才写好这封信吗？你知道他为了澄清事实，花费了多少力气，有多么辛苦吗？”

“政府已经收到这封信了，”她大声说，“凯利先生不就是写给政府的吗？现在它已经到了该去的地方，难道不是吗？”乔把灯芯拧得更亮些，眼睛里的仇恨和愤怒毫不掩饰地显露在明亮的灯光下。他是一个嫉恶如仇、铁石心肠的人。盖尔先生知道，在他和惩罚之间已经没有一块可以藏身的盾牌。他两手交叉放在膝盖上，准备迎接最坏的结果。

毫无疑问，面对“凯利帮”，他认为自己是个勇敢的人。但是作为一个印刷者，他是个懦夫。从古到今，一个搞印刷出版的人，最神圣的职责就是把事实真相告诉世人。可他竟把这一切交给了真理的敌人。如果他以为我可以这样轻而易举地就被阻止，他那便和政府一样愚蠢。

“内德，”乔说，“你相信这种人，真是愚蠢透了。”

“啊，不，先生，他并不愚蠢。”盖尔太太哭着求我不要杀他们。我对她说，如果她看过我的信，就该知道，我不是杀人凶手。至于她的丈夫，连弄坏一张蜘蛛网的孩子也不如。因为，明天我就可以再把这张网结上。一句话，我的嘴巴不会被封住！

我觉得我当时很冷静，可是乔后来告诉我，我的眼珠子都红了。“晚安。”我说，然后从窗户跳了出去。

这天夜里，“凯利帮”在蒙蒙细雨中宿营。电闪雷鸣，小伙子们裹着大衣，像狗一样静静地躺着。我在一摊泥水中坐着，油布雨衣遮挡住蜡烛和纸。

我又开始写。他们无法阻止我。在这漆黑的夜晚，我像一团扑不灭的火，燃烧着，燃烧着……

第十二章 盔甲的构想和制造

棕色的包装纸被毛糙地裁成三十张（4 英寸×8 英寸大小），但是与第十一包不同，这些纸张没有用线捆扎起来。不少撕破了，弄脏了。信件的内容大多用铅笔写成，但有些用蓝墨水写就。

对女儿出生的迟到的庆祝。分水岭的冬天。凯利的盔甲被证明是现代的而不是中世纪的。叙述怎样制造这种盔甲。

手拿钢笔辛辛苦苦写东西是一回事儿，战斗间隙写东西是另外一回事儿。一八七九年的秋天，我再一次开始写被盖尔夫妇送到警察局的那封五十八页的长信。坐在洪水泛滥的水湾，就着明亮的月光，我撕了写，写了又撕，脑子里一片混乱，写出来的东西也一塌糊涂。这会儿，我仿佛又回到那一段溅满泥水、污渍斑斑的历史，这一段历史现在就在你手中。

我曾经夸耀，我是一只蜘蛛，他们不可能阻止我结网。然而，那是二月份的事儿。等到三月底，我就不得不承认，我无法再重复以前做过的事情了。那封试图在杰瑞尔德瑞刊登出来的信永远丢失了。

女儿，如果我写的这些东西有什么语法错误，你不要以为你比父亲聪明。你应该知道一八七九年的秋天，局势多么严重。警官哈瑞、侦探沃德对我们穷追不舍。昆士兰的那些黑人"足迹行家"也对我们造成巨大的威胁。他们简直是吃人的魔鬼，在嗅到我们的气味之前，就已经害死许多人。

四月过去了。五月的冷雨淅淅沥沥地下个没完。我们白天睡觉，夜晚纵马驰骋。在整个这段时间里我们克服了因腹泻、高烧引起的种种不便，坦然面对怯懦和侦探以及告密者的奉承。

六月已是霜花遍地，还没有见到玛丽·赫恩的只言片语。不管我怎样赌咒发誓，艾伦·凯利还关在暗无天日的牢房里。内德·凯利是殖民地最可怕、最出名的逃犯，可是他无法让母亲获得自由。

我不想再给政府写信，我也不再想公开这段历史了。可是我知道，如果不再给你写信，我就会永远失去你，你就会被一个无底的洞吞没，永远消失。我简直快疯了。我一定要给你写，给你写，直到你出生。

六月份的第二个星期，我知道你应该来到人世了。可还是没有你的消息，只有从绵延千里的山岭吹来的寒风和悄然落地的冰霜。丹得了支气管炎。我终于放下手里的笔，把写好的东西包成一包。用带子捆扎的时候，不由得悲从中来，就像有一条虫子在心里蠕动。

一八七九年六月二十日，我们按照事先的安排，从丛林里钻出来，到斯特拉斯波吉村后面取“给养”。沿着到处都是冰霜、牛屎的小路向小酒店疾驰的时候，我看见一个年轻女人从满目荒凉的田野跑来。她穿着黑外套，戴一顶鲜艳的蓝帽子，边跑边向我招手。

你注意过没有，好天气常常带来坏消息？这天早晨，阳光明媚，牧场上朵朵霜花在阳光下闪闪发光。屠夫鸟排队栖息在篱笆上，宛转的歌声给人一种不祥的预兆。

“电报！”我的妹妹凯特叫喊着。

我向她跑过去。她的鼻子和耳朵冻得通红，一双绿眼睛亮光闪闪，没有什么恐惧。“电报！”她又喊了一声，把那封电报交给我。

“这是发给你的，凯特。”

“是发给我的，可这是你的。”

我的手冻得发僵，那张纸却暖烘烘的。电报被人拆开过，又用胶水粘上了，现在还没有干。“怎么回事儿？”

“看吧，内德，快看吧。”

母马和小牝马在旧金山牧场，水草丰美，吃喝无忧。

“是她？”

“没错儿，是她。”

我的女儿，这小牝马就是你！你已经出生。在国外的土地上，在母亲的怀抱里。平平安安。在澳大利亚寒冷、洁净、辽阔的苍穹之下，我像一头公牛，快乐地叫喊着。我纵马疾驰，在牧场上兜圈子，然后又绕出一个“8”字。我两腿叉开，站在马背上，手里拿着枪。小伙子们凝视着我，以为整日心事重重的我终于发疯了。

“他当爸爸了！”凯特大声喊道。

为了表示对你的欢迎，小伙子们都在马背上表演起自己的绝技，就连粥还在棚屋的锅里煮得嘟嘟冒泡也顾不上了。在那个充满艰难和危险的时刻，你给我们带来的欢乐难以形容。

“凯利帮”的弟兄们在这里。男孩子们光着脚在结满霜花的牧场跑来跑去。一个姑娘骑着一匹小马，把这个消息告诉了大家。他们都是我的朋友。我们冒着生命危险抢来的钱像小麦从破口袋里流出来一样，流到他们手里。

周围的大山和镇子里都有警察，可是乡村不是他们的。他们做梦也没有想到，为你的诞生而举行的庆祝活动，像黄色的荆豆正在田野绽开。乔·贝尔纳唱起《罗斯·奥康内尔》，悦耳的男中音在牧场回荡。连一群群绵羊和斜着眼睛的毛驴也知道，你已经来到人世。斯蒂夫在小路中间跳起爱尔兰吉格舞。他的动作敏捷、漂亮，像一匹正撒欢的小马驹。丹喝多了酒，把你的名字写在手上，发誓要扬帆远航，把你接回故乡。

他们是你的同胞，女儿。我是指从格雷塔、莫湖、尤罗阿和贝纳拉来的好人。从早晨到下午，到晚上，沿着丛林小路来向我祝贺的人络绎不绝。他们是怎样知道你出生的消息，这封电报是怎样惊动了丛林里的居民，我不清楚。我只知道他们都来了。男人女人，怀里抱着婴儿，手里牵着身穿棉大衣冻得瑟瑟发抖的孩子。他们眯着眼睛，迎着凛冽的寒风。他们坐着破旧的大车、双轮板车来向我表示祝贺。正如《贝纳拉军旗报》所说的那样，他们是一个可怕的阶级。他们虽然离不开自己养的奶牛和猪，但还是远道而来，看望我们。因为我们就是他们，他们就是我们。我们向整个世界表明，血脉相通的流放犯能干出怎样惊天动地的大事情。我们向整个世界表明，我们并不是生来污点满身！我们的诞生也如此美丽，我们的骨血也如此纯洁！

从傍晚直到冰冷的、星光闪烁的深夜，客人们依然像冬天的燕麦一样，从冰冷的泥土中“冒”出来，在窗口和门口探过头来。他们喝完掺水烈酒之后，还不想离去，跑过来拉拉我的袖子，或者拍拍我的肩膀。他们用马拖来一根根原木，堆在路边。你的生日蜡烛是六堆原木燃起的大火，照耀着两百双明亮的眼睛。

人群中有密探。必须接受这个事实，就像最好的美利奴羊也拉屎撒尿一样。然而，像盖尔先生这样的胆小鬼也许能堵住我的嘴巴，奸细和密探却不会吓倒我。有话一定要说！辽远的天空，银河灿烂，宛如撒满打碎了的水晶。我站在一辆牛车上开始讲演，尽管事先没有准备，也不知道会引出什么结果，甚至连自己讲了些什么也忘了。我只记得我大声疾呼，政府必须把无辜的平民从监狱里放出来，否则我就要采取行动。我不知道自己将采取什么行动，使用什么策略，但是我知道，政府一定觉得，我说的这些话比维多利亚州小麦得了锈病，比新南威尔士州干旱的季节蝗虫铺天盖地而来，还要可怕。

暗探和奸细听了我的话一定在黑暗中发抖。两天后，警察袭击了这一带，抓走了我的老朋友汤姆·劳埃德。报纸上把他称为我的“忠实的谋士”。为了这莫须有的罪名，他也被关进比屈沃斯监狱。

警察又一次对我的支持者残酷报复。我想最好还是暂且离开这一带，转移到别的地方。

在艾伦·谢里特的帮助之下，我们来到波岗高地一座牧羊人住过的茅屋。

茅屋四壁贴满了《澳大利亚新闻画报》。日久年深，画报早已变黄，就像老年人皱皱巴巴的皮肤。许多地方都被老鼠咬过。

艾伦在这儿住了两晚上，恭维我有大将之风，应该成为殖民地的统治者……他皮笑肉不笑，让人看了恶心，比听见墙里窜来窜去的老鼠还难受。他要回他的牧场时，我打心眼里高兴。

很快下了一场大雪，外面的朋友没有办法给我们送来粮食。为了活命，只好杀了一匹心爱的马。不过，这期间还算平安，没有引起任何人注意。

就在这大雪封山的日子里，我百无聊赖，开始看墙上贴的那些画报。我随身带着的那本《洛纳·杜恩》，在过墨累河的时候被河水浸泡得无法再看，我只好看贴在墙上的这些十八年前的新闻。从前住在这间屋子里的一定是个美国佬，墙上贴的每一页都是关于美国内战的消息。常常是看到最关键的时候，报纸被老鼠咬坏了，留下一个疑问。我从最下面读起，一直读到六英尺高的地方。太高的地方看不见，我就做了一架梯子，蹬在上面看椽子下面贴着的画报。有一张画报画的是严重损坏的大船弗吉尼亚号。南方人在这条船外面包了一层铁皮。还有一艘船是“铁甲舰”。舰桥好像一座用半寸厚的铁皮打造出来的塔楼，上面有两门口径为 11 英寸的大炮，就像长在脸上的两个鼻窟窿。啊！人也可以把自己武装得像一艘战舰，一直打入比屈沃斯监狱和墨尔本监狱。他可以砸烂它的大门，推倒它的高墙，没什么枪炮可以阻止他，撕裂他的皮肉，打碎他的头颅。他就像爱尔兰民间传说中独身保卫祖国抵抗侵略者的英雄——伟大的库丘林，据说他的战车和他的身上都绑着锋利的铁矛和带钩的刀，还有铁圈和绳索。

斯蒂夫·哈特站在梯子上和我一起看画报。我对他说，莫利·马圭尔社①的人应该这样武装自己。“是的，他们是需要这样的‘裁缝’，打造一副盔甲。”他被这个想法迷住了。乔的鸦片抽光了，烟瘾犯得厉害，压根

①莫利·马圭尔社：爱尔兰一八四三年左右出现的一个秘密组织，以反对地主、抗交佃租为宗旨。

儿就没听见我们说了些什么。

“你病了吗，老家伙？”

乔揉着两条腿。可是等丹也爬上梯子和我们一起看画报的时候，他突然非常可笑地痉挛了一下，问我们谈这些破玩意儿的时候有没有安全感。

我提醒他，漫山遍野覆盖着二英尺厚的积雪。

乔从床上爬起来，一边穿靴子一边说，我们都是傻瓜，没有意识到敌人正在步步逼近。

斯蒂夫平和地说了他几句，他就把他从梯子上揪下来，还说要打掉他的门牙，然后他翻身上马，一溜烟儿不见了。

五天之后，乔回来了，鼻子冻得通红，胡子上结了一层冰霜。他想和我单独谈谈。我说，没有这个必要，无论有什么事情都可以当着斯蒂夫和丹的面谈。于是他开始骂我，说我是个村里的傻瓜，轻易就会被菲兹帕特里克或者哈里·鲍威尔，或者任何向我微笑的坏蛋欺骗。他说，我已经被出卖了，可是还蒙在鼓里。

“谁是叛徒？”

“也许是我。”他说。他闭着一双眼睛，但是看得出，怒火在心中升腾，他几乎要发疯了。“也许有人要放我一条生路，条件是拿你的命交换。”

“谁？”

“警官哈瑞。”

“你被他抓住过？你见过他的面，和他谈过话？”

“没有面对面谈过。”

“是艾伦穿针引线？”

乔一屁股坐在床边，两只手捧着脸。“哦，天哪，内德，”他呻吟着，“我难受极了。”他抬起头看着我，一双眼睛布满血丝，胡子上的冰霜已经融化，湿淋淋地黏在一起，他像一条可怜巴巴的落水狗。

“明天晚上，艾伦和警察一起出发。”

“出发上哪儿？”

他朝后仰着身子，我连忙扶住他。他气冲冲地把我推到一边。

“上这儿！”他说。

屋子里一片寂静，因为我们都明白发生了什么事情。

“你做了件好事，伙计。”

“哦，老天爷，我不是你的伙计才好呢！”他叫喊着，“我不愿意看到等待我们的厄运。”

丹背朝我们坐在炉火旁边。他猛然站起身来，清澈明亮的眼睛在脏兮兮的脸上闪闪发光。他已经不再是个孩子，而是被艰难的命运锤炼出来的一个“凯利”。

“闭上你的臭嘴！”他说：“你是我们的伙伴，我们不会让你受苦的！”

“我把未来看得一清二楚，”乔说，“每天夜里我都在睡梦中看见那可怕的情景。”

“要受苦的不是你，而是艾伦·谢里特。他死定了。”

“你们不理解他。他是我的朋友，他想救我的性命。”

“住嘴，”我生气地说，“我是头儿，该由我来结束你们没完没了的争吵。”我从裤子口袋里摸出一张纸，放在乔的眼前。

“这是什么？”他问，把那张纸拿倒了。

“是身穿铁甲的人的图样。”

“他是谁？”

“就是你，”我说，“一个永远不会死的斗士。”

斯蒂夫·哈特指出，制造铁甲的材料有的是，我们可以像从达纳赫太太的果园里摘苹果一样，轻而易举就能得到我们需要的东西。他让我们猜一个“谜语”——格雷塔地区的穷人种什么古怪的庄稼，其果实是四分之一英寸厚的钢板？

答案是农民种田用的犁杖的犁壁。

叛徒谢里特领着哈瑞和尼科尔森在波岗高地扑了个空。我们的伙伴乔·贝尔纳和我们一起回到格雷塔，他发誓，至死忠诚于我们。可是现在，我看到更好的前景，我们不会就这样死去。

一回到家乡，我就让斯蒂夫和丹去收集犁壁。这里的牧场有一半的土地都是用犁耕的农田，所以收集犁壁并不困难。就这样，一条巨龙在收集它的鳞甲。每天早晨，越来越多的钢铁被堆放到十一里湾泥泞的水洼。

我在母亲的小牧场，用刚剥下来的桉树皮试着做第一件铁甲的样板，就像妇女做衣服时先用纸来打样。我向乔保证，他不会死的。第一件铁甲就为他制作，保护他健壮的身躯。我先用树皮剪出保护他两条长胳膊的铠甲，又剪出两个凸缘，保护他的肩膀。

“起不了什么作用。”他说。

我知道乔不舒服，所以他发牢骚，我也不介意。就像裁缝用粉笔画线一样，我用一块木炭画出犁壁的形状。护胸的铁甲需要用两台中耕机上的铁皮，护背的还要两台。我还做了一个像铁甲舰的炮塔似的头盔，保护他的脑袋。“炮塔”上留一条缝观察敌情。没有枪炮能伤害他备受折磨的心。

第一个模型做出来之后，我们已经收集了七块犁壁。姑娘们把六百公斤木炭装上牛车，运到秃山后面。我们在一个小水湾旁边搭起铁匠炉。因为打铁需要水，我们便把砍倒的桉树架在小溪上，冰凉的水一直冲刷着木头。

在大英帝国，蒸汽机在轰鸣，工厂里成百上千的工人为完成订单而忙碌着。他们无法想象我们这些殖民地居民如何劳动。我们没有蒸汽机，只有一把沉重的铁锤，一把凿子，一个冲子，还有三把火钳，这些简单的工具我们自己不难打造。最困难的是，艰苦的劳动需要我们四个人一起从黎明干到傍晚。铁匠炉像炼狱，炉火烤灼着我们，口渴折磨着我们。一锤下去，烧红的铁皮溅起朵朵火花，犹如飞蝗落在赤裸的双臂和胸脯上，烫出斑斑点点的伤痕。可是我们终于打造出第一身“铁甲”。乌鸦在大树枝头呱呱叫，鹦鹉在霜花遍地的牧场盘旋的时候，我们将这身百斤重的“铁甲”披挂在乔的身上。

“没用。”他说。我没理睬他，把头盔戴到他的头上，大小正合适。

我们三个人站在那儿，满怀崇敬的心情默默地看着这位“钢铁战士”。

他转过身，迈着坚定的步伐向前走去，铠甲连接的地方发出吱吱的响声。有史以来，曾经有过这样一架战争机器走过血染的土地吗？他慢慢地、默默地走着，走上一道山坡。一个高大的、黑色的剪影出现在傍晚灰白的苍穹之下。黑色的手臂举起来，指向脑袋。

一团火光闪过，紧接着是子弹撞击在金属板上发出的震耳欲聋的响声。乔·贝尔纳朝自己的脑袋开了一枪。他倒下来，双膝跪在地上。我们飞也似的向山上跑去，看见他举起双手，摘下头盔。在寒冷的暮色中，我看见他的一双眼睛。

“闭嘴！”他说。

我站在他面前，一句话也说不出来。

“闭嘴，”他说，“闭嘴！我承认你说得没错。”

乔是一条硬汉子，但不是唯一的硬汉子。第二天，我让玛吉和凯特把我们的新成员召集过来。大英帝国为我造就了无数“后备军”。那些没有任何过错，仅仅因为是我们的朋友就被剥夺租赁权的农民，那些被迫种植小麦，又因为小麦得了锈病而彻底破产的穷人，那些在范迪门地区的刑具架上被打得皮开肉绽的人们，那些儿子被关在监狱的人们，那些眼巴巴看着土地被牧场主霸占的人们，那些因为有人作伪证而被捕入狱的人们，那些永远得不到怜悯、日复一日被关押的人们，都是我的“后备军”。玛吉和凯特把这支“大军”带到我们的秘密据点。面对《圣经》宣誓之后，我告诉他们，为什么不必面对法律发抖。“我们不再是只有长矛的造反者。我们不会再重复瓦恩加山和尤里卡牧场的悲剧！”

春天和夏天，东北地区寂静的山谷里，不少农民在悄悄地打造铁甲。连琴鸟也模仿起铁锤敲打的丁当声。他们把打制好的铁甲埋在土里，等待造反起义的那一天。

我本来只想做一个安分守己的公民，并且希望表达我的这种想法，但我却被那些杂种剥夺了表达的机会。我要求公理和正义，他们却什么也不给。一八八〇年秋天，我被迫起草了这封信。我们七个人围坐在一张粗糙的桌子旁边，一共抄写了六十份。玛吉和凯特把这些信分别寄给各农户，包括艾伦·谢里特。

此令适用于维多利亚东北部地区、墨累河沿岸地区、布法罗山以东、分水岭山脉以南、伊楚加和赛默尔西部边境以内地区。

上述地区任何一个居民以任何方式帮助警察，或者明知是侦探、奸细却仍然雇用，为得到赏金而告密的人，都将受到严惩，死无葬身之地。他们的财产将被没收查抄，他们和属于他们的所有东西，都将从这块土地上被铲除掉！我若不能亲自抓住敌人，我将悬赏捉拿。奉劝参加“股本保护协会”的人们抽出资金，救济格雷塔地区的孤儿寡母和穷人。我在这一地区已经度过并且仍将度过许许多多快乐的日子，无忧无虑，无所畏惧。

我郑重警告那些有其原因害怕我的人，那些只愿意从一百英镑里拿出十英镑资助孤儿寡母的人，那些不敢在维多利亚久住的人，见此通告之后，永远离开！置若罔闻者必将遭受比维多利亚的小麦锈病，比新南威尔士旱季的蝗虫灾害更惨重的损失！

我在付诸此令实施前，及时地警告了你们。你们要记住，我是寡妇的儿子，被追捕的逃犯。你们必须服从我的命令！

爱德华·凯利

我们都忙着抄写，不过只有斯蒂夫“技高一筹”。有时候他在信上画一把滴血的刀，有时候画一具头颅骨，几根骨头棒。

乔·贝尔纳不肯给艾伦·谢里特那封信上加这种“装饰”。那封信是他亲自处理的。我不知道他在里面加了什么，但是我看见他在信的背面写了满满一页。他的书法很漂亮，小时候大家就都知道。乔和艾伦很小的时候就是朋友。在伍尔赛德小学念书的时候，他俩是同桌。他们一起和中国人打架，一块儿给偷来的牲口改变烙印，一块儿坐监狱，像狗一样，一起躺在辽阔而古老的天空下的篝火旁。我看见他用吸墨纸小心翼翼地吸干墨水，仔仔细细写好地址。但是他写了些什么，我一直没有看到，直到寄出去之后，我才知道一个大概。

“这回，艾伦一定会离开这儿的，”乔说，“你记住我的话。”

“哦，我可不这么认为。”

“他不傻。我已经告诉他，如果他不赶快离开这儿，我们就要杀了他。”

几个星期之后，丹深夜回到宿营地，说他探听到艾伦正在乔的母亲那幢茅屋上面的山洞里睡觉，和一帮警察住在一起。“啊，真该死！”乔说，“他一定没有收到我的信。”

“他不可能收不到。伍尔赛德峡谷谁都能一字不差地背下那封信。”

“那他为什么不走呢？”

丹回答了他。我相信他说的是真话。这种事儿是编不出来的。

“艾伦说，他打算在你的尸体变冷之前，朝你开几枪。”

“他死定了。”乔·贝尔纳说。他终于做出了决定。

第十三章　这年，他二十六岁

七页（大约12英寸×14英寸）都写在一八八〇年五月七日乔·费舍尔父子公司举行的马匹拍卖会的广告背面。酸性的纸张现在变得很脆。文字全是用铅笔写成，那些小小的字表明写作时的匆忙。但是这包纸最引人瞩目之处是，在第六和第七页上用生锈的大头针别着两页：随手撕下的《亨利五世》剧本。

杀死艾伦·谢里特的坦率叙述，以及凯利认为警察将对邮件作出迅速反应的正确推断。占领格棱罗万的琼斯太太旅馆以及绑架柯诺校长的细节。在第七页上手稿突然中断。

我并不希望艾伦·谢里特死，尽管他是个叛徒，巴不得看到我被早日绞死。对于乔·贝尔纳，这就是另一回事了。他们之间的关系太深了，就像触摸不到他那颗跳动的心一样，很难触摸到那条根。

一个月明星稀的冬夜，一个名叫安东·威克的红头发德国人在回家的路上被拘押。他家离艾伦·谢里特家只有半英里远。拘押他的人是乔·贝尔纳和丹·凯利。因为油布雨衣下面穿着铁甲，两个小伙子在夜幕下都显得非常高大臃肿。威克从小就认识乔，但是面对这个大得惊人、满脸涂黑的怪物，他还是吓了一跳。乔已经变成一架战争机器。丹·凯利给威克戴上手铐，命令他去敲谢里特家的门。

威克警告他，屋子里有警察。

他们回答道："不怕！"

威克在小路上跌跌撞撞地走着，一双手铐在背后。乔·贝尔纳什么话也没有说，丹敲了敲门。

"我是威克，开门！"

"什么事儿？"

“我迷路了。”这个借口一点道理也没有，因为威克家离这儿很近，站在艾伦家的屋顶上就能看见他家的灯光。

“你这个愚蠢的杂种。”艾伦·谢里特骂骂咧咧地走了出来。刚一开门他就看见两个黑洞洞的枪口，站在面前的是他的老朋友。

“你是谁？”他问道。那些勇敢的警察都已经藏到床下。艾伦听见乔双唇间发出一个轻微的、仿佛男孩手心挨板子时发出的呻吟。这几乎是他听到的最后的响声。

月光照耀着这两位矫健的骑手。丹·凯利和乔·贝尔纳把钢铁盔甲搭在马鞍桥上，纵马驰骋在通往比屈沃斯的大道上。经过“中国营”的时候，乔买了点儿日思夜想的鸦片。那玩意儿不过是像洋李子酱似的棕黄色的东西。

同一个夜晚，清冷的月光照进格棱罗万后面的丛林。我和斯蒂夫·哈特互相协助着穿我们的铁甲。那明亮的月光也从窗口流泻进远在墨尔本的母亲的牢房。

多梅因公路上，光秃秃的树枝撒下稀疏的树影，就像警察局局长家墙壁上挂的书法作品。这个具有历史意义的夜晚，月光如此皎洁，连斯坦迪什局长也关了所有的灯。我的情报非常灵通，没有什么能逃脱我的“眼线”。我对他的情况了如指掌。我知道他地上铺的什么地毯，知道他的台球台是什么样子，知道他的朋友都是怎样一副尊容。警察敲门的时候，我不必在场就知道他给局长送去了什么消息。

“‘凯利帮’杀了我们的密探艾伦·谢里特。”

局长以为他是女王陛下的仆人，岂不知，他早已是被我牵动的木偶。他安排了一列专车，召集来黑人“足迹行家”、哈瑞和尼科尔森，这正是我所希望的。他们以为自己是抓哈里·鲍威尔的功臣，很有名，很了不起，全然没有想到在我一手导演的这场“戏”里，他们将成为阶下囚。

警察骑着马从里奇蒙德兵站到火车站的时候，我和斯蒂夫·哈特已经按原计划到达格棱罗万镇，从离铁路不远的帐篷里叫醒养路工詹姆斯·赖尔顿和丹尼斯·苏里万。

我对他们说，警察滥用职权，实行专制暴政，已经没有资格再管理这块土地，因而也没有权利再管理这块土地上的铁路。我命令他们沿着铁路一直走到山口拐弯处，卸下两根铁轨。他们虽然很不情愿，但还是按我的吩咐做了这件事情，把两根铁轨连同九根红桉枕木一起推到陡峭的路基下面。

昨天夜里，我梦见亲爱的母亲，她知道我们干的这些事情。牢房很明亮，简直可以在那儿画一张地图。架子上整整齐齐地放着犯人用的灰色毛毯。摇摇晃晃的桌子上摆着《圣经》和《祈祷书》。母亲坐在床边等我。床垫按规定卷了起来。

“你来接我了？”她说。“是的，”我说，“他们被迫放你出去。”我看到母亲在过去的一年里受了许多苦，她的一双眼睛深陷在眼窝里，嘴扁扁的，嘴唇向里吸了回去。一双手关节粗大，青筋突现，像蚯蚓似的在纸一样薄的皮肤下面蠕动。“我终于看到欧文先生让你当了班长。”她微笑着说。我低下头，看见手上和胳膊上都有墨水，正滴在衬衫和斜纹棉布长裤上。

“我把墨水洒了。”我说，尽管不记得曾经打翻过墨水瓶。我惊讶地发现，必须回到阿维内尔公立学校。“戴上你的奖品——那条绶带，”她说，“听见了吗？”那条绶带七英尺长，镶着金边。我无愧于亲爱的母亲。我和母亲并肩走在天桥狭窄的通道上，俯瞰最下面一层。只见烟火升腾，一片废墟，许多警察躺在地上。

墨尔本监狱的大门被炸得粉碎。“铁甲舰”上口径 11 英寸的大炮直指监狱中间那片空地。海水漫过我的靴子，卢塞尔大街已是一片汪洋。

格棱罗万铁路旁边有一个小酒店，老板娘是琼斯太太。战斗的前夜，我就住在她最好的房间里。我们的铁甲靠墙放着。其中三件闪着金属的亮光。第四件是斯蒂夫·哈特的，上面用黑色和橘红色油彩画着他自己设计的图案。

墙壁很薄，上面裱了一层雪白的麻布，天花板上裱着白棉布。我用的那张桌子是雪松做的，相当精美，给拿破仑用也挺合适。

薄薄的隔板那边是我的“人质”。明天，他们之中的大多数将以我的“志愿者”的身份出现。有两个人值得一提，那就是警察布兰肯和站长斯坦尼斯特里特。他们一副公正无私的样子，就像那些永远不会在殖民地被罚款、监禁或者解职的狱吏。星期六下午，我正在铁路岔路口站着，第三个“人质”向我迎面走来。他不知道自己将成为“人质”。远远地望去，你就觉得他与众不同。他的一双眼睛亮光闪闪，金黄色的胡子十分柔软，做玩具娃娃的头发倒挺不错。

“你一定是校长了？”我问。他赶着双轮轻便马车驶向车站门口。

“你怎么知道？”

“哦，无论走到哪儿，我都认识你，”我心里想，“你就是那个衣冠楚楚、自命不凡的家伙。我母亲曾身穿破旧的衣衫，站在你的面前，请求你让我接受教育。”

不必介绍，他就知道我是谁。能这样近距离地凝望我的眼睛，他似乎格外高兴。从马车上跳下来的时候，他也一副乐呵呵的样子。他是个跛子，走起路来一瘸一拐的。

“我叫柯诺。”他说，一双淡蓝色的眼睛像姑娘的眼睛一样清澈明亮。

他左手拿着一本很厚的书。我拿过来看了一眼，是一本《莎士比亚戏剧集》。

“你反对读书吗？”他问道。

“不，有时候我自己也读书，”我说。我又问他：“这本书好看不好看？”

“啊，不错，”他笑着说，就像我根本就不知道在问些什么问题，就像我是一个穿着粘满泥浆的靴子，从一块东方地毯上走过去的蠢货。“啊，是的，很好。”看着他那副傲慢无礼的样子，我真想扇他个耳光。可是我没有这样做，而是让丹把他带到琼斯太太的旅馆。

过了一会儿，我又回到我的房间尽可能快地写起来。有人敲门，原来是瘸腿校长。我让他进来。他那双明亮的大眼睛看看这儿，看看那儿，他注意到我的铁甲，但是最感兴趣的还是桌子上的墨水瓶。

“你正在写东西，是吗？打搅你了。”

他的脸上是一副又骄傲又有点古怪的表情。狭窄的肩膀上，脑袋显得特别大。它晃过来晃过去，好像那里面装的东西太多了，支撑不住了。

我问他正在读哪个剧本。

“一个关于英国国王的剧本。”他说。说话的时候，他一直看着我桌子上摊着的那些纸。他好奇地眯着一双眼睛，就像看见一条狗用后腿站着说话一样。

“凯利先生，你看起来像是一位作者。”

我没有说话。这不关他的事儿。

他把脑袋探过来。“你在写一部历史？”

我说，《守卫者》说我是个“浑噩无知的家伙”。我敢断定，身为校长的他，也一定认为我是这样的人。

“凯利先生，”他说，“有一本小说叫《洛纳·杜恩》，不知道你听说过没有？”

这个名字让我一下子回到了凯拉瓦拉锯木厂。那是乔·贝尔纳送我的礼物。“住嘴，你听我说。”送书的时候，他这样说。

我告诉校长，我不但听说过这本书，还看过两遍。要不是过欧文斯河的时候我那本书被河水泡成一堆废纸，我还会读第三遍。

“我读过许多关于你的故事，可是还从来没有听说过你还是一位学者。让我给你背一背《洛纳·杜恩》开头的一段。”于是这位小个子的怪家伙伸了伸瘸腿，尽量让身体站直，把那本《莎士比亚》放在胸前，闭上眼睛，摇头晃脑，开始背布莱克默写的这部历史小说：“读者诸君不但应该牢记，我写这本书是为我们堂区正名，而且应该牢记我是没有文化的一介平民，不会像一位绅士，满口洋文，也不会连篇累牍，使用华丽的辞藻。我只是从《圣经》和戏剧大师威廉·莎士比亚那儿学到遣词造句的能力。而后者，不管别人怎么看，我都给予很高的评价。”柯诺睁开一双眼睛，微笑着看着我。

“总之，”他继续背诵着，“我是被世人称之为‘浑噩无知’的那种人，然而我实在是一个相当不错的、勤恳工作的人。”

背完之后，他说：“凯利先生，做一个‘浑噩无知’的人总不是坏事。如果布莱克默先生是一个‘浑噩无知’的人，你和我也巴不得做这样的人呢！”说到这儿，校长把那双又白又细的大手交叉着放在胸前，脑袋歪向一边。

“让我读一读你的历史吧，凯利先生。”他用哀求的口吻说。

“写得太粗糙了。”

“凡是历史总有点粗糙，凯利先生，也只有这样，我们才知道那是真实的。”他十分诚恳地说。我递给他一张写好的稿子。我已经好多年没有站在一位老师面前了。此刻，虽然腰里别着三支手枪，对他拥有生死予夺的大权，可是，见他看自己写的东西，还是有一种忐忑不安的感觉。读完之后，他把纸放到桌子上。我不无紧张地等他发表意见。

“相当好。”他说。

“我知道，还很粗糙。”

“非常有吸引力，读了让人振奋。只要做些小小的改动，就是大学教授看了，也会觉得无懈可击。”

我说：“我知道，里面有许多语法错误。”

“语法错误？”他叫了起来，“那还不好办？你要是让我帮忙，简直易如反掌。”

“可惜没有时间，伙计。”

“用不了多少时间，凯利先生，根本就用不了多少时间。”

“有五百页呢！”

“如果我在自己家里，周围都是书，一个通宵就能修改完。”

这时，乔·贝尔纳走了进来，吩咐校长出去。乔纳闷，怎么我和校长谈得这么投机？从一开始，他就对他没有好印象。

“哦，他很同情我们。再说，他是个瘸子，无论如何也不会伤害我们。”

“啊，天哪，内德，你难道忘了吗？在杰瑞尔德瑞，你把辛辛苦苦写下的长信交给那个母狗，害得我们差点儿送了命。”借着昏暗的灯光，我看见他的一双眼睛十分可怕。

“你是不是又犯烟瘾了，老家伙？”

“没有，是你的弟弟喝多了，”

他说：“大家都在喝酒，要是现在火车来了怎么办？太晚了，我总觉得已经出问题了。”又响起了敲门声。还是校长，他把手指放在嘴唇上，一瘸一拐地向我走过来。

“有些情况你应该了解，凯利先生。”他压低嗓门说。

“打死你这个奸细！”乔把手枪对准校长的白脖颈。

校长一双温柔的眼睛看着我，我命令乔将武器收回去。柯诺又把一根手指举在嘴唇前。“斯坦尼斯特里特有一支枪。我担心他会用这支枪对付你们。”

尽管一向多疑、心肠很硬的乔·贝尔纳不为所动，我还是觉得校长的举动表明了他的友谊。“我去看看。”乔一边说，一边把给我们提供消息的校长推进酒吧。回来的时候，他手里拿着另外一把枪。站长的“科尔特”左轮手枪就这样被我们搜了出来，但是乔并不领校长的情。我问他详细情况，他避而不答，只是说，他的铁甲不好用，已经在身上磨出好多水泡，割开好几道口子，而且真的打起仗来也派不上多大用场，因为戴上头盔很难瞄准。

“啊，帮帮我吧，上帝！”可怜的乔开始哭泣，说他不该杀人，还说自己迟早得下地狱。

突然，我注意到酒吧里异常安静，他们都在听我们这边的动静。我把手指放在嘴唇上，压低嗓门儿说，应该让“人质”吃点喝点，乐呵乐呵。

乔擤了擤鼻涕，把脸转了过去。我向酒吧走去，他向窗外凝望着。窗玻璃上的影像看着他，一双乌黑的眼睛仿佛看见许许多多可怕的幻象。

正如金克先生所说的：时间至关重要。女儿，原谅我写得如此潦草。

瘸腿校长又来找我，说他想回家取他那双特制的鞋，要不然就没法儿跳舞。

我跟他开玩笑说，决不会让他这样轻而易举就逃走。

“哦，我可不愿意错过今晚美好的时光。”他说。然后，他放下那本书，在我身边坐下来。他长得挺英俊，可是不知怎么，让人看了有一种厌恶的感觉。我情不自禁，总是瞅着他。

他：“大多数人都认为这些警察罪有应得。”

我：“你这个校长和别人大不一样，柯诺先生。”

他：“哦，我敢担保，你知道我的看法在殖民地相当普遍。”

我让他到酒吧去跳舞，等他一瘸一拐地走进酒吧之后，我又让大家，包括他唱歌。

琼斯太太的小儿子先唱了一首《达斯·克里莎姑娘》，然后斯蒂夫唱了一首《月亮升起来》，大家都跟着唱了起来，就连守候在山上亮光闪闪的铁路边上的“志愿者”也听得见我们的歌声。

接下去，我命令校长一定要站起来，给“班里的同学们”唱个歌。他是个傲气十足的、古怪的家伙。大伙儿都看着他一瘸一拐地走到酒吧中间，紧紧地抱着那本大书，屁股向一边撅着。

他：“我不会唱歌。”

大伙儿：“来一个！来一个！”

他：“不过有一个节目很适合在现在这个场合表演。”

我惊恐地看见，他从那本爱不释手的大书上撕下两页，然后慷慨激昂地说，他是有点懦弱，可是此时此刻，背诵这些文字的时候，他是堂堂正正的澳大利亚土生白人！

下面就是他从书上撕下来的那两页：

无心恋战的人，就让他离去，

发一张通行证，再把旅费带齐。
有他陪伴我们不会死，
怕只怕，他和我们一起，
便不再有日久天长的友谊。
这一天被叫作圣克里斯平[①]的节日。
活到这一天，平安回家的人，
为它的命名满心欢喜。
看到这天，年事已高的人，
每年都会在节日前大摆宴席，
告诉邻居：“明天就是圣克里斯平节。”
然后，他卷起衣袖，露出伤疤，
说：“我是在圣克里斯平节受的伤。”
老人什么都可以忘记，
却记得他在那一天建下的丰功伟绩。
指点江山，如数家珍：
哈里国王，贝德福德，埃克塞特，
沃里克，陶尔伯特，格洛斯特，索尔兹伯里……
杯中的美酒引起多少新鲜的回忆。

我不知道校长的声音怎么会那么浑厚有力。平常，他的举止总是那么轻飘飘的，像墙上的芦苇。可是现在，站在我身边，朗诵这些诗句的时候，他的眼睛放射着光芒，他的脸像战士一样勇敢坚定，就像过去的日子里牧师对会众讲道。

坐在地板上或者桌子旁听他朗诵的人，都没有文化。这当然不是他们

①圣克里斯平（？一286），罗马的基督教殉教士，制鞋工匠的主保圣人，与兄弟克里斯皮尼安到苏瓦松传教，靠制鞋自给，后被皇帝马克西米安下令斩首。

的过错。许多人连自己的名字都不会写。他们衣衫褴褛，浑身散发着猪圈和牛栏的臭味儿，但是他们眼睛里都闪烁着激动的火花。

警察布兰肯皱着眉头，别人的脸上流露出惊讶的表情。他们虽然没有完全弄懂这首诗的意思，但是听得出，这个有学问的人在拿我们和国王作比较。念到中间，丹和乔从外面走了进来。屋子里的人都恭恭敬敬地望着这两个身穿铁甲的人。小伙子们是真正的、高尚的澳大利亚人！

老人用这个故事教育儿女，
圣克里斯平永远不会离去。
从今天直到世界末日，
我们都将活在世人的心里。
为数不多的我们，亲如兄弟，为了今天，鲜血流在一起。
而躺在床上的英格兰绅士，
因为不曾血战沙场诅咒自己。
大丈夫气概已成廉价的东西，
圣克里斯平节只留下长长的叹息。

他念完之后，有一会儿酒吧里静悄悄的，一点儿声音也没有。突然琼斯太太叫起好来，别人也跟着拍手，吹口哨，还把这个个头矮小的瘸子向空中抛去。我把他接住，放到吧台上。他把那两页纸给了我。

他：“一场战斗的纪念。”

我：“你会做你答应过的事情吗？”

他：“关于你的历史？在这儿没法修改，凯利先生。我得拿回家去干。需要家里那些参考书。”

他在等待。没有时间了……

包围格棱罗万

托马斯·柯诺走进这条恶龙的巢穴。那是一个粗鄙、愚昧、污秽之所在。他刚刚与恶魔共舞，讨好他，逢迎他，就像神话故事里的英雄，成功地欺骗了他。现在，柯诺怀里抱着确凿的证据、胜利纪念品……那堆乌七八糟的稿纸。这些信手涂鸦而成的“手稿”，他碰一下都觉得恶心。那字里行间流露出来的自负、无知让他浑身起鸡皮疙瘩。但他是胜利者。他已经掏出那个畜生一颗血淋淋的心，现在要让这个该死的家伙下地狱了。

他急匆匆地向他那辆轻便马车走去。他的腿不好使，而且从来就没有好使过。他不能跳舞或奔跑。想走得快一点，只能一瘸一拐地向前跳着走。大腿根儿和屁股钻心地疼。就这样，他从清冷的、桉树遮挡明月与星光的夜幕下，匆匆忙忙地走过。从琼斯太太那座旅馆的东南角转过去的时候，他听见他们正在激烈地争论。争论的主题是：校长究竟是个什么人。

“校长是个骗子，”他听见乔·贝尔纳大声说，“他是个无赖！让我打死他，内德！”

“别说话，”丹说，“我听见汽笛声了。”

“住嘴，”斯蒂夫·哈特说，“火车来了。”

“上帝，现在可别让火车过来！”柯诺怕引起怀疑，不敢把车赶得太快，只能耐着性子慢慢朝前走。漆黑的树林里，到处都是暴民。他觉得他们正在黑暗中监视他，觉得他们那呆滞的目光里充满了愤怒和憎恨。“上帝，别让他们杀我！”

回到学校后面他那幢房子，柯诺使劲敲门。妻子不敢开门。

“看在上帝的分上，快让我进去！是我，你的丈夫！”

放他进去之后，她便死活不让他再出去了。她紧紧抱着他，不停地哭泣。

“不！不！托马斯，他们会把你打死！”

“天老爷！琼，如果我不阻止，几百名警察马上就得送命！”

“我该怎么办？”她叫喊着。

这时，他听见火车的汽笛声，连忙把那堆稿纸塞到她的手里，拿起一支蜡烛和妻子的红头巾。

他拼命跑下学校旁边那条溪谷，爬上高高的路基。火车来了，车灯射来一束明亮的光。铁轨像命运一样，闪烁着高深莫测的光。

整个殖民地在内德·凯利面前都张皇失措。可是托马斯·柯诺冷静地点燃了蜡烛。烛光在晚风中摇曳的时候，他把红围巾挡在前面，自己完全暴露在火车灯光之下。谁都可以轻而易举夺走他的生命。

火车像一座大山，黑压压地驶来。车闸发出刺耳的响声，机车喷吐着一团团蒸汽，终于停了下来。他扬起头，随时准备被子弹打断脊梁骨。

“出什么事了？”卫兵问道。

“‘凯利帮’！”他叫喊着。

就这样，他改写了历史。几分钟后，火车回到车站。三十个人，二十四匹马从车厢里涌了出来。他救了他们的命。他匆匆忙忙赶回家。车站传来的喧闹声让人害怕。人喊马嘶，一片混乱。

托马斯·柯诺焦急地敲着门。泪流满面的妻子连忙把他放进来。

在琼斯太太那间狭窄的、最好的房子里，“凯利帮”正在穿戴铁甲，丁丁当当的响声不绝于耳。找短筒马枪和手枪的时候，在琼斯太太那张漂亮的雪松木桌子上碰出一个个凹坑。所谓的“人质”里，有一个人乘机逃走。内德·凯利回到酒吧，熄灯、浇灭炉火的时候，长身子短腿的警察布兰肯正在丛林里拼命奔跑。他跌进一条水沟，从对面爬上去，跨栏似的跨过酒店和铁路之间那道篱笆。

布兰肯从黑暗中冲出来："'凯利帮'！他们在那儿！"

他胡子拉碴，气喘吁吁，大睁着一双眼睛，挤进站台上乱作一团的人群。那些从墨尔本来的警察不认识他，只顾从车厢里往外拉那些吓坏了的马，谁也没有注意他。

这会儿，内德·凯利在漆黑的酒馆，在另外一群人里，踉踉跄跄地走着。他找到门厅，又找到一间棚屋，然后出现在浓浓的夜色之中。因为油布雨衣下面是重达一百一十二磅的铁甲，他走起路来像梦游者那样慢慢悠悠的。灰色骏马正在等他。他吃力地翻身上马，慢慢走过通往格棱罗万车站的二百码长的小路。警察像没有注意布兰肯一样，也没有注意这个奇怪的骑马人。人喊马嘶中，听得见布兰肯的声音。

"你们的长官在哪儿？长官在哪儿？"

内德等待着，直到布兰肯找到哈瑞警官，才掉转马头，向酒馆走去。

警察爬过旅馆和铁路之间那道篱笆的时候，三个身穿铁甲的人躲在前面门廊的黑暗中等待着。个子最高的是乔·贝尔纳。他举起手中的步枪。

"这个……头盔挡着我，连……连枪也看不见。"

"住嘴！当心他们听见。"

警察匆匆忙忙穿过那块林区空地，顾不得隐蔽自己。等哈瑞警官终于停下来的时候，敌我双方之间只隔着一道铁门，距离大约三十码远。

"内德在哪儿？"丹·凯利压低嗓门儿问。

"我在这儿，小伙子们。"内德·凯利在门廊中间站好位置，举起科尔特左轮手枪。"见鬼去吧！"他一边说，一边扣动了扳机。

哈瑞应声倒下。

"太好了！"他叫喊着，"我一枪就打中这个坏蛋了！"

寒冷的夜幕下，骤然枪声大作。“凯利帮”的小伙子们都撤回到漆黑的门廊里，只有内德·凯利走到明亮的月光下，瞄准射击。

“开枪呀！你们这些……恶狗。你们打不着我们！”

他话音刚落，一颗马蒂尼—亨利式步枪的子弹打穿他的左臂。他哼了一声，觉得又一颗子弹像锯条，穿透了脚。他只好转身撤回旅馆。

战斗刚刚打响，警察就射来六十发子弹。接下去的半个小时，弹雨更加密集地泼洒过来，不管射击的目标是男人还是女人，儿童还是逃犯。等枪声终于稀疏下来，才听见旅馆里传出一声声惨叫。他们打中了刚才唱《达斯·克里莎姑娘》的男孩子。

托马斯·柯诺的家离激战发生的地方四百码远。此刻，他坐在桌子旁边，两手堵着耳朵。“出什么事了？”他的妻子问道。“没什么，没什么，快睡觉去吧！”

“哦，上帝！你都干了些什么？那些可怜的人质！”

“他们不是什么‘人质’，”柯诺说，“他们和凯利兄弟一样，都是土匪，所以才聚在那儿。”

她想出去，已经把那条红围巾围好了。

“可受伤的是孩子，”她说，“他们难道要枪杀儿童吗？”

托马斯一瘸一拐地走过去，气冲冲地一把扯下她脖子上的围巾。女人痛得叫了起来。

“傻娘儿们，你难道看不出，他们都站在‘凯利帮’一边？你就出生在这儿，琼，难道不知道我们是和什么阶级的人打交道吗？”

“你这个胆小鬼！”她叫喊着，“他们朝儿童开枪！”

“我是胆小鬼？啊，老天爷！我真是娶了个傻瓜当老婆！我是胆小鬼？那么，你躺在床上又哭又叫的时候，是谁救了那些警察？快滚回你的房间！”

“那是什么？”

“快拉好窗帘。那是中国人的烟火。是‘凯利帮’用来发信号的。你最好祈祷上帝，派更多的警察来打赢这一仗。”又一阵密集的枪声在山谷回荡。她走到他身边，抓住他的手。

“啊！汤姆，你都干了些什么呀？”

“我干的事情，”他说，“使我成为英雄。”

琼斯太太的酒馆是休闲娱乐的好地方，但绝不是一座防御敌人进攻的城堡。外面的墙壁不过是一层木板，里面的隔墙简直就是用纸板和亚麻布做成的，所以整个旅馆犹如一件星期日的礼服，根本保护不了任何人。子弹轻而易举地穿透一层又一层墙壁，藏在里面的人只能趴在地板上，惊恐万分地祈祷。

内德·凯利拖着被打伤的脚进去的时候，酒馆里一片漆黑，弥漫着冰冷潮湿的烟气。小杰克·琼斯撕心裂肺地尖叫着，整幢房子就像地狱。

“内德，阻止他们。他们在屠杀我们！”

“一定！”

他又一次走到前门，迎接他的是瓢泼般的弹雨。

“我被打中了！”后面一个房间里有人叫喊，“上帝，救救我们！”

杰克·琼斯尖叫着。他被打断了髋骨，子弹一直打到肚子里。一个男人抱着一个大声哭叫的孩子在黑暗中向前冲去。

“滚开，凯利！该死的，让我过去！”

内德·凯利往旁边退了几步。

他是这儿的雇工，名叫迈克休。他左手拿着一块白手帕，右手抱着受伤的孩子。

“不要开枪，你们这些杂种，这是个孩子！”

“救命！”杰克·琼斯叫喊着。

“房子里有许多妇女和儿童！不要打了！”

又响了一枪，然后是一片寂静。迈克休走出大门，琼斯太太跟在身后。突然警察又开了两枪，琼斯太太两手抱着脑袋，应声倒在地上。

“我受伤了！”她叫喊着。

不过伤势不重，她还能爬回去，藏在酒吧里，呜呜咽咽地哭着，呼喊受了重伤的儿子。

危难时刻，谁也没有对内德·凯利说什么。不过他并不需要别人指出他肩负的重任。他保护不了这些人，也保护不了自己。看来，谁也无法发明一架机器，来保护老百姓不受上帝安置到这个世界上的军队的压迫。

“是你吗，内德？”走廊里响起一个声音。

“是你吗，乔？快来这儿！”

“你到这儿来，真该死！你在那儿干什么？”

“你快过来，帮我往步枪里压子弹。我的手不行了。”

“我也不行了。上帝！我想我的腿断了。”

内德顺着那个声音走过去。他能感觉到靴子里已经灌满了血水。

“该死的腿！乔，你的胳膊还能动吗？快帮我压子弹，快！我要打这些……哈瑞已经完蛋了。我们很快就能把他们都打退。”

“我们已经给他们造成很大的损失。好了，我们还没有失败！”

乔·贝尔纳没有答话。

“你在哪儿？”内德想跪下来，可是腿一软，重重地摔在地上。他只好向前爬，铁甲在地板上磨擦，发出刺耳的响声。“来，帮我装子弹。乔？”

他伸出没有受伤的右手摸索着，找到乔·贝尔纳的手。这只手软绵绵的、血糊糊的，就像刚剥了皮的动物的爪子。

“乔？”

他又往前爬了爬，拼命挣扎着，靠墙坐起来。黑暗中，他找到朋友的鼻子和嘴，轻轻地抚摩着。乔的胡子很软，有点湿。手心碰到嘴唇的时候，还觉得热乎乎的。但是已经感觉不到呼吸了。“哦！乔，真对不起，老伙计。”

又一阵弹雨向黑暗笼罩的旅馆射来，被子弹打碎的木片和玻璃四处飞溅。“人质”都愤怒地叫喊起来。

“打他们，内德！阻止他们！”

“我一定，一定！”

他用尽平生的力气，挣扎着站起来，跌跌撞撞地穿过走廊，走进酒吧。

“丹？斯蒂夫？”

他推开前面那个房间的门。刚才，他还在这儿兴致勃勃地写自己的历史，他还相信，一定会和女儿相见，相信一定能把母亲救出监狱，相信这些穷人都能拥有自己的土地，不必再担惊受怕。可是现在，一切都变了，变得如同泥潭、沼泽。

“丹？”

“他们跑了。”黑暗中有人说。

“没有受伤？”

“你弟弟和他的同伴已经走了。你必须阻止这些警察，伙计！你必须阻止他们。因为他们正在屠杀我们。”

“我一定！”

他踉踉跄跄地走出后门。天边已经升起一抹白光。

他想把敌人的火力吸引到自己身上。他艰难地爬上马背。向警察侧翼跑去的时候，他听见旅馆门廊又枪声大作。他在马背上吃力地回过头，意识到丹根本就没有离开那儿。他和斯蒂夫·哈特并肩站在门廊下，朝敌人猛烈扫射。

他没有力气。左胳膊断了，使不上劲。他踩着马镫想翻身下马，结果重重地摔在地上。他吃力地向弟弟走去，全然没有想到要找个隐蔽自己的地方。他用手枪柄使劲敲着胸口的铁甲，想让丹听见，知道他正朝他走去。

“我是……‘铁甲舰’，小伙子们！”

然而，他不是“铁甲舰”，他是一个筋骨被打断、肌肤被撕裂、靴子里灌满血水的人！马蒂尼—亨利式步枪的子弹疯狂地射来，被击中的铁甲发出震耳欲聋的响声，头盔被打得歪向一边。但是他还继续向前走着。

“你们朝孩子开枪……你们这些恶狗！可你们打不死我！”他开枪，可是看不见目标。他怒吼着，用左轮手枪猛击胸前的铁甲。那仿佛铁匠敲打铁砧的响声在黎明前的山谷回荡，声音十分清脆。

“丹，跟我来！丹，我是……‘铁甲舰’！”

然而，就在他和丹之间，一棵大树后面藏着一个头戴格呢帽的矮胖的警察。就是他这种肥胖的、癞蛤蟆似的警察永远吃掉了凯利兄弟。他也许是霍尔，也许是富拉德，也许是菲兹帕特里克，但他们早已融为一体。

内德开了一枪。那个人单腿跪下，举起步枪，连开两枪。内德没听见枪响。第一枪就打中他的右腿。没等他感觉到第二枪带来的剧痛，他就倒在了地上。

“我的腿，你这个杂种！”

他们像一群野狗，一起向他扑来，撕扯他，踢打他，叫喊着要把他打死。就在无数只靴子使劲踩他胸口的铁甲时，他看见他的小兄弟站在门廊下。他是凯利家的一个成员，永远不会逃跑！

琼斯太太的旅馆已经是一片废墟。内德·凯利很走运，没有看到星期一下午从这废墟和灰烬中寻找丹的铁甲的情景。他的妹妹凯特和玛吉为了争夺那两具并排躺在废墟中的已经烧焦的尸体，和警察进行了英勇搏斗。

“在格雷塔，哈特和丹·凯利的朋友们抬出他们已经烧焦了的尸体，那情景难以用语言描绘。”《贝纳拉军旗报》报道说，“人们从桉树林里成群结队地涌来。脸上悲伤的表情我这辈子从来没有见过。”

与此同时。托马斯·柯诺被六个警察从家里直接护送到那辆专列，然后送到墨尔本。在那儿，他和他的妻子被政府保护了四个多月。对于一位英雄，这可是少有的待遇。他不止一次被称为英雄，尽管称呼的次数越来越少，称呼的人也不再满腔热情。这倒是他不曾预料的。

即使这种并不长久的认可使他失望，他也没有把这种失望之感赤裸裸地表现出来。他只是困惑不解，为什么老百姓对“凯利帮”的崇拜有增无减？

“我们澳大利亚人是怎么回事儿？”他责问道，“我们出什么毛病了？难道我们没有杰斐逊①式的人物？没有迪斯累里②式的人物？难道我们不能找出一个比盗马贼、杀人凶手更好一点的人来赞美、来崇拜？为什么我们总让自己陷入尴尬的境地？”

私下里，他和内德·凯利的关系更加复杂。他似乎对从格棱罗万带回来的“纪念品”寄予了某种同情。那一堆手稿提供的“证

①杰斐逊（1743—1826），美国第三任总统，《独立宣言》主要起草人，民主共和党创建人。
②迪斯累里（1804—1881），曾任英国首相，保守党领袖，作家，写过小说和政论作品，其政府推行殖民主义扩张政策，发动侵略阿富汗和南非的战争。

据”表明，格棱罗万被包围几年之后，他还在着了迷似的为死者纠正语法错误。

正是他，字斟句酌，用铅笔做了那么多灰颜色的记号，使原来的手稿得以润色。

这本十二页的小册子属于悉尼米切尔图书馆收藏品。它的内容与墨尔本图书馆手写本（第 10453 卷）一致。作者身份仅根据姓名的首写字母得以确认。印刷者：墨尔本托马斯·瓦里纳父子公司，1955 年，即托马斯·柯诺去世的第二年。

爱德华·凯利之死

中心区司法长官里德上校在代理治安官埃利斯先生的陪同下，十点整准时来到死囚牢房门口，对爱德华·凯利验明正身，执行死刑。墨尔本监狱典狱长卡斯蒂欧提前几分钟视察了犯人状况，命令打开镣铐，然后他敲了敲门，由司法长官宣布执行死刑的命令。犯人明白了这一可怕的事实：他的死期已经来到。这时，行刑人厄普约翰一直没有露面，他是第一次干这种可怕的差事。等凯利的牢门打开之后，有人给他打了一个手势，他便在对面的死囚牢房出现了，现在，牢房里面站着它的第一个牺牲者。他默默地走过绞刑台，默默地转过脸，低头看着那几个前来“监斩”的人，脸上的表情既让人厌恶，又让人害怕。

行刑的人是个老头，大约七十岁，但是虎背熊腰，高大结实。因为他自告奋勇干这差事的时候正在服刑，所以身穿囚衣，剃着光头，下巴也刮得光溜溜的，不过，几天之后才是对凯利执行死刑的日子，他那雪白的头发又像钢针一样长了满头，看起来三分像人七分像鬼，十分可怕。他浓眉大眼，厚嘴唇，最引人注目的是那丑陋的大鼻子。

厄普约翰第一次绞人，巴克医生不放心，也站在绞刑台上，指点他在正确的位置挽好绞索。然后，厄普约翰走进牢房，用一条结实的皮带捆绑凯利的双臂。囚犯说："没有必要绑我。"但厄普约翰告诉他，这是必须的。

主持宗教仪式的牧师们举着十字架，走在前面，凯利跟在后面，被带向绞刑台。他没有剃头，也没有刮脸，但是穿着囚衣。他看起来很平静，也很镇定，只是脸比平常白了一点。然而这也许是头上那顶白布帽子映衬的结果，那白布帽还没有被拉下来盖住他的脸。踏上绞刑台的时候，他低声说了一句："这就是生活。"

行刑人给他套绞索。与此同时，牧师们念起天主教适合这种场合的祈祷词。犯人刚碰到绞索的时候，本能地抽搐了一下，但他马上镇静下来，转动着脑袋，配合厄普约翰，好让他把结打得更牢靠一点。结刚刚打好，不等犯人说一句话，长官便发出了信号。行刑人把凯利头上的白帽子往下一拉，往后退了一步，抽掉活板，便完成了他的工作。

在一刹那，内德·凯利的躯体从刚才站过的木板滑落到八英尺之下。起初，死亡似乎在瞬息之间完成了，因为像平常别的受绞刑的人一样，那躯体也颤动了一两秒钟；可是后来，他的两条腿向上抬起来一些，然后又猛地落了下去。这个动作重复了好几次，但终于停止了。四分钟后，一切都结束了。爱德华·凯利到更高一级的法庭交代自己的错误和罪行去了。按规定，尸体又吊了一会儿，然后正式验尸。逃犯生前请求将他的母亲从墨尔本监狱释放出来，还要求把他的遗体交给家人，埋葬在牧师祝圣过的墓地。这两个要求都没被批准，他的遗体被埋在监狱附近的乱坟岗。

图书在版编目（CIP）数据

凯利帮真史 / (澳) 彼得 · 凯里著 ; 李尧译. -- 青岛 : 青岛出版社, 2017.12
ISBN 978-7-5552-6293-0

Ⅰ. ①凯… Ⅱ. ①彼… ②李… Ⅲ. ①长篇小说－澳大利亚－现代 Ⅳ. ①I611.45

中国版本图书馆CIP数据核字(2017)第275059号

书　　名	凯利帮真史
著　　者	（澳）彼得·凯里
译　　者	李　尧
出版发行	青岛出版社
社　　址	青岛市海尔路 182 号（266061）
本社网址	http：//www.qdpub.com
邮购电话	13335059110　0532–85814750（传真）0532– 68068026
责任编辑	刘　坤
整体设计	刘　欣
印　　刷	青岛国彩印刷有限公司
出版日期	2018 年 1 月第 1 版　2018 年 1 月第 1 次印刷
开　　本	32 开
印　　张	13.25
字　　数	260 千
书　　号	ISBN 978–7–5552–6293–0
定　　价	58.00 元

编校印装质量、盗版监督服务电话　4006532017　0532–68068638